Sadlier

CREEMOS ™

La ley de Dios
nos guía

HACIENDO DISCÍPULOS
Orar
Conocer
Celebrar
Compartir
Expresar
Vivir

Cuarto curso

S Sadlier

Nihil Obstat
Monsignor Michael F. Hull
Censor Librorum

Imprimatur
✠ Most Reverend Dennis J. Sullivan
Vicar General of the Archdiocese of New York
February 14, 2011

Acknowledgments

Excerpts from the English translation of *The Roman Missal*, © 2010, International Committee on English in the Liturgy, Inc. All rights reserved.

Scripture excerpts are taken from the *New American Bible with Revised New Testament and Psalms*. Copyright © 1991, 1986, 1970, Confraternity of Christian Doctrine, Inc., Washington, D.C. Used with permission. All rights reserved. No part of the *New American Bible* may be reproduced by any means without permission in writing from the copyright owner.

Excerpts from *La Biblia con Deuterocanonicos*, versión popular, copyright © 1966, 1970, 1979, 1983, William H. Sadlier, Inc. Distribuido con permiso de la Sociedad Bíblica Americana. Reservados todos los derechos.

Excerpts from *La Biblia católica para jóvenes* © 2005, Instituto Fe y Vida. All rights reserved.

Excerpts from the English translation of *Lectionary for Mass* © 1969, 1981, International Committee on English in the Liturgy, Inc. (ICEL); excerpts from the English translation of *A Book of Prayers* © 1982, ICEL. All rights reserved.

Excerpts from *Catholic Household Blessings and Prayers* Copyright © 1988 United States Catholic Conference, Inc., Washington, D.C. Used with permission. All rights reserved.

Excerpt from the prayer "God be in my head" from *The Oxford Book of Prayers* © 1985, Oxford University Press, Oxford, U.K.

The English translation of the Apostles' Creed, the Nicene Creed, the Lord's Prayer, the Gloria Patri, the Gloria in Excelsis, the Te Deum Laudamus, and the Sanctus/Benedictus by the International Consultation on English Texts (ICET). All rights reserved.

Excerpts from the *Misal Romano*, © 1993, Conferencia Episcopal Mexicana, Obra Nacional de la Buena Prensa, A.C., Apartado M-2181, 06000 México, D.F. All rights reserved.

Excerpts from the *Ritual conjunto de los sacramentos* © 1976, CELAM, Departamento de Liturgia, Apartado aéreo 5278, Bogotá, Colombia. All rights reserved.

"Cristo te necesita" Cesáreo Gabaráin, © 1978, Cesáreo Gabaráin. Obra publicada por OCP Publications, 5536 NE Hassalo, Portland, OR 97213. Derechos reservados. Usada con permiso. "Blest Are They" David Haas. Text: The Beatitudes. Text and music: © 1985, G.I.A. Publications, Inc. All rights reserved. Used with permission. "Caminaré" Juan A. Espinosa, © Juan A. Espinosa. Obra publicada por OCP Publications, 5536 NE Hassalo, Portland, OR 97213. Derechos reservados. Usada con permiso. "Come, Follow Me" © 1992, Barbara Bridge. Published by OCP Publications, 5536 NE Hassalo, Portland, OR 97213. All rights reserved. Used with permission. "Oración de San Francisco" Sebastian Temple, © 1967, OCP Publications, 5536 NE Hassalo, Portland, OR 97213. Derechos reservados. Usada con permiso. "Prayer of St. Francis" Dedicated to Mrs. Frances Tracy, © 1967, OCP Publications, 5536 NE Hassalo, Portland, OR 97213. All rights reserved. Used with permission. "Cantando mi fe" Alfredo A. Morales, F.S.C., ©1979, 1997, Alfredo A. Morales, F.S.C., y Arquidiócesis de Miami. Derechos reservados. Administradora exclusiva: OCP Publications, 5536 NE Hassalo,

Portland, OR 97213. Usada con permiso. "Lord, I Lift Your Name on High" Rick Founds, © 1989, 1999, MARANATHA PRAISE, INC. (Administered by THE COPYRIGHT COMPANY, Nashville, TN.) All rights reserved. International copyright secured. "Abre mis ojos/Open My Eyes" Estrofa 1 en español, Rufino Zaragoza, O.F.M., © 1988, 1998, Jesse Manibusan y Rufino Zaragoza, O.F.M. Obra publicada por OCP Publications, 5536 NE Hassalo, Portland, OR 97213. Derechos reservados. Usada con permiso. "Ven al banquete/Come to the Feast" Letra y música © 1994, Bob Hurd y Pia Moriarty. Obra publicada por OCP Publications, 5536 NE Hassalo, Portland, OR 97213. Derechos reservados. Usada con permiso. "Somos el cuerpo de Cristo/We Are the Body of Christ" Jaime Cortez, © 1994, Jaime Cortez. Obra publicada por OCP Publications, 5536 NE Hassalo, Portland, OR 97213. Derechos reservados. Usada con permiso. "Alégrense, cielos y tierra" Letra: Del Salmo 95 (Psalm 96); J.M. Lara. Música: J.M.Lara, © 1979, The Benedictine Foundation of the State of Vermont. Derechos reservados. Con las debidas licencias. Usada con permiso. "Praise Him with Cymbals" © 1993, Janet Vogt. Published by OCP Publications, 5536 NE Hassalo, Portland OR 97213. All rights reserved. Used with permission. "Cerca está el Señor/The Lord Is Near" Letra: Salmo 144 (Psalm 145), 18; letra en español © 1982, SOBICAIN. Derechos reservados. Con las debidas licencias. Letra en inglés © 1969, 1981, 1997, ICEL. Derechos reservados. Con las debidas licencias. Obra publicada por OCP Publications, 5536 NE Hassalo, Portland, OR 97213. Usada con permiso. "Gracias, Señor" Manuel de Terry, © 1972, Manuel de Terry y Ediciones Musical PAX-PPC. Derechos reservados. Administradora exclusiva en EE.UU.: OCP Publications, 5536 NE Hassalo, Portland, OR 97213. "I Am Special" © 1999, Bernadette Farrell. Published by OCP Publications, 5536 NE Hassalo, Portland, OR 97213. All rights reserved. Used with permission. "Nueva vida" Cesáreo Gabaráin, © 1973, Cesáreo Gabaráin. Obra publicada por OCP Publications. Derechos reservados. Usada con permiso. "New Heart and New Spirit" © 1992, John Schivaone. Published by OCP Publications, 5536 NE Hassalo, Portland, OR 97213. All rights reserved. Used with permission. "Somos todos el pueblo de Dios/We Are All the People of God" Peter Rubalcava, © 1989, NALR. Obra publicada por OCP Publications, 5536 NE Hassalo, Portland, OR 97213. Derechos reservados. Usada con permiso. "Pescador de hombres/Lord, You Have Come" English translation by Robert C. Trupia. Letra y música © 1979, 1987, Cesáreo Gabaráin. Obra publicada por OCP Publications. Derechos reservados. Usada con permiso. "Juntos" Aldo Blanco, © Aldo Blanco Dávalos. Obra publicacda por OCP Publications, 5536 NE Hassalo, Portland, OR 97213. Derechos reservados. Usada con permiso. "You Call Us to Live" © 1990, Christopher Walker. Published by OCP Publications, 5536 NE Hassalo, Portland, OR 97213. All rights reserved. Used with permission. "Somos una Iglesia" Letra y música © 1994, Eleazar Cortés. Obra publicada por OCP Publications, 5536 NE Hassalo, Portland, OR 97213. Derechos reservados. Usada con permiso. "Though We Are Many/Make Us a Sign" © 1999, Bernadette Farrell. Published by OCP Publications, 5536 NE Hassalo, Portland, OR 97213. All rights reserved. Used with permission. "Envía tu Espíritu" Letra y música © 1988, 2000, Bob Hurd. Obra publicada por OCP Publications, 5536 NE Hassalo, Portland, OR 97213. Derechos reservados. Usada con permiso. "Send Us Your Spirit" © 1988, 1989, 1990, Christopher Walker. Published by OCP Publications, 5536 NE Hassalo, Portland, OR 97213. All rights reserved. Used with permission.

Printed in the United States of America.

𝕊® is a registered trademark of William H. Sadlier, Inc.

C⟨reemos⟩™ is a registered trademark of William H. Sadlier, Inc.

William H. Sadlier, Inc.
9 Pine Street
New York, NY 10005-4700

ISBN: 978-0-8215-6204-8
8 9 10 11 12 WEBC 19 18 17 16

El subcomité para el Catecismo de la Conferencia de Obispos Católicos de los Estados Unidos consideró que esta serie catequética, copyright 2011, está en conformidad con el *Catecismo de la Iglesia Católica.*

The subcommittee on Catechism, United States Conference of Catholic Bishops, has found this catechetical series, copyright 2011, to be in conformity with the *Catechism of the Catholic Church.*

El programa Creemos/We Believe de Sadlier fue desarrollado por un reconocido equipo de expertos en catequesis, desarrollo del niño y currículo a nivel nacional. Estos maestros y practicantes de la fe nos ayudaron a conformar cada lección a la edad de los niños. Además, un equipo de respetados liturgistas, catequistas, teólogos y ministros pastorales compartieron sus ideas e inspiraron el desarrollo del programa.

Contribuyentes en la inspiración y el desarrollo de este programa:

Gerard F. Baumbach, Ed.D.
Director, Centro de Iniciativas Catequéticas
Profesor concurrente de teología
University of Notre Dame

Carole M. Eipers, D.Min.
Vicepresidenta y Directora Ejecutiva
de Catequesis
William H. Sadlier, Inc.

Consultores en liturgia y catequesis

Reverendo Monseñor John F. Barry
Párroco, Parroquia American Martyrs
Manhattan Beach, CA

Mary Jo Tully
Canciller, Arquidiócesis de Portland

Reverendo Monseñor John M. Unger
Superintendente Catequesis y Evangelización
Arquidiócesis de San Luis

Consultores en currículo y desarrollo del niño

Hermano Robert R. Bimonte, FSC
Director ejecutivo
NCEA Departamento de Escuelas primarias

Gini Shimabukuro, Ed.D.
Profesora asociada
Institute for Catholic Educational Leadership
Escuela de Educación
Universidad de San Francisco

Consultores en la escritura

Reverendo Donald Senior, CP, Ph.D., S.T.D.
Miembro, Comisión Bíblica Pontificia
Presidente, Catholic Theological Union
Chicago, IL

Consultores en multicultura

Reverendo Allan Figueroa Deck, SJ, Ph.D., S.T.D.
Director ejecutivo
Secretariado de Diversidad Cultural en la Iglesia
Conferencia de obispos católicos
de los Estados Unidos
Washington, D.C.

Kirk Gaddy
Consultor en educación
Baltimore, MD

Reverendo Nguyễn Việt Hưng
Comité vietnamita de catequesis

Dulce M. Jiménez Abreu
Directora de programas en español
William H. Sadlier, Inc.

Doctrina social de la Iglesia

John Carr
Director ejecutivo
Departamento de Desarrollo
Social y Paz Mundial, USCCB
Washington, D.C.

Joan Rosenhauer
Directora asociada
Departamento de Desarrollo Social
y Paz Mundial, USCCB
Washington, D.C.

Consultores en teología

Reverendísimo Edward K. Braxton, Ph.D., S.T.D.
Consultor teólogo oficial
Obispo de Belleville

Norman F. Josaitis, S.T.D.
Consultor teólogo

Reverendo Joseph A. Komonchak, Ph.D.
Profesor, Escuela de Estudios Religiosos
Catholic University of America

Reverendísimo Richard J. Malone, Th.D.
Obispo de Portland, ME

Hermana Maureen Sullivan, OP, Ph.D.
Profesora asistente de teología
St. Anselm College, Manchester, NH

Consultores en mariología

Hermana M. Jean Frisk, ISSM, S.T.L.
International Marian Research Institute
Dayton, OH

Traducción y adaptación

Dulce M. Jiménez Abreu
Directora de programas en español
William H. Sadlier, Inc.

Consultores en catequesis bilingüe

Rosa Monique Peña, OP
Arquidiócesis de Miami

Reverendísimo James Tamayo D.D.
Obispo de Laredo
Laredo, TX

Maruja Sedano
Directora, Educación Religiosa
Arquidiócesis de Chicago

Timoteo Matovina
Departamento de teología
University of Notre Dame

Reverendo José J. Bautista
Director, Oficina del Ministerio Hispano
Diócesis de Orlando

Equipo de desarrollo

Rosemary K. Calicchio
Vicepresidenta de Publicaciones

Blake Bergen
Director Editorial

Melissa D. Gibbons
Directora de Investigaciones y
Desarrollo

Allison Johnston
Editor

Christian García
Escritor contribuyente

MaryAnn Trevaskiss
Supervisora de edición

Maureen Gallo
Editor

Kathy Hendricks
Escritora contribuyente

William M. Ippolito
Consultor

Joanne McDonald
Editor

Alberto Batista
Editor bilingüe

Margherita Rotondi
Asistente editorial

Consultores en medios y tecnología

Hermana Judith Dieterle, SSL
Ex Presidenta, Asociación
Nacional de Profesionales en
Catequesis y Medios

Hermana Jane Keegan, RDC
Consultora en tecnología

Michael Ferejohn
Director medios electrónicos
William H. Sadlier, Inc.

Robert T. Carson
Diseño medios electrónicos
William H. Sadlier, Inc.

Erik Bowie
Producción medios electrónicos
William H. Sadlier, Inc.

Consultores de Sadlier

Michaela M. Burke
Directora, Servicios de Consultoría

Judith A. Devine
Consultora nacional de ventas

Kenneth Doran
Consultor nacional de religión

Saundra Kennedy, Ed.D.
Consultora y especialista en
entrenamiento

Víctor Valenzuela
Consultor nacional bilingüe

Equipo de edición y operaciones

Deborah Jones
Vicepresidenta, Publicaciones y
Operaciones

Vince Gallo
Director creativo

Francesca O'Malley
Directora asociada de arte

Jim Saylor
Director fotográfico

Diseño y equipo fotográfico
Andrea Brown, Keven Butler,
Debrah Kaiser, Susan Ligertwood,
Cesar Llacuna, Bob Schatz

Equipo de producción
Diane Ali, Monica Bernier,
Barbara Brown, Brent Burket,
Robin D'Amato, Stephen Flanagan,
Joyce Gaskin, Cheryl Golding,
María Jiménez, Joe Justus,
Vincent McDonough, Yolanda
Miley, Maureen Morgan, Jovito
Pagkalinawan, Monica Reece,
Julie Riley, Martin Smith

Indice

Contents

UNIDAD 3

Los mandamientos nos ayudan a amar a los demás

UNIDAD 4

Somos llamados a la santidad

UNIT 3

The Commandments Help Us to Love Others

UNIT 4

We Are Called to Holiness

SEASONAL CHAPTERS

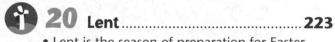

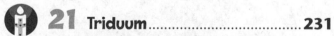

Jesús, el camino, la verdad y la vida

NOS CONGREGAMOS

✝ **Líder:** Jesús nos dice quien es él. Vamos a escucharlo de su boca:

Lector: "Yo soy el pan". (Juan 6:35)

Todos: Jesús, creemos que eres el pan de vida.

Lector: "Yo soy la luz del mundo". (Juan 8:12)

Todos: Jesús, creemos que eres la luz del mundo.

Líder: Jesús, gracias por decirnos quien eres. Viniste al mundo a mostrarnos la forma de llegar al Padre.

Todos: Amén.

☀ Piensa en alguien a quien conoces bien. ¿Cómo llegaste a conocer a esa persona?

CREEMOS

Dios nos envió a su único Hijo.

¿Quién es Jesús? Una forma en que podemos saber quien es Jesús es leyendo la Biblia.

En el Nuevo Testamento aprendemos que Dios Padre envió a su único Hijo al mundo para que fuera uno como nosotros. La **encarnación** es la verdad de que el Hijo de Dios se hizo hombre.

Jesús es el Hijo de Dios. El es divino y humano.

Podemos leer sobre la vida de Jesús en los cuatro libros del Nuevo Testamento llamados *evangelios*. Aprendemos que Jesús creció en Nazaret con su madre María y su padre adoptivo José. Jesús amó a su familia. El aprendió sobre su fe judía y rezó a Dios.

Jesus—the Way, the Truth, and the Life

WE GATHER

✝ **Leader:** Jesus tells us who he is. Let us listen to his words.

Reader: "I am the bread of life." (John 6:35)

All: Jesus, we believe you are the Bread of Life.

Reader: "I am the light of the world." (John 8:12)

All: Jesus, we believe you are the Light of the World.

Leader: Jesus, thank you for telling us who you are.
You came into the world to show us the way to the Father.

All: Amen.

Think of someone you know well. How did you get to know that person?

WE BELIEVE

God sent his only Son to us.

Who is Jesus? One way we can find out about Jesus is by reading the Bible.

In the New Testament we learn that God the Father sent his Son into the world to become one of us. The **Incarnation** is the truth that the Son of God became man.

Jesus is the Son of God. He is both divine and human.

We can read about Jesus' life in the four books of the New Testament called the *Gospels*. We learn that Jesus grew up in Nazareth with his mother Mary and his foster father Joseph. Jesus loved his family. He learned about his Jewish faith and prayed to God.

Jesús creció y habló con personas en diferentes pueblos. El les enseñó sobre Dios como nunca antes nadie les había hablado. Jesús llamó a Dios "*Abbá*", palabra que significa papá.

Jesús dijo una vez: "Yo soy el camino, la verdad y la vida. Solamente por mí se puede llegar al Padre. Si ustedes me conocen a mí, también conocerán a mi Padre" (Juan 14:6-7).

Por su vida y enseñanzas, Jesús nos dirige hacia Dios Padre. Jesús nos habla de Dios y de la vida que Dios quiere que compartamos.

 Imagina que estás caminando con Jesús. ¿Qué le dirías?

_____

_____

Jesús nos muestra como vivir.

Jesús quiere que todo el mundo sepa sobre el amor de Dios. Jesús trató a todo el mundo justamente. El ayudó a los pobres y a los enfermos. El se preocupó por los que estaban muy solos.

Muchas personas se interesaron por las palabras y obras de Jesús. Querían saber más de él. Jesús les pidió seguirle para que aprendieran más sobre él. Los que dijeron sí a la llamada de Jesús fueron sus **discípulos**.

Jesús pasó aproximadamente tres años con sus discípulos. Jesús les pidió que vivieran como él vivió. Les pidió predicar el mensaje del amor de Dios. El sabía que sus discípulos necesitarían ayuda para hacerlo.

Cuando su vida en la tierra estaba por terminar, él prometió que el Padre les enviaría el Espíritu Santo. El Espíritu Santo los ayudaría a recordar y creer todo lo que Jesús les había dicho.

El Espíritu Santo es la tercera Persona de la **Santísima Trinidad**. La Santísima Trinidad es tres personas en un solo Dios, Dios Padre, Dios Hijo y Dios Espíritu Santo.

 Imagina que estás caminando con Jesús. ¿Qué cosas te diría?

_____

_____

As Jesus grew older, he talked to people in many towns. He taught them about God. Jesus talked about God in a way that no one ever had before. Jesus called God "Abba." The word *abba* means "father."

Jesus once said, "I am the way and the truth and the life. No one comes to the Father except through me. If you know me, then you will also know my Father" (John 14:6–7).

Through his life and teaching, Jesus leads us to God the Father. Jesus tells us about God. Jesus shows us the life that God wants us to share.

 Imagine that you are walking with Jesus. What are you saying to him?

_____

_____

Jesus shows us how to live.

Jesus wanted all people to know about God's love. Jesus treated everyone fairly. He helped those who were poor or sick. He cared for those who were lonely.

Many people were so impressed by Jesus' words and actions. They wanted to know more about him. Jesus asked them to come and learn from him. Those who said yes to Jesus' call and followed him were his **disciples**.

Jesus spent about three years with his disciples. Jesus asked them to live as he did. Jesus asked them to spread his message of God's love. He knew his disciples would need help to do this.

So when Jesus' life on earth was coming to an end, he promised that the Father would send the Holy Spirit. The Holy Spirit would help the disciples to remember and to believe all that Jesus had told them.

The Holy Spirit is the Third Person of the Blessed Trinity. The **Blessed Trinity** is the Three Persons in One God: God the Father, God the Son, and God the Holy Spirit.

 Imagine that you are walking with Jesus. What are some things he is telling you?

_____

_____

Jesucristo es nuestro Salvador.

Dios creó al mundo para compartir su amor y vivir en su amistad. Sin embargo, los primeros seres humanos se alejaron del amor de Dios y lo desobedecieron. Ellos cometieron el primer pecado. Este pecado es llamado pecado original. Todos nacemos con el **pecado original**. El pecado original hace difícil que amemos y obedezcamos a Dios.

A pesar de que pecaron, Dios no se alejó de su pueblo. Dios prometió salvarlo del pecado. El envió a su único Hijo a salvar al pueblo. Jesús es el Hijo de Dios que vino a quitar el pecado del mundo.

Por su muerte en la cruz y su resurrección, Jesús salvó al pueblo del pecado. **Salvador** es el título dado a Jesús porque él murió y resucitó para salvarnos del pecado. Por Jesús vivimos en el amor de Dios por siempre.

Reflexiona en lo que sabes sobre Jesús. ¿Qué cosa sobre Jesús es muy importante para ti?

En grupo decidan una forma que muestre a otros que Jesús es importante.

Los discípulos predicaron la buena nueva de Jesucristo.

Después que Jesús subió al cielo con su Padre, el Espíritu Santo fue enviado a fortalecer a sus discípulos. El día en que el Espíritu Santo vino a los discípulos es llamado *Pentecostés*. El Espíritu Santo ayudó a los discípulos a creer que Jesús es el verdadero Cristo.

Los discípulos fueron a todas partes enseñando sobre Jesús. Ellos querían que otros creyeran que él era el Cristo y que se bautizaran. Muchas personas escucharon el mensaje y se bautizaron. Así se inició la Iglesia.

La **Iglesia** es la comunidad de personas bautizadas en Jesucristo y que siguen sus enseñanzas. El Bautismo nos hace miembros de la Iglesia. El Bautismo nos libera del pecado original y de cualquier pecado que hayamos cometido. En el Bautismo se nos da una nueva vida. Esta nueva vida es compartir en la vida de Dios.

El don de la vida de Dios en nosotros es la **gracia**. La gracia nos ayuda a ser discípulos de Jesús. Como discípulos recordamos como vivió Jesús. Trabajamos juntos y vivimos como él. Cuando seguimos el ejemplo de Jesús y compartimos su amor, ayudamos a la Iglesia a crecer.

Jesus Christ is our Savior.

God created people to share in his love and to live in his friendship. However, the first human beings turned away from God's love and disobeyed him. They committed the first sin. This first sin is called **Original Sin**. Everyone is born with Original Sin. Original Sin makes it harder for us to love and obey God.

Even though they had sinned, God did not turn away from his people. God promised to save them from sin. He sent his only Son to save all people. Jesus is the Son of God who came to take away the sin of the world.

By his dying on the cross and rising to new life, Jesus saves all people from sin. **Savior** is a title given to Jesus because he died and rose to save us from sin. Because of Jesus we can live in God's love forever.

Reflect on what you know about Jesus. What is one thing about Jesus that is very important to you?

As a group decide one way to show others that Jesus is important to you.

The disciples spread the Good News of Jesus Christ.

After Jesus ascended to his Father in Heaven, the Holy Spirit was sent to strengthen the disciples.

The day on which the Holy Spirit came to the disciples is called *Pentecost*. The Holy Spirit helped the disciples to believe that the risen Jesus was truly the Christ.

The disciples went everywhere teaching about Jesus. They wanted others to believe in him as the Christ and to be baptized. Many people who heard their message were baptized. This was the beginning of the Church.

The **Church** is the community of people who are baptized in Jesus Christ and follow his teachings. Baptism makes us members of the Church. Baptism frees us from Original Sin and from any sins we may have committed. In Baptism we are given new life. This new life we receive is a share in God's own life.

This gift of God's life in us is **grace**. Grace helps us to be Jesus' disciples. As disciples we remember how Jesus lived. We work together to live as he did. When we follow the example of Jesus and share his love, we help the Church to grow.

Como católicos...

El nombre Jesucristo tiene un significado especial. *Jesús* es una antigua palabra aramea que quiere decir "Dios salva".

El título *Cristo* viene de la palabra griega que significa "ungido". Ser ungido es ser seleccionado para llevar a cabo una misión especial. Dios le dio a su Hijo, Jesús, la misión de salvarnos. Jesús es el Ungido, el Cristo.

En la misa, cuando escuches la palabra "Jesucristo", recuerda su significado.

RESPONDEMOS

Completa las siguientes oraciones.

Soy la comunidad de personas bautizadas que sigue a Cristo.

Yo soy la

— — — — — — —.

Soy el día en que el Espíritu Santo vino a los discípulos.

Yo soy

— — — — — — — — — —.

Soy el don de la vida de Dios.

Yo soy

— — — — — — —.

Los primeros discípulos compartieron todo lo que sabían acerca de Jesús. ¿Qué puedes compartir sobre Jesús hoy?

_____

_____

_____

Vocabulario

Encarnación (pp 317)

discípulos (pp 317)

Santísima Trinidad (pp 318)

pecado original (pp 318)

Salvador (pp 318)

Iglesia (pp 317)

gracia (pp 317)

WE RESPOND

Complete these statements.

I am the community of people who are baptized and follow Jesus Christ.

I am the

__ __ __ __ __ __.

I am the day that the Holy Spirit came upon the disciples.

I am

__ __ __ __ __ __ __ __ __.

I am the gift of God's life.

I am

__ __ __ __ __.

The first disciples shared all they knew about Jesus. What can you share about Jesus today?

____

____

____

As Catholics...

The name Jesus Christ has special meaning. *Jesus* is an Aramaic word that means "God saves."

The title *Christ* comes from a Greek word meaning "anointed one." To be anointed is to be set aside for a special mission. God gave his Son, Jesus, the mission to save us. Jesus is the Anointed One, the Christ.

At Mass when you hear the name "Jesus Christ," remember what it means.

Key Words

Incarnation (p. 319)
disciples (p. 319)
Blessed Trinity (p. 319)
Original Sin (p. 320)
Savior (p. 320)
Church (p. 319)
grace (p. 319)

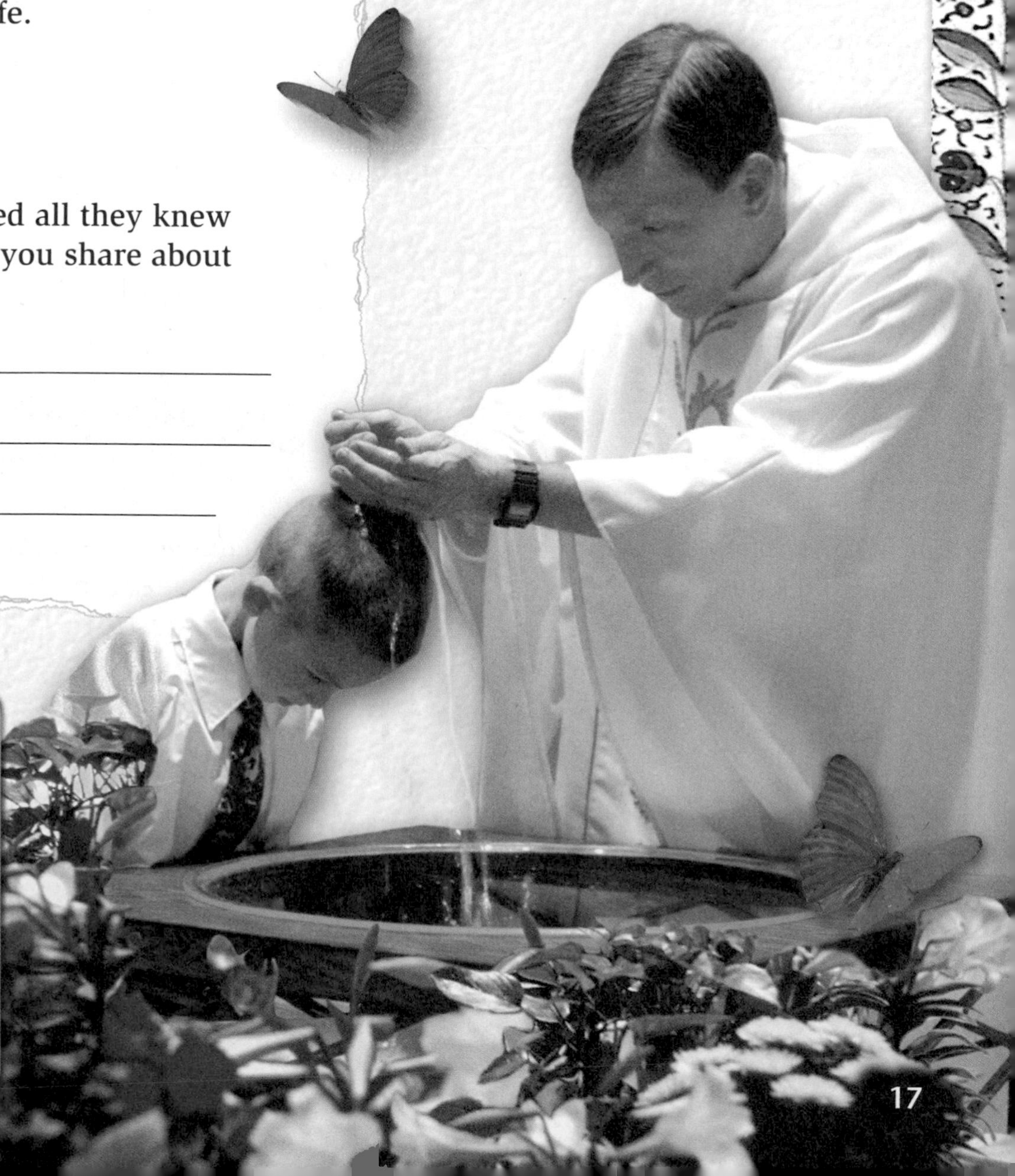

HACIENDO DISCÍPULOS

Muestra lo que sabes

Escribe en la raya la letra al lado de la definición de cada palabra del **Vocabulario**. No se da la definición de una palabra, escríbela.

1. Santísima Trinidad _____

2. Iglesia _____

3. discípulos _____

4. gracia _____

5. Salvador _____

6. pecado original _____

7. encarnación _____

a. la verdad de que el hijo de Dios se hizo hombre

b. los que dijeron sí al llamado de Jesús a seguirle

c. tres personas en un solo Dios

d. primer pecado cometido por los primeros humanos

e. el don de la vida de Dios en nosotros

f. la comunidad de personas bautizadas en Jesucristo y que siguen sus enseñanzas

g. _____

_____

Datos

El domingo después de Pentecostés se celebra a la Santísima Trinidad. Tres personas en un solo Dios: Dios el Padre, Dios el Hijo y Dios el Espíritu Santo.

Escritura

"Después de esto, salió y vio a un recaudador de impuestos, llamado Leví, que estaba sentado en su oficina de impuestos, y le dijo: 'Sígueme'. El, dejándolo todo, se levantó y lo siguió". (Lucas 5:27–28)

↳ **RETO PARA EL DISCÍPULO**

• ¿Qué hizo Leví cuando Jesús le dijo: "Sígueme"?

_____

• ¿Qué tiene la gente que dejar atrás para seguir a Jesús?

_____

PROJECT DISCIPLE

Show What *you* Know

Write the letter that matches each **Key Words** with its definition. One word does not have a match.

1. Blessed Trinity _____

2. Church _____

3. disciples _____

4. grace _____

5. Savior _____

6. Original Sin _____

7. Incarnation _____

a. the truth that the Son of God became man

b. those who said yes to Jesus' call to follow him

c. the Three Persons in One God

d. the first sin committed by the first human beings

e. the gift of God's life in us

f. the community of people who are baptized and follow Jesus Christ

g. _____

_____

Fast Facts

The Sunday after Pentecost is Trinity Sunday. This day celebrates the Blessed Trinity— Three Persons in One God: God the Father, God the Son, and God the Holy Spirit.

What's *the* Word?

"After this [Jesus] went out and saw a tax collector named Levi sitting at the customs post. He said to him, 'Follow me.' And leaving everything behind, he got up and followed him." (Luke 5:27–28)

↳ **DISCIPLE CHALLENGE**

• What did Levi do when Jesus said to him, "Follow me"?

_____

• What would people have to "leave behind" to follow Jesus today?

_____

Investiga

Dorothy Day quería ayudar a los desamparados y los que no tenían que comer. Ella abogó por la paz y la justicia. Empezó una cocina popular para dar de comer a los que tenían hambre en la ciudad de Nueva York. Siguiendo su ejemplo otras personas hicieron lo mismo en otras ciudades. Dorothy Day ayudó a empezar el movimiento católico en favor de los trabajadores. Este grupo da de comer a las personas que tienen hambre, trabaja por la justicia y continúa el trabajo de Jesús en el mundo. Dorothy Day dijo sí al llamado de Jesús de seguirlo. En el 2000, la Iglesia empezó el proceso de declararla santa.

↳ RETO PARA EL DISCIPULO

- Subraya las oraciones que hablan sobre como Dorothy Day fue discípula de Jesús.

- Encierra en un círculo el nombre del grupo que Dorothy Day ayudó a fundar.

Reza

Espíritu Santo, hazme un discípulo fuerte.
Ayúdame a:

_____

_____

_____

_____

Amén.

Tarea

Reza esta semana con tu familia esta oración de San Agustín.

"Sopla en mí, Espíritu Santo, para que mis pensamientos sean santos.
Actúa en mí, Espíritu Santo, para que mi trabajo también sea santo.
Llena mi corazón, Espíritu Santo, para que ame lo que es santo.
Fortaléceme, Espíritu Santo, para defender lo que es santo.
Protégeme, Espíritu Santo, para que siempre sea santo.
Amén".

More to Explore

Dorothy Day wanted to help people who were homeless or hungry. She stood up for peace and against injustice. She started a soup kitchen to feed the poor in New York City. Following her example, people did the same in other cities. Dorothy Day helped to begin the Catholic Worker Movement. This group feeds hungry people, works for justice, and continues the work of Jesus in the world. Dorothy Day said yes to Jesus' call and followed him. In 2000, the Church began the process of declaring Dorothy Day a saint.

↳ DISCIPLE CHALLENGE

- Underline the sentences that tell how Dorothy Day was a disciple of Jesus.

- Circle the name of the group that Dorothy Day helped to begin.

Pray Today

Holy Spirit, make me a stronger disciple of Jesus. Help me to

_____

_____

_____

_____

Amen.

Take Home

Pray this prayer of Saint Augustine with your family this week.

"Breathe in me, O Holy Spirit, that my thoughts may all be holy.
Act in me, O Holy Spirit, that my work, too, may be holy.
Draw my heart, O Holy Spirit, that I love but what is holy.
Strengthen me, O Holy Spirit, to defend all that is holy.
Guard me, then, O Holy Spirit, that I always may be holy.
Amen."

Jesús nos dirige hacia la felicidad

NOS CONGREGAMOS

✝ **Líder:** Escuchemos la promesa de Jesús a los que creen en él.

Lector: "Al ver la multitud, Jesús subió al monte y se sentó. Sus discípulos se le acercaron, y él comenzó a enseñarles diciendo:

'Dichosos los que reconocen su necesidad espiritual, pues el reino de Dios les pertenece'". (Mateo 5:1–3)

🎵 **Cristo te necesita**

Cristo te necesita para amar, para amar,
Cristo te necesita para amar.

No te importen las razas ni el color de la piel, ama a todos como hermanos y haz el bien.

Al que sufre y al triste, dale amor, dale amor, al humilde y al pobre, dale amor.

☀ Piensa en alguien en quien confías. ¿Por qué confías en esa persona?

CREEMOS

Jesús confió en Dios, su Padre.

Cuando Jesús empezaba su misión, fue al desierto a orar. Estando allí, el diablo lo tentó. El diablo quería que Jesús dejara de confiar en Dios, su Padre. La confianza de Jesús en su Padre era muy grande. Jesús le dijo al diablo que se fuera. El le dijo: "La Escritura dice:

'Adora al Señor tu Dios, y sírvele sólo a él'". (Mateo 4:10)

Jesús mostró su confianza en Dios, su Padre, por medio de la oración. Algunas veces Jesús iba solo a rezar. Otras veces rezaba con sus discípulos. Jesús rezó cuando sanaba y perdonaba. El rezó: "Padre, te doy gracias porque me has escuchado. Yo sé que siempre me escuchas". (Juan 11:41–42)

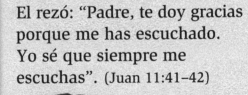

Jesus Leads Us to Happiness

WE GATHER

✝ **Leader:** Let us listen to what Jesus promises to those who trust in his ways.

Reader: "When he saw the crowds, he went up the mountain, and after he had sat down, his disciples came to him. He began to teach them, saying:

'Blessed are the poor in spirit,
    for theirs is the kingdom of heaven.'"
    (Matthew 5:1–3)

🎵 **Blest Are They**

Rejoice and be glad!
Blessed are you, holy are you!
Rejoice and be glad!
Yours is the kingdom of God!

"Blest Are They," David Haas. Text: The Beatitudes.
©1985, G.I.A. Publications, Inc. All rights reserved.
Used with permission.

☀ Think of someone you trust. Why do you trust that person?

WE BELIEVE

Jesus trusted God his Father.

As Jesus was beginning his work, he went to the desert to pray. While Jesus was there, the Devil tempted him. The Devil wanted Jesus to stop trusting God his Father. But Jesus' trust in his Father was very strong. Jesus told the Devil to go away. He said, "It is written:

'The Lord, your God, shall you worship
    and him alone shall you serve'"
    (Matthew 4:10).

Jesus showed his trust in God his Father through prayer. Sometimes Jesus went off by himself to pray. Other times he prayed among his disciples. Jesus prayed when he healed and forgave people, too. He prayed: "Father, I thank you for hearing me. I know that you always hear me" (John 11:41–42).

La noche antes de morir, Jesús rezó: "Padre, si quieres, líbrame de este trago amargo; pero que no se haga mi voluntad, sino la tuya" (Lucas 22:42). Con esta oración, Jesús muestra que aun en su sufrimiento él confió en Dios, su Padre. Porque confiando podía hacer la voluntad de su Padre.

No importa lo que pase en nuestras vidas, Jesús quiere que confiemos en el amor de Dios como él lo hizo. El nos pide vivir como el Padre quiere que vivamos. El nos pide estar en paz. **Paz** es la libertad que viene de amar y confiar en Dios y respetar a los demás.

 ¿Cómo podemos mostrar que confiamos en Dios?

Jesús nos enseñó las Bienaventuranzas.

Las **Bienaventuranzas** son enseñanzas de Jesús que describen la forma de vivir como sus discípulos. Aprendemos de las Bienaventuranzas que Dios ofrece esperanza a todo el mundo. Cada uno de nosotros tiene una razón para confiar en el amor de Dios.

En las Bienaventuranzas la palabra *dichoso* significa "feliz". Jesús explica en las Bienaventuranzas que seremos felices cuando amemos y confiemos en Dios como lo hizo Jesús.

Jesús tiene un mensaje para los que viven las Bienaventuranzas. El dice: "Alégrense, estén contentos, porque van a recibir un gran premio en el cielo" (Mateo 5:12).

Lee cada una de las Bienaventuranzas y piensa como puedes vivirlas.

Mateo 5:3–10

Las Bienaventuranzas

"Dichosos los que reconocen su necesidad espiritual, pues el reino de Dios les pertenece.

Dichosos los que tienen compasión de otros, pues Dios tendrá compasión de ellos.

Dichosos los que están tristes, pues Dios les dará consuelo.

Dichosos los de corazón limpio, pues ellos verán a Dios.

Dichosos los de corazón humilde, pues recibirán la tierra que Dios les ha prometido.

Dichosos los que procuran la paz, pues Dios los llamará hijos suyos.

Dichosos los que tienen hambre y sed de hacer lo que Dios exige, pues él hará que se cumplan sus deseos.

Dichosos los que sufren persecución por hacer lo que Dios exige, pues el reino de Dios les pertenece".

On the night before he died, Jesus prayed, "Father, if you are willing, take this cup away from me; still, not my will but yours be done" (Luke 22:42). By this prayer Jesus showed that even in his suffering he trusted in God his Father. Because of this trust, Jesus was able to do his Father's will.

No matter what is happening in our lives, Jesus wants us to trust in God's love as he did. He asks us to live as the Father wants us to live. He asks us to be at peace. **Peace** is the freedom that comes from loving and trusting God and respecting all people.

How can we show that we trust in God?

Jesus taught the Beatitudes.

The **Beatitudes** are teachings of Jesus that describe the way to live as his disciples. We learn from the Beatitudes that God offers hope to every person. We each have a reason to trust in God's love.

In the Beatitudes the word *blessed* means "happy." Jesus explains in the Beatitudes that we will be happy when we love God and trust him as Jesus did.

Jesus has a message for those who live the Beatitudes. He says, "Rejoice and be glad, for your reward will be great in heaven" (Matthew 5:12).

Read the Beatitudes and think how can you live them.

Matthew 5:3–10

The Beatitudes

"Blessed are the poor in spirit,
   for theirs is the kingdom of heaven.

Blessed are they who mourn,
   for they will be comforted.

Blessed are the meek,
   for they will inherit the land.

Blessed are they who hunger and
   thirst for righteousness,
   for they will be satisfied.

Blessed are the merciful,
   for they will be shown mercy.

Blessed are the clean of heart,
   for they will see God.

Blessed are the peacemakers,
   for they will be called children of God.

Blessed are they who are persecuted
   for the sake of righteousness,
   for theirs is the kingdom of heaven."

Jesús enseñó sobre el reino de Dios.

Aprendemos en los evangelios que el reino de Dios fue una parte importante de las enseñanzas de Jesús. **El reino de Dios** es el poder del amor de Dios activo en el mundo. Este poder se ve en las palabras y obras de Jesús.

Jesús enseñó que el reino de Dios crecería si la gente creía en el amor de Dios y lo compartía. Una vez trató de explicar a sus discípulos que el reino de Dios había llegado.

 Lucas 17:20–21

Una vez alguien preguntó a Jesús cuando llegaría el reino de Dios. El contestó: "El reino de Dios no va a llegar en forma visible. No se va a decir: Aquí está, o Allí está; porque el reino de Dios ya está entre ustedes". (Lucas 17:20–21)

Jesús quería que sus discípulos supieran que el amor de Dios era una fuerza poderosa en ellos. Jesús les mostró que el reino de Dios es un reino de amor y justicia. **Justicia** quiere decir respetar los derechos de los demás y darles lo que realmente les pertenece.

Cuando somos misericordiosos, perdonamos, somos justos y fieles a Dios, ayudamos a construir el reino de Dios. Mientras más personas reciben el amor de Dios y viven como Jesucristo vivió, más crece el reino de Dios. Continuará creciendo hasta la próxima venida de Jesús al final de los tiempos.

¿Cuáles son algunos signos de que el reino de Dios está creciendo en el mundo hoy?

Jesus taught about the Kingdom of God.

We learn from the Gospels that the Kingdom of God was an important part of Jesus' teaching. The **Kingdom of God** is the power of God's love active in the world. This power is shown in Jesus' words and actions.

Jesus taught that the Kingdom of God would grow if people believed in and shared God's love. Once he tried to explain to his disciples that the Kingdom of God had already begun.

📖 Luke 17:20–21

Jesus was once asked when the Kingdom of God would come. He answered, "The coming of the kingdom of God cannot be observed, and no one will announce, 'Look, here it is,' or, 'There it is.' For behold, the kingdom of God is among you" (Luke 17:20–21).

Jesus wanted his disciples to know that God's love was a powerful force among them. Jesus showed them that God's Kingdom is a kingdom of love and justice. **Justice** means respecting the rights of others and giving them what is rightfully theirs.

When we are forgiving, merciful, just, and faithful to God, we help to build the Kingdom of God. As more and more people receive God's love and live as Jesus did, the Kingdom of God grows. It will continue to grow until Jesus returns in glory at the end of time.

🧍 What are some signs that God's Kingdom is growing today?

27

Los discípulos de Jesús comparten su misión.

Jesús predicó el mensaje del amor de Dios dondequiera que iba. Esta era la misión de Jesús. El pidió a sus discípulos hacer lo mismo.

Después de la ascensión de Jesús, los discípulos continuaron la obra de Jesús. Su **misión** era compartir la buena nueva de Jesucristo y predicar el reino de Dios. Fue así como llevaron a cabo su misión:

- Contaron a otros la buena nueva de que Jesús es el Hijo de Dios, quien murió y resucitó para salvarnos del pecado.

- Bautizaron a los que escucharon la buena nueva y creyeron.

- Se reunían para alabar a Dios y partir el pan como lo pidió Jesús en la última cena.

- Mostraron por sus obras y palabras que el amor de Dios estaba activo en sus vidas y el mundo.

- Ayudaron a los pobres y sanaron a los enfermos.

La misión de los primeros discípulos es la misión de la Iglesia hoy. También nosotros somos llamados a continuar la obra de Jesús. Como los primeros discípulos no hacemos esto solos. Por el Bautismo, estamos unidos a todos los miembros de la Iglesia. En la Eucaristía recibimos el Cuerpo y la Sangre de Cristo. Somos fortalecidos y guiados por el Espíritu Santo para llevar a cabo la misión de Cristo.

Como católicos...

Tu fe católica no es un asunto privado entre tú y Dios. Tienes un papel en la misión de la Iglesia. La Iglesia defiende a los que son tratados injustamente o les son negadas sus necesidades básicas. Las Bienaventuranzas nos enseñan a ser justos. En este mismo instante puedes rezar por personas que necesitan ayuda. También puedes unirte a otros miembros de la Iglesia a trabajar por la paz y la justicia para todo el mundo.

Investiga como los miembros de tu parroquia trabajan por la paz y la justicia.

Vocabulario

paz (pp 318)

Bienaventuranzas (pp 317)

reino de Dios (pp 318)

justicia (pp 317)

misión (pp 318)

RESPONDEMOS

Habla de las formas en que personas de tu edad pueden vivir nuestra misión como discípulos de Jesús. Después ilustra algo que harás con tu familia esta semana.

Jesus' disciples share his mission.

Jesus spread the message of God's love everywhere he went. This was Jesus' work, or mission. He asked his disciples to do the same work.

After Jesus' Ascension, the disciples continued Jesus' work. Their **mission** was to share the Good News of Jesus Christ and to spread the Kingdom of God. This is how they carried out their mission:

- They told others the Good News that Jesus is the Son of God who died and rose to save us from sin.

- They baptized those who heard the Good News and believed.

- They gathered together to praise God and break bread as Jesus did at the Last Supper.

- They showed by their words and actions that God's love was active in their lives and in the world.

- They reached out to the poor and healed the sick and suffering.

The mission of the first disciples is the mission of the Church today. We, too, are called to continue Jesus' work. Like the first disciples we do not do this alone. Through Baptism, we are joined to all the members of the Church. At the Eucharist we receive Christ's Body and Blood. We are strengthened and led by the Holy Spirit to carry out Christ's mission.

WE RESPOND

In groups talk about some of the ways people your age can live our mission as disciples of Jesus. Then illustrate here one thing you and your family will do this week.

As Catholics...

Your Catholic faith is not a private matter between you and God. You have a role to play in the mission of the Church. The Church stands up for those who are unjustly treated or denied their basic needs. The Beatitudes teach all people to do this. Right now you can pray for people who need help. You can also join with other members of the Church to work for peace and justice for all people.

Find out how the members of your parish work for peace and justice.

Key Words

peace (p. 320)

Beatitudes (p. 319)

Kingdom of God (p. 319)

justice (p. 319)

mission (p. 320)

Muestra *lo* que sabes

En el banco de palabras escribe las palabras del Vocabulario definidas abajo. Después busca y encierra en un círculo cada palabra dentro del cuadro de palabras.

1. La libertad que viene de amar y confiar en Dios y respetar a los demás

2. Las enseñanzas de Jesús que describen la forma en que deben vivir sus discípulos

3. El poder del amor de Dios activo en el mundo

4. Respetar los derechos de los demás y darles lo que justamente les pertenece

5. El trabajo de compartir la buena nueva de Jesucristo y predicar el reino de Dios

Banco de palabras

1. _____
2. _____
3. _____
4. _____
5. _____

```
U M I P R E O I J K L A O I E I
J I U F U I Q R U S J J W J U I
A S K P P K J A S A K J A A P K
B I E N A V E N T U R A N Z A S
U O Y O Z E N A I O I A N J Z X
P N E D J V O Y C O I B R A E W
R E I N O D E D I O S D J A O I
I L V D N T U R A N Z A S K J N
```

Haz *lo*

Decide acciones específicas que te ayudarán a continuar el trabajo de Jesús esta semana. Haz tu lista aquí.

_____

_____

_____

Datos

Las Bienaventuranzas son el inicio del Sermón del Monte. Jesús dio este sermón en una montaña cerca de Cafarnaú, pueblo a la orilla del Mar de Galilea.

PROJECT DISCIPLE

Show What *you* Know

In the Word Bank, write the Key Word for each definition below. Then find and circle the word in the letter box.

1. The freedom that comes from loving and trusting God and respecting all people

2. The teachings of Jesus that describe the way to live as his disciples

3. The power of God's love active in the world

4. Respecting the rights of others and giving them what is rightfully theirs

5. The work of sharing the Good News of Jesus Christ and spreading the Kingdom of God

Word Bank

1. _____
2. _____
3. _____
4. _____
5. _____

```
D Q C Y Z N T P E A C E
D O G F O M O D G N I K
P U N G G R S I O A R A
V R P X M I B J S T N R
H V C V L W V J C S P X
Q U X E C I T S U J I Y
B E A T I T U D E S B M
```

Make *it* Happen

Decide on specific actions that will help you to continue the work of Jesus this week. List them here.

_____

_____

_____

Fast Facts

The Beatitudes are the beginning of Jesus' Sermon on the Mount. Jesus spoke this sermon on a mountain near Capernaum, which is a town on the shore of the Sea of Galilee.

Orar
Conocer
Celebrar
Compartir
Expresar
Vivir

HACIENDO DISCÍPULOS

Investiga

El Salvador es un país en Centro América. Oscar Romero fue un arzobispo en El Salvador durante la década de los 70. Como arzobispo, se dio cuenta del sufrimiento de los pobres y los que morían de hambre y por la guerra. El arzobispo Romero sirvió y habló defendiendo a la Iglesia y a los pobres. Algunas personas querían detenerlo para que no siguiera hablando de la paz y la justicia. Un día mientras celebraba la misa fue asesinado. Su vida había sido un ejemplo vivo de las Bienaventuranzas.

↳ RETO PARA EL DISCIPULO

- ¿Cuál de las Bienaventuranzas crees que describe mejor la vida del arzobispo Romero?

_____

- ¿Por qué?

_____

_____

Escritura

Jesús convocó a los Doce y "los envió a predicar el reino de Dios y a sanar a los enfermos. Y les dijo: 'No lleven para el camino ni bastón ni morral, ni pan ni dinero, ni tengan dos túnicas'".
(Lucas 9: 2–3)

↳ RETO PARA EL DISCIPULO

- ¿A quién envió Jesús a una misión?

_____

- ¿Qué les dijo Jesús que hicieran?

_____

Tarea

Junto con tu familia:

- Repasen como la misión de los discípulos fue continuar la misión de Jesús (ver página 28).

- Escojan una forma en que la familia puede compartir la misión de Jesús esta semana. Escríbanla aquí.

_____

_____

_____

Pray
Learn
Celebrate
Share
Choose
Live

PROJECT DISCIPLE

More to Explore

El Salvador is a country in Central America. Oscar Romero was an archbishop in El Salvador during the 1970s. As archbishop, he saw how the poor people were suffering and dying from hunger and war. Archbishop Romero served and spoke out to defend the Church and the poor. There were some people who wanted to stop him from teaching about peace and justice. One day while celebrating Mass, he was killed. But his life had been a living example of the Beatitudes.

↳ DISCIPLE CHALLENGE

- Which Beatitude do you think best describes the life of Archbishop Romero?

_____

- Why?

_____

_____

What's the Word?

Jesus gathered the Apostles and "sent them to proclaim the kingdom of God and to heal [the sick]. He said to them, 'Take nothing for the journey, neither walking stick, nor sack, nor food, nor money, and let no one take a second tunic'" (Luke 9:2–3).

↳ DISCIPLE CHALLENGE

- Who did Jesus send out on a mission?

_____

- What did Jesus send them to do?

_____

Take Home

With your family:

- review how the disciples' mission was to continue the work of Jesus (see page 29).
- choose one way your family can share in Jesus' mission this week. Write it here.

_____

_____

3

El pecado en nuestro mundo

✝ **Líder:** Imagínate caminando en una larga senda. Bajo la sombra de los árboles. Escuchas a las aves cantar. Ves hermosas flores en tu camino.

Mientras avanzas ves a alguien. ¡Es Jesús! El te mira a los ojos. Sus ojos son amorosos y te pregunta:

Lector: "¿Quieres ser mi discípulo? ¿Escogerás seguirme?"

Líder: Piensa en como le contestarías.

🎵 **Caminaré**

Caminaré en presencia del Señor. (bis) Amo al Señor, porque escucha mi voz suplicante, porque inclina su oído hacia mí el día que lo invoco.

☀ ¿Cuáles son algunas de las decisiones que tomas en la escuela y en la casa?

CREEMOS

Dios nos da libertad para escoger.

Cuando Dios nos creó nos regaló el libre albedrío. **Libre albedrío** es la libertad de decidir cuando y como actuar. Usamos este libre albedrío cuando pensamos por nosotros mismos y tomamos decisiones.

Sin in Our World

WE GATHER

Leader: Imagine yourself alone walking down a long path. You are shaded by large trees. You hear birds chirping. You see beautiful flowers growing along the path.

As you look down the path, you see someone. It is Jesus! He is looking right at you. His eyes are loving and inviting. He asks you these questions:

Reader: "Do you want to be my disciple? Will you choose to follow me?"

Leader: Take time to think about the way you would answer Jesus.

🎵 **Come, Follow Me**

Come, follow me, come, follow me.
I am the way, the truth, and the life.
Come, follow me, come, follow me.
I am the light of the world, follow me.

 What are some of the choices you make at home and at school?

WE BELIEVE

God gives us the freedom to choose.

When God created us he gave us the gift of free will. **Free will** is the freedom to decide when and how to act. We use our free will when we think for ourselves and make decisions.

Dios quiere que cumplamos su ley de amarlo, amar a los demás y a nosotros mismos. Sin embargo, Dios no nos obliga a ello.

Las decisiones buenas que tomamos nos ayudan a conocer, amar y a servir a Dios. Algunas veces tomamos decisiones que nos alejan del amor de Dios. Estas decisiones son pecados. **Pecado** es un pensamiento, palabra, obra u omisión en contra de la ley de Dios.

Algunas veces puede ser fácil o más divertido hacer las cosas malas. Por eso la gente es tentada a hacer esas cosas. Una **tentación** es una atracción a escoger el pecado. La tentación no es un pecado, pero caer en ella si lo es.

✖ Imagina que te han pedido hacer un aviso de servicio público para una estación de radio. Escribe un anuncio que anime a la gente a ser fuerte y no dejarse vencer por la tentación.

El pecado nos aleja de Dios.

Somos responsables de nuestras decisiones porque tenemos libre albedrío. Si escogemos hacer algo que nos aleja de Dios cometemos un pecado personal. Cuando pecamos nos quedamos cortos en ser la persona que Dios quiere que seamos. Sin embargo, hay muchas personas en nuestras vidas que nos pueden ayudar a tomar buenas decisiones. Más importante aún, siempre podemos acudir a Dios para que nos ayude a tomar buenas decisiones.

Cada vez que pecamos debilitamos nuestra amistad con Dios y con los demás. Algunas personas cometen

pecados graves. Un pecado grave que rompe la amistad de una persona con Dios es un **pecado mortal**. Para que el pecado sea mortal la persona tiene que escoger libremente hacer lo que sabe es malo. Los que cometen pecado mortal pierden la gracia. Sin embargo, Dios nunca deja de amarlos.

Un pecado menos grave que daña la relación con Dios es un **pecado venial**. El pecado venial no permite que la persona sea tan buena como Dios la hizo. Sin embargo, los que cometen pecado venial siguen teniendo la gracia de Dios.

Si nuestras decisiones nos alejan de Dios necesitamos pedir perdón. El amor y la misericordia de Dios están siempre ahí para sanarnos y fortalecernos, especialmente por medio de los sacramentos.

✖ ¿Qué puede ayudarnos a tomar buenas decisiones?

God wants us to follow his law to love him, ourselves, and others. However, God does not force us to do this.

The choices people make that help them to know, love, and serve God are good choices. Yet sometimes people choose things that lead them away from God's love. These kinds of choices are sins. **Sin** is a thought, word, action, or omission against God's law.

Sometimes it may seem easier or more fun to do things that are not good. So people may be tempted to do these things. A **temptation** is an attraction to choose sin. Temptation is not a sin, but choosing to give in to temptation is a sin.

 Imagine that you have been asked to make a public service announcement on a radio program. Together make up a jingle that encourages people to be strong and not to give in to temptation.

Sin leads us away from God.

Because we have free will, we are responsible for our choices. If we choose to do something that leads us away from God, we commit a personal sin. When we sin, we fall short of being the person God wants us to be. However, there are many people in our lives who can help us to make good choices. Most importantly, we can always call on God to help us to choose what is good.

Every sin weakens our friendship with God and others. Some people commit very serious sins. A very serious sin that breaks a person's friendship with God is a **mortal sin**. To commit mortal sin someone must freely choose to do something that he or she knows is seriously wrong. Those who commit mortal sin lose grace. Yet God never stops loving them.

A less serious sin that hurts a person's friendship with God is **venial sin**. Venial sins hold people back from being as good as God made them to be. However, those who commit venial sin still have God's gift of grace.

If our choices lead us away from God, we need to ask for his forgiveness. God's love and forgiveness are always there to heal and strengthen us, especially through the sacraments.

What can help us to make good choices?

Pecado puede ser algo que la persona hace o deja de hacer.

Hay veces que la actuación de la gente ofende a Dios y a los demás. Este tipo de ofensa es llamada *pecado de comisión*. La gente realmente hace algo malo.

La gente puede pecar también por dejar de hacer. Este pecado es llamado *pecado de omisión*. Por ejemplo, la gente puede pecar por no alabar a Dios o por no respetar a los demás.

Cuando celebramos el sacramento de la Penitencia y Reconciliación, estamos pidiendo perdón a Dios. Podemos pedir perdón a Dios por nuestras faltas y por las cosas buenas que dejamos de hacer. En una oración en la misa rezamos: "He pecado mucho de pensamiento, palabra, obra y omisión".

En el Evangelio de Lucas encontramos la siguiente historia contada por Jesús.

"Un hombre iba por el camino de Jerusalén a Jericó, y unos bandidos lo asaltaron . . . dejándolo medio muerto. . . . un sacerdote pasaba por el mismo camino; pero al verle, dio un rodeo y siguió adelante. También un Levita llegó a aquel lugar, y cuando le vio, dio un rodeo y siguió adelante. Pero un hombre de Samaria que viajaba por el mismo camino, al verle, sintió compasión. Se acercó a él, le curó las heridas con aceite y vino, y le puso vendas . . . lo llevó a un alojamiento y lo cuidó". (Lucas 10:30–34)

El samaritano decidió ayudar al hombre. El sacerdote y el levita escogieron no ayudar. Jesús nos pide escoger amar a Dios y a los demás. Nos enseña como vencer el pecado volviéndonos a Dios, el Padre, y cumpliendo su voluntad. Nos da al Espíritu Santo para que nos fortalezca. Jesús nos promete que podemos contar siempre con la misericordia de Dios.

Describe las acciones del samaritano. ¿Cómo podemos actuar como él en nuestras vidas?

Sins can be things people do or fail to do.

Every day, people try to love God and others. But sometimes people act in ways that offend God and other people. These kinds of offenses are called *sins of commission*. People actually *do* something wrong.

People can also sin by what they do *not do*. These kinds of sins are called *sins of omission*. For example, people may sin by *not* honoring God or *not* respecting others.

When we celebrate the Sacrament of Penance and Reconciliation, we ask God to forgive us for the wrongs that we do and for what we fail to do. We also ask for forgiveness at Mass when we pray: "I have greatly sinned in my thoughts and in my words, in what I have done and in what I have failed to do."

In the Gospel of Luke we find the following story that Jesus told.

"A man fell victim to robbers as he went down from Jerusalem to Jericho. They stripped and beat him and went off leaving him half-dead. A priest happened to be going down that road, but when he saw him, he passed by on the opposite side. Likewise a Levite came to the place, and when he saw him, he passed by on the opposite side. But a Samaritan traveler who came upon him was moved with compassion at the sight. He approached the victim, poured oil and wine over his wounds and bandaged them. Then he lifted him up on his own animal, took him to an inn and cared for him." (Luke 10:30–34)

The Samaritan made the choice to help the man who had been robbed. The priest and the Levite chose not to. Jesus asks us to choose to love God and one another. He teaches us how to overcome sin by turning to God the Father and following his will. He gives us the Holy Spirit to strengthen us. Jesus promises us that we can always count on God's mercy.

Describe the actions of the Samaritan. How can we act more like the Samaritan?

As Catholics...

In 1854, Blessed Pope Pius IX declared the Immaculate Conception of Mary, the Mother of Jesus, an official teaching of the Catholic Church. This teaching means that from the very first moment of her life, Mary was free from Original Sin. She was full of God's grace. We celebrate Mary's Immaculate Conception on December 8.

How does your parish celebrate this feast of Mary?

Somos llamados a valorar y respetar a todos.

Los humanos no viven solos. Vivimos con otros en una sociedad o comunidad.

La vida de Jesús es nuestro ejemplo de cómo vivir en sociedad. El valora y respeta a todos los humanos. El ayudó a pobres, jóvenes, viejos, enfermos, pecadores y extranjeros. Jesús nos enseñó que somos hijos de Dios. Estas palabras de San Pablo nos recuerdan las enseñanzas de Jesús:

"Pues por la fe en Cristo Jesús todos ustedes son hijos de Dios. Y por el bautismo han venido a estar unidos con Cristo y se encuentran revestidos de él . . . unidos a Cristo Jesús, todos ustedes son uno solo". (Gálatas 3:26–28)

Como hijos de Dios es importante recordar que toda persona es creada a imagen de Dios. Algunas personas olvidan eso. Algunas veces pierden de vista la igualdad de todas las personas. Ellos no respetan la dignidad humana de los demás. Cooperan, o participan, en el *pecado social*. Esto pasa por muchas razones. He aquí algunas:

- La gente tiene miedo de hablar en contra de las injusticias.

- A la gente sólo le preocupan los problemas cuando les afectan a ellos.

- Sus vidas son mejores si existe el pecado social, por ejemplo, hay gente que gana más dinero al no pagar salarios justos.

El pecado social también existía en tiempo de Jesús. Jesús sabía que existía rivalidad entre los judíos y los samaritanos. Cuando contó la historia del samaritano, él estaba pidiendo a la gente que dejara a un lado sus diferencias y que se ayudaran unos a otros.

Como discípulos de Jesús no debemos aceptar el pecado social. Nuestras vidas deben mostrar que valoramos y respetamos a toda vida humana.

Vocabulario

libre albedrío (pp 317)

pecado (pp 318)

tentación (pp 318)

pecado mortal (pp 318)

pecado venial (pp 318)

RESPONDEMOS

Algunas personas son ignoradas o tratadas injustamente por el color de la piel, nacionalidad, sexo, edad o religión.

En grupos conversen sobre un ejemplo específico. Hagan una lista de las formas en que podemos corregir esas injusticias.

_____

_____

We are called to value and respect all people.

Human beings do not live their lives alone. We live with others in a society, or community.

Jesus' life is our example of how to live in society. He valued and respected all human beings. He went out of his way to care for those who were poor, young, old, sick, sinners, and from other countries. Jesus taught us that we are all children of God. These words from Saint Paul remind us of Jesus' teachings.

"For through faith you are all children of God in Christ Jesus. For all of you who were baptized into Christ have clothed yourselves with Christ. . . . You are all one in Christ Jesus." (Galatians 3:26–28)

As children of God it is important to remember that every person is created in God's image. Sometimes people forget this. Sometimes they lose sight of the equality of all people. They disregard the human dignity of others. They cooperate, or take part in, *social sin*. This happens for many reasons. Here are a few:

- People are afraid to speak out against injustices.
- People only care about problems (for example, poverty) if they are affected by them.
- Their lives are better if the social sin exists. For example, people might make more money themselves by not paying their own workers a fair wage.

Social sin happened in Jesus' time, too. Jesus knew that there was hatred between Jews and Samaritans. When he told the story about the Samaritan, he was asking the people to put aside their differences and help one another.

As disciples of Jesus we should not accept social sin. Our lives should show that we value and respect all human beings.

WE RESPOND

 Sometimes people are ignored or treated unjustly because of their skin color, nationality, gender, age, or religion.

In groups, discuss a specific example of the statement. List some ways we can correct this injustice.

_____

_____

Key Words

free will (p. 319)

sin (p. 320)

temptation (p. 320)

mortal sin (p. 320)

venial sin (p. 320)

Muestra *lo* que sabes

Escribe un párrafo usando el Vocabulario aprendido en este capítulo.

libre albedrío
pecado
tentación
pecado mortal
pecado venial

_____

_____

_____

_____

_____

¿Qué harás?

Mario es el matón de la escuela. Todo el semestre se ha pasado molestando a Joel quien es más bajo que él. Hoy durante el almuerzo, Mario se está burlando de Joel. Muchos de tus compañeros se están riendo o ignorando la situación. Tú decides:

_____

_____

Consulta

¿Qué oraciones rezas cuando tratas de tomar decisiones?

❏ El Padrenuestro

❏ Un acto de contrición

❏ El Ave María

❏ _____

❏ _____

Reza

Jesús, ayúdame a escuchar cuando las personas en quienes confío me hablan sobre mis decisiones. Amén.

Show What *you* Know

Write a paragraph using the  **Key Words** learned in this chapter.

_____

_____

_____

_____

_____

_____

free will
sin
temptation
mortal sin
venial sin

What Would *you* do?

Arnie is the school bully. All semester long he has been picking on Joey who is half his size. Today at lunch, Arnie is making fun of Joey. A lot of your friends are laughing or ignoring the situation. You decide to

_____

_____

 **Pray Today**

Jesus, help me to listen when people I trust talk to me about my choices. Amen.

Question Corner

What prayers do you pray when trying to make good choices?

❏ Our Father

❏ Act of Contrition

❏ Hail Mary

❏ _____

❏ _____

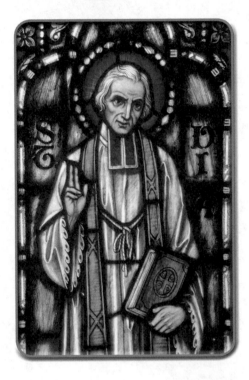

Vidas de santos

Juan Vianney fue ordenado sacerdote en Francia en 1815. Muy pronto se hizo famoso por su ministerio con los pecadores. Con frecuencia escuchaba confesiones durante dieciséis horas al día. El quería ayudar a la gente a buscar el perdón de Dios. Fue canonizado en 1925. Hoy es el patrón de los párrocos. Su fiesta se celebra el 4 de agosto.

RETO PARA EL DISCIPULO

- Subraya la oración que describe por que san Juan Vianney quería ayudar a los pecadores.

- Encierra en un círculo de que grupo es san Juan Vianney patrón.

Escritura

Repasa la historia del samaritano (página 38).

Después de contar la historia del samaritano Jesús le preguntó a los escribas: "¿Quién de los tres te parece que fue prójimo del que cayó en manos de los asaltantes? El otro contestó: 'El que tuvo compasión de él'. Jesús le dijo: 'Vete y haz tú lo mismo'". (Lucas 10:36–37)

RETO PARA EL DISCIPULO

- Subraya la frase que dice como debemos tratar a nuestro prójimo

- ¿Cómo mostró el samaritano que valoraba y respetaba a las personas?

_____

_____

Tarea

En la historia del samaritano, Jesús nos enseña que la gente puede dejar sus diferencias a un lado para ayudar a otro. En familia conversen sobre un ejemplo específico cuando las diferencias debieron ponerse a un lado. ¿Cómo pudo la familia hacerlo?

_____

_____

_____

_____

Saint Stories

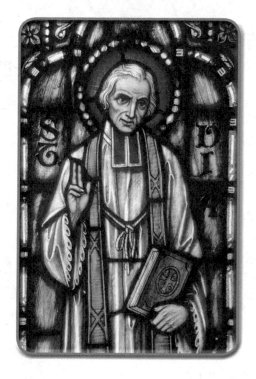

John Vianney was ordained a priest in 1815 in France. He soon became famous for his ministry to sinners. He often heard confessions for sixteen hours a day. He wanted to help people to seek God's forgiveness. He was canonized a saint in 1925. Today, he is the patron saint of parish priests. Saint John Vianney's feast day is August 4.

↳ DISCIPLE CHALLENGE

* Underline the sentence that describes why Saint John Vianney wanted to minister to sinners.

* Circle the group for whom Saint John Vianney is a patron saint.

What's *the* Word?

Review the story of the Samaritan (page 39).

After telling the story of the Samaritan, Jesus asked the scholar, "Which of these three, in your opinion, was neighbor to the robbers' victim? He answered, 'The one who treated him with mercy.' Jesus said to him, 'Go and do likewise' " (Luke 10:36–37).

↳ DISCIPLE CHALLENGE

* Underline the phrase that tells how we should treat our neighbor.

* How did the Samaritan show that he valued and respected people?

_____

_____

Take Home

In the story of the Samaritan, Jesus teaches us that people can put aside differences and help one another. With your family, discuss a specific example where differences need to be overcome. What can your family do?

_____

_____

_____

_____

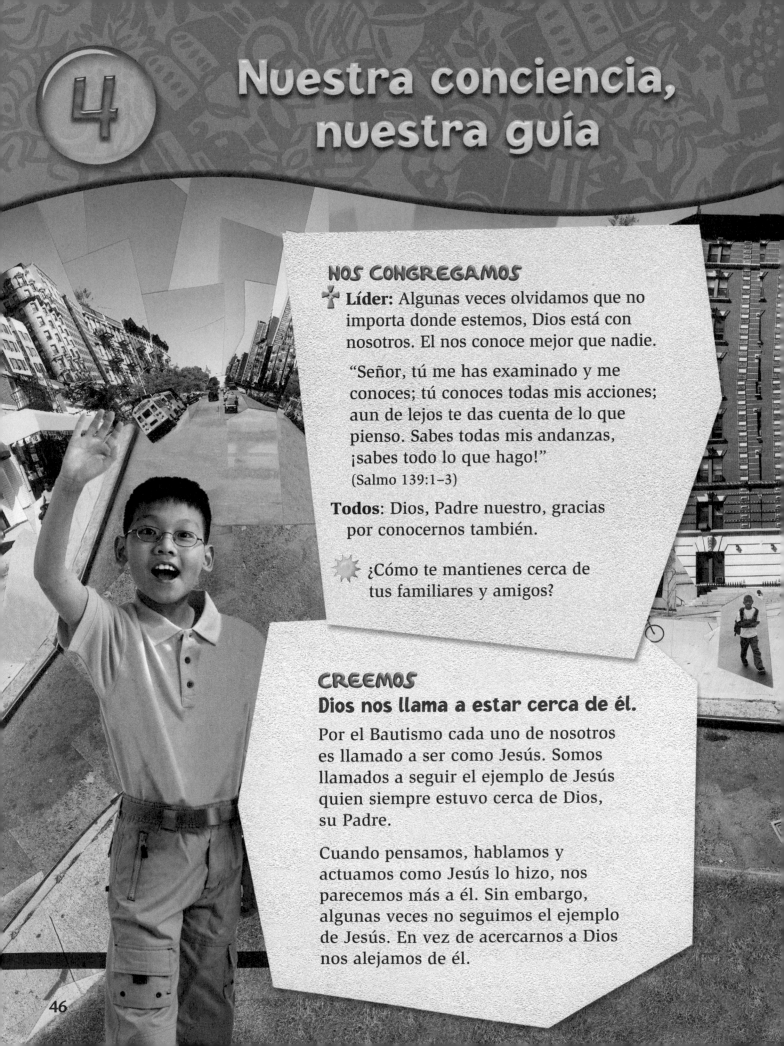

Nuestra conciencia, nuestra guía

NOS CONGREGAMOS

Líder: Algunas veces olvidamos que no importa donde estemos, Dios está con nosotros. El nos conoce mejor que nadie.

"Señor, tú me has examinado y me conoces; tú conoces todas mis acciones; aun de lejos te das cuenta de lo que pienso. Sabes todas mis andanzas, ¡sabes todo lo que hago!"
(Salmo 139:1–3)

Todos: Dios, Padre nuestro, gracias por conocernos también.

¿Cómo te mantienes cerca de tus familiares y amigos?

CREEMOS

Dios nos llama a estar cerca de él.

Por el Bautismo cada uno de nosotros es llamado a ser como Jesús. Somos llamados a seguir el ejemplo de Jesús quien siempre estuvo cerca de Dios, su Padre.

Cuando pensamos, hablamos y actuamos como Jesús lo hizo, nos parecemos más a él. Sin embargo, algunas veces no seguimos el ejemplo de Jesús. En vez de acercarnos a Dios nos alejamos de él.

Our Conscience, Our Guide

WE GATHER

✞ **Leader:** Sometimes we forget that no matter where we are, God is with us. He knows us better than anyone else does.

"LORD, you have probed me, you know me:
    you know when I sit and stand;
    you understand my thoughts from afar.
My travels and my rest you mark;
    with all my ways you are familiar."
(Psalm 139:1–3)

All: God our Father, thank you for knowing us so well.

☀ How do you stay close to your family and friends?

WE BELIEVE
God calls us to be close to him.

Through our Baptism each of us is called to become more like Jesus. We are called to follow the example of Jesus, who always remained close to God his Father.

When we think, speak, and act as Jesus did, we become more like him. Yet, sometimes we do not follow Jesus' example. Instead of moving closer to God, we move farther away from him.

Una vez Jesús contó esta historia sobre un padre y su hijo:

"Un hombre tenía dos hijos, y el más joven le dijo a su padre: 'Padre, dame la parte de la herencia que me toca' . . . cuando ya se lo había gastado todo, hubo una gran escasez de comida en aquel país, y él comenzó a pasar hambre . . . Al fin se puso a pensar: '¡Cuántos trabajadores en la casa de mi padre tienen comida de sobra, mientras yo aquí me muero de hambre! Regresaré a casa de mi padre, y le diré: Padre mío, he pecado contra Dios y contra ti; ya no merezco llamarme tu hijo; trátame como a uno de tus trabajadores'. Así que se puso en camino y regresó a la casa de su padre. Cuando todavía estaba lejos, su padre lo vio y sintió compasión de él. Corrió a su encuentro, y lo recibió con abrazos y besos". (Lucas 15:11–12, 14, 17–20)

Jesús contó esta historia para recordarnos que Dios es nuestro padre amoroso. Cuando nos olvidamos y alejamos de su amor, Dios está siempre dispuesto a recibirnos de nuevo como sus hijos.

Dios nos da el don de la conciencia.

Dios nos ama y quiere compartir su vida con nosotros. Quiere que estemos cerca de él. Si algunas veces nuestras decisiones nos alejan de Dios, él nos llama a que regresemos. El nos llama a alejarnos del pecado y vivir una vida de bondad y amor.

¿Cómo sabes si las cosas que haces son buenas o malas? Para ayudarnos, Dios nos ha dado la conciencia. Nuestra **conciencia** es la habilidad de conocer la diferencia entre el bien y el mal, lo malo y lo bueno. Es como una voz interna que nos ayuda a escoger el bien en vez del mal.

>  Escribe algunas palabras que puedes usar para describir el padre y el hijo en la historia contada por Jesús.
>
> _____
>
> _____
>
> _____
>
> ¿En qué se parece Dios al padre de la historia? ¿En qué nos parecemos, algunas veces, al hijo de la historia?

Once Jesus told this story about a father and a son:

"A man had two sons, and the younger son said to his father, 'Father, give me the share of your estate that should come to me.' . . . When he had freely spent everything, a severe famine struck that country, and he found himself in dire need. . . . Coming to his senses he thought, 'How many of my father's hired workers have more than enough food to eat, but here am I, dying from hunger. I shall get up and go to my father and I shall say to him, "Father, I have sinned against heaven and against you. I no longer deserve to be called your son; treat me as you would treat one of your hired workers."' So he got up and went back to his father. While he was still a long way off, his father caught sight of him, and was filled with compassion. He ran to his son, embraced him and kissed him" (Luke 15:11–12, 14, 17–20).

Jesus told this story to remind us that God is our loving Father. When we forget his love or turn away from it, God is always ready to welcome us back as his children.

 List some words you would use to describe the father and the son in the story Jesus told.

_____

_____

_____

How is God like the father in the story? How are we sometimes like the son in the story?

God gives us the gift of conscience.

God loves each of us and wants to share his life with us. He wants us to be close to him. If at times our choices lead us away from God, he calls us back to him. He calls us to turn away from sin and to live a life of goodness and love.

How do we know whether the things we do are good or sinful? To help us, God has given us a conscience. Our **conscience** is the ability to know the difference between good and evil, right and wrong. It is like an inner voice that helps us to choose good over evil.

La conciencia trabaja de tres formas:

- *Antes* de tomar decisiones. Nos ayuda a saber lo que es bueno. Nos ayuda a considerar las consecuencias de nuestras decisiones.

- *Mientras* tomamos la decisión. Nos da sentimientos de paz o malestar, dependiendo de lo que decidamos

- *Después* de tomar la decisión. Nos habilita para juzgar si lo que hemos decidido es bueno o malo.

¿Cómo sería el mundo si la gente no tuviera conciencia?

Formamos nuestra conciencia.

La conciencia es un don de Dios. En su carta a Timoteo, San Pablo escribe sobre seguir las enseñanzas de Cristo, él dice: "El propósito de esa orden es que nos amemos unos a otros con el amor que proviene de un corazón limpio, de una buena conciencia y de una fe sincera" (1 Timoteo 1:5).

Una buena conciencia nos lleva a ser fieles y justos. Nos guía a tomar decisiones basadas en las acciones y enseñanzas de Jesús. Una buena conciencia nos ayuda a vivir de la forma que Dios nos creó para vivir.

Es nuestra responsabilidad formar una buena conciencia. Esta responsabilidad continúa toda la vida.

Piensa en algún momento en que tuviste que tomar una decisión difícil. ¿Cómo te guió tu conciencia?

Una conciencia buena se forma:

- escuchando a Dios, Espíritu Santo

- pidiendo ayuda a los padres, tutores, sacerdotes, maestros y catequistas

- siguiendo el buen ejemplo de la vida de los santos

- creciendo en amor por Dios

- aprendiendo más sobre Dios en la Escritura

- aprendiendo más sobre Dios en las enseñanzas de la Iglesia.

Conscience works in three ways:

- It works *before* we make decisions. It helps us know what is good. It helps us consider the results of our choices.

- It works *while* we are making the decision. It brings about feelings of peace or discomfort depending on the choices we have made.

- It works *after* we make decisions. It enables us to judge, as good or evil, the decisions we have made.

How would our world be different if no one had a conscience?

We form our conscience.

Conscience is a gift from God. In a letter Saint Paul wrote to Timothy about following the teachings of Christ, he said: "The aim of this instruction is love from a pure heart, a good conscience, and a sincere faith" (1 Timothy 1:5).

A good conscience leads us to be truthful and fair. It guides us to make decisions that are based on the actions and teachings of Jesus. A good conscience helps us to live the way God created us to live.

Forming a good conscience is our responsibility. This responsibility continues throughout our lives.

A good conscience is formed by:

- listening to God the Holy Spirit

- asking your parents or guardians, priests, teachers, and catechists in the church to help you

- following the good example of a life of one of the saints

- deepening your love for God

- learning more about God through Scripture

- learning more about God through Church teachings.

Think about a time when you had a difficult decision to make. How did your conscience guide you?

Examinamos nuestra conciencia.

No importa lo ocupados que estemos, es importante pensar en las cosas que hacemos y decimos cada día. Un **examen de conciencia** es determinar si las decisiones que hemos tomado muestran amor a Dios, a nosotros mismos y a los demás.

Examinar nuestra conciencia puede ayudarnos a pensar en lo que haremos o diremos antes de actuar. Mientras más examinamos nuestra conciencia más fácil se nos hace escucharla y seguirla.

¿Cómo podemos examinar nuestra conciencia? Primero, tratamos de pensar en la forma que hemos amado a Dios y a los demás. Pensamos en las formas en que estamos viviendo como discípulos de Jesús y como miembros de la Iglesia. Después nos preguntamos si hemos pecado *haciendo* cosas que sabemos están mal, o *dejando de hacer* cosas que debimos hacer. Pedimos al Espíritu Santo nos ayude a ver lo bueno en nuestros pensamientos, palabras y obras.

Podemos examinar nuestra conciencia en cualquier momento. Buenos momentos son: antes de acostarse y antes de celebrar el sacramento de la Penitencia y Reconciliación.

Cuando examinamos nuestra conciencia podemos dar gracias a Dios por darnos la fuerza para tomar buenas decisiones. Reflexionar en las decisiones que hemos tomado nos ayuda a tomar decisiones que nos acercan a Dios.

RESPONDEMOS

Reza al Espíritu Santo para que te ayude a examinar tu conciencia. Después pregúntate lo siguiente:

¿Cómo he mostrado mi amor o he fallado en mostrar amor a Dios con mis pensamientos, palabras y obras?

¿Cómo he mostrado mi amor o he fallado en mostrar amor a los demás con mis pensamientos, palabras y obras?

Como persona creada a imagen y semejanza de Dios ¿cómo he mostrado mi amor o he fallado en mostrar amor a mí mismo?

Como católicos...

No formamos nuestra conciencia solos. La Iglesia nos ayuda en muchas formas. Una es por medio de sus enseñanzas. El papa y los obispos tienen la autoridad de enseñarnos en nombre de Jesús. Ellos se basan en la Escritura y la Tradición para ayudar a los católicos a formar sus conciencias.

¿Cuáles son algunas cosas que nos enseñan el papa y los obispos?

Vocabulario

conciencia (pp 317)

examen de conciencia (pp 317)

We examine our conscience.

No matter how busy we are, it is important to think about the things we do and say everyday. An **examination of conscience** is the act of determining whether the choices we have made showed love for God, ourselves, and others.

Examining our conscience can help us to think about what we will say and do before we act. The more we examine our conscience the easier it is to hear and follow our conscience.

But how can we examine our conscience? First, we try to think about the ways we have loved God and others. We think about the ways we are living as disciples of Jesus and as members of the Church.

Next, we ask ourselves whether we have sinned, either by *doing* things that we know are wrong, or by *not doing* the good things that we could have done. We ask the Holy Spirit to help us to judge the goodness of our thoughts, words, and actions.

We can examine our conscience any time. One possible time is before we fall asleep at night. Another time is when we celebrate the Sacrament of Penance and Reconciliation.

When we examine our conscience we can thank God for giving us the strength to make good choices. Reflecting on the choices we have made helps us to make choices that bring us closer to God.

conscience (p. 319)

examination of conscience (p. 319)

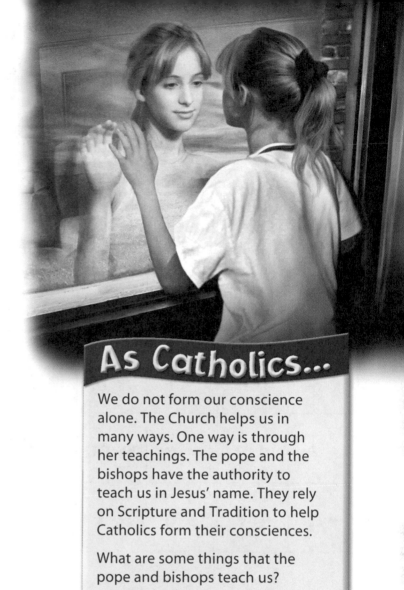

As Catholics...

We do not form our conscience alone. The Church helps us in many ways. One way is through her teachings. The pope and the bishops have the authority to teach us in Jesus' name. They rely on Scripture and Tradition to help Catholics form their consciences.

What are some things that the pope and bishops teach us?

WE RESPOND

Pray to the Holy Spirit for guidance in examining your conscience. Then ask yourself the following questions:

How have I shown love, or failed to show love, for God in my thoughts, words, and actions?

How have I shown love, or failed to show love, for others in my thoughts, words, and actions?

How have I shown love, or failed to show love, for myself as a person made in God's image?

HACIENDO DISCÍPULOS

Muestra *lo* que sabes

Colorea únicamente los espacios de las letras con un ◆. Organiza las letras para encontrar la palabra que completa las dos oraciones.

◆ o	● s	◆ i	● w	◆ c
● u	◆ n	● l	◆ n	● p
◆ a	● b	◆ e	● m	◆ c
● t	◆ c	● d	◆ i	● j

1. _____ es el don de Dios que nos da la habilidad de conocer la diferencia entre el bien y el mal, lo malo y lo bueno.

2. Examinamos nuestra _____ para determinar si las decisiones que hemos tomado muestran amor a Dios, a nosotros mismos y a los demás.

Reza

Ven, Espíritu Santo, guíame mientras trato de seguir mi conciencia. Amén.

Haz *lo*

Una de las enseñanzas de Jesús es: "Traten a los demás como ustedes quieran que ellos los traten" (Mateo 7:12). Diseña una calcomanía para un carro que recuerde a otros esta enseñanza.

PROJECT DISCIPLE

Show What *you* Know

Color only the letter spaces with ◆. Unscramble those letters to find the word to answer the two clues.

◆ i	● t	◆ c	● u	◆ c
● a	◆ n	● b	◆ o	● r
◆ e	● v	◆ c	● y	◆ n
● u	◆ s	● k	◆ e	● p

1. _____ is a gift from God that is the ability to know the difference between good and evil, right and wrong.

2. We examine our _____ when we determine whether the choices we have made showed love for God, ourselves, and others.

 **Pray Today**

Come, Holy Spirit, be my guide as I try to follow my conscience. Amen.

Make *it* Happen

One of Jesus' teachings is "Do to others whatever you would have them do to you" (Matthew 7:12). Design a bumper sticker to remind others of this teaching.

HACIENDO DISCIPULOS

Vidas de santos

Tomás Moro nació en Inglaterra en 1477. Fue un erudito y exitoso abogado. El rey Enrique VIII lo designó canciller. Cuando el rey pidió ser la cabeza de la Iglesia de Inglaterra y obligó al pueblo a aceptarlo, Tomás Moro, siguiendo su conciencia, se negó a aceptarlo. Entonces el rey lo mandó a matar.

Tomás Moro fue nombrado santo por seguir su conciencia, las enseñanzas de Cristo y las enseñanzas de la Iglesia. Es el patrono de los abogados. Su fiesta se celebra el 22 de junio. Aprende más sobre la vida de los santos visitando **www.creemosweb.com**.

RETO PARA EL DISCIPULO

- Subraya la frase que dice por qué Tomás Moro no pudo aceptar que el rey Enrique VIII fuera la cabeza de la Iglesia.

- Encierra en un círculo el grupo del que santo Tomás Moro es patrono.

Escritura

"Si reconocemos nuestros pecados, Dios, que es justo y fiel, perdonará nuestros pecados y nos purificará de toda maldad". (1 Juan 1:9)

- ¿Qué hace Dios cuando nos arrepentimos de nuestros pecados y los confesamos?

_____

_____

- Subraya la frase que describe a Dios.

Tarea

Puedes, junto con tu familia, formar una buena conciencia. Decide una palabra para recordar, por ejemplo "santidad", "rezar" o "amor". Haz un cuadro con ella. Cuélgalo en la cocina o en el salón de estar. Cuando la familia vea el cuadro le recordará tomar una buena decisión en la casa.

Saint Stories

Sir Thomas More was born in England in 1477. He became a successful lawyer and scholar. King Henry VIII appointed him chancellor of England. When King Henry demanded to be the Head of the Church in England, he forced the people to accept this. But in following his conscience, Sir Thomas More could not accept this. So King Henry had him put to death.

Thomas More became a saint because he followed his conscience, the teachings of Christ, and the teachings of the Church. He is the patron saint of lawyers. His feast day is June 22. Learn more about saints. Visit *Lives of the Saints* at **www.webelieveweb.com**.

↳ DISCIPLE CHALLENGE

- Underline the phrase that tells why Thomas More could not accept King Henry VIII as Head of the Church.
- Circle the group for whom Saint Thomas More is a patron saint.

What's *the* Word?

"If we acknowledge our sins, he [God] is faithful and just and will forgive our sins and cleanse us from every wrongdoing."
(1 John 1:9)

- What will God do when we are sorry for our sins and confess them?

  _____

  _____

- Underline the phrase that describes God.

Take Home

You can work together as a family to form good consciences. Decide on a one-word reminder, such as "Holiness," or "Pray," or "Love." Make this word into a sign. Hang this sign in your kitchen or family room. When you and your family see the sign, it will be a reminder to make good choices at home.

Celebrando la Penitencia y Reconciliación

NOS CONGREGAMOS

✝ **Líder:** Vamos a escuchar unas palabras de la Biblia.

Lector: "Por tu amor, oh Dios, ten compasión de mí; por tu gran ternura, borra mis culpas.

¡Lávame de mi maldad! ¡Límpiame de mi pecado". (Salmo 51:1–2)

Todos: Oh Dios, ¡pon en mí un corazón limpio.

☀ ¿Cómo muestras que has perdonado a alguien? ¿Cómo los demás muestran que te han perdonado?

CREEMOS

Jesús nos habla del perdón y el amor de Dios.

Jesús quiere que todo el mundo tenga una relación plena con Dios, su Padre. Restaurar la relación y la paz es llamada *reconciliación*. Las palabras y obras de Jesús mostraron la importancia de la reconciliación.

En esta parábola Jesús enseña que la reconciliación es algo que debe celebrarse.

"¿Quién de ustedes, si tiene cien ovejas y pierde una de ellas, no deja las otras noventa y nueve en el campo y va en busca de la oveja perdida, hasta encontrarla? Y cuando la encuentra, contento la pone sobre sus hombros, y al llegar a casa junta a sus amigos y vecinos, y les dice: 'Felicítenme, porque ya encontré la oveja que se me había perdido'. Les digo que así también hay más alegría en el cielo por un pecador que se convierte que por noventa y nueve personas buenas que no necesitan convertirse". (Lucas 15:4–7)

Celebrating Penance and Reconciliation

WE GATHER

✝ **Leader:** Let us listen to these words from the Bible.

Reader: "Have mercy on me, God,
 in your goodness . . .
Wash away all my guilt;
 from my sin cleanse me."
(Psalm 51:3–4)

All: A clean heart create for me, O God.

☀ How do you show that you forgive someone? How do others show that they forgive you?

WE BELIEVE

Jesus tells us about God's forgiveness and love.

Jesus wanted all people to be brought back into complete friendship with God his Father. This restoring of friendship and peace is called *reconciliation*. Jesus' words and actions showed the importance of reconciliation.

In this parable Jesus taught that reconciliation is something to be celebrated.

"What man among you having a hundred sheep and losing one of them would not leave the ninety-nine in the desert and go after the lost one until he finds it? And when he does find it, he sets it on his shoulders with great joy and, upon his arrival home, he calls together his friends and neighbors and says to them, 'Rejoice with me because I have found my lost sheep.' I tell you, in just the same way there will be more joy in heaven over one sinner who repents than over ninety-nine righteous people who have no need of repentance." (Luke 15:4–7)

La palabra *arrepentimiento* significa dejar el pecado para vivir de la forma que Dios quiere que vivamos. En esta parábola Jesús enseñaba sobre el arrepentimiento. Les enseñó que si se arrepentían Dios se alegraría y lo recibiría.

Jesús no ignoró a los pecadores. El les ofreció el amor y el perdón de su Padre. Muchas veces después que Jesús los perdonaba invitaba a los pecadores a comer con él. Esta era una señal de su reconciliación con Dios.

Jesús recordó a la gente lo mucho que Dios los ama. Los animaba a pedir el amor y el perdón de Dios.

Con tus propias palabras describe lo que significa estar arrepentido y reconciliado con Dios.

Recibimos el perdón de Dios en el sacramento de la Penitencia y Reconciliación.

El perdón fue parte importante en el ministerio de Jesús. El quería que todo el mundo se reconciliara con Dios. Jesús dio a sus apóstoles el poder de perdonar los pecados en su nombre.

"¡Paz a ustedes! Como el Padre me envió a mí, así yo los envío a ustedes". Cuando dijo esto sopló sobre los apóstoles diciendo: "Reciban el Espíritu Santo. A quienes ustedes perdonen los pecados, les quedarán perdonados; y a quienes no se los perdonen, les quedarán sin perdonar". (Juan 20:21–23)

Obispos y sacerdotes continúan perdonando los pecados en nombre de Cristo y con el poder del Espíritu Santo. Hacen esto en el sacramento de la Penitencia y Reconciliación, al que nos referimos como Reconciliación.

El penitente:		El sacerdote:	
contrición	• se arrepiente de los pecados cometidos • está verdaderamente arrepentido de los pecados y firmemente decide no volver a pecar • reza un acto de contrición.	**absolución**	• absuelve al penitente. **Absolución** es el perdón de Dios de los pecados por medio de las palabras y acciones del sacerdote.
confesión	• dice, confiesa sus pecados al sacerdote • habla con el sacerdote sobre las formas en que puede amar a Dios y a los demás.		
penitencia	• el sacerdote le pide hacer una oración o una obra para mostrar el arrepentimiento de sus pecados. Esto es llamado *penitencia*. Esto puede ayudar al penitente a reparar cualquier daño causado por su pecado y a crecer como discípulo de Jesucristo.		

The word *repent* means to turn away from sin and to live the way God wants us to live. In this parable Jesus was encouraging people to repent. He taught them that if they repented God would rejoice and welcome them back.

Jesus did not ignore sinners. He offered them his Father's love and forgiveness. Many times when Jesus forgave sinners he invited them to eat with him. This was a sign of their reconciliation with God.

Jesus reminded people how much God loved them. He encouraged them to ask for God's forgiveness and love.

In your own words describe what it means to repent and to be reconciled to God.

_____

We receive God's forgiveness in the Sacrament of Penance and Reconciliation.

Forgiveness was an important part of Jesus' ministry. He wanted all people to be reconciled to God. So Jesus gave his Apostles the power to forgive sins in his name:

"'Peace be with you. As the Father has sent me, so I send you.' And when he had said this, he breathed on them and said to them, 'Receive the holy Spirit. Whose sins you forgive are forgiven them, and whose sins you retain are retained.'" (John 20:21–23)

Bishops and priests continue to forgive sins in the name of Christ and through the power of the Holy Spirit. They do this in the Sacrament of Penance and Reconciliation, which we call the Sacrament of Penance.

The penitent:		The priest:	
contrition	• has a deep sorrow for sins committed • is truly sorry for sins and firmly intends not to sin again • prays an Act of Contrition.	**absolution**	• gives the penitent absolution. **Absolution** is God's forgiveness of sins through the words and actions of the priest.
confession	• tells, or confesses, his or her sins to the priest • talks with the priest about ways to love God and others.		
penance	• is asked by the priest to say a prayer or do something that shows sorrow for his or her sins. This prayer or action is called a *penance*. It can help the penitent to make up for any harm caused by sin and to grow as a disciple of Christ.		

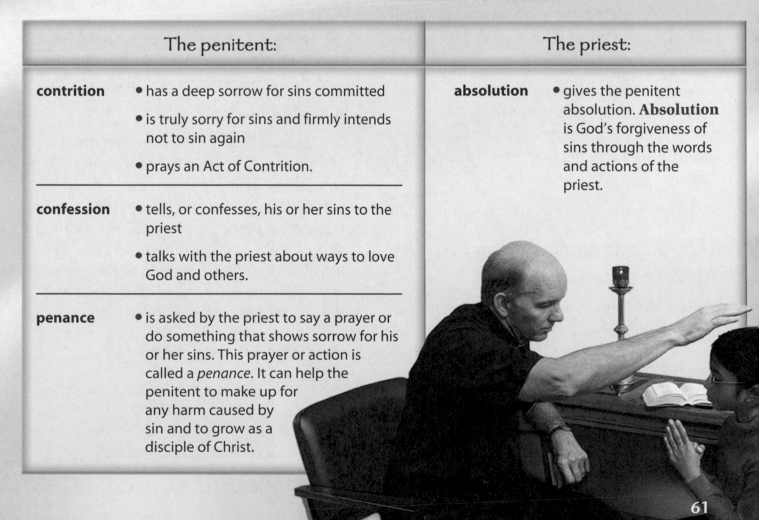

Si pecamos, podemos pedir perdón a Dios en la Reconciliación. Recibimos la misericordia de Dios y celebramos nuestra amistad con él. Nuestra amistad con Dios y con la Iglesia se repara.

Contrición, confesión, penitencia y absolución son las partes de la celebración del sacramento de la Reconciliación. En este sacramento el **penitente** es la persona que busca el perdón de Dios.

¿Por qué Dios siempre nos perdona?

Celebramos el sacramento de la Reconciliación.

Cuando estamos verdaderamente arrepentidos de nuestros pecados, Dios nos perdona. El nos da la gracia de regresar a él y de reconciliarnos. Podemos reconciliarnos con Dios y con la Iglesia por medio del sacramento de la Reconciliación.

La Iglesia celebra el sacramento de la Reconciliación en diferentes formas. Una es cuando la persona se encuentra individualmente con el sacerdote para celebrar todas las partes del sacramento. Esta forma es llamada rito individual de Reconciliación.

Otra forma es cuando la parroquia se reúne para celebrar el sacramento. Esta forma es llamada rito de Reconciliación de varios penitentes.

Reunirse para la celebración del sacramento es un signo importante. Muestra que Dios recibe a la comunidad de fe y nos ofrece su misericordia. Estamos reconciliados y tratamos de amar más a Dios y a los demás.

Piensa en este acto de contrición. Escribe lo que esta oración, tomada del *Rito de la Penitencia*, significa para ti.

Acto de contrición

Jesús, mi señor y redentor: yo me arrepiento de todos los pecados que he cometido hasta hoy, y me pesa de todo corazón porque con ellos ofendí a un Dios tan bueno; propongo firmemente no volver a pecar y confío en que, por tu infinita misericordia, me has de conceder el perdón de mis culpas y me has de llevar a la vida eterna.

¿Qué significa esto para ti?

_____

_____

_____

If we sin, we can ask for God's forgiveness in Penance. We receive God's mercy and celebrate our friendship with him. Our friendship with God and the Church is restored.

Contrition, confession, penance, and absolution are always part of the celebration of the Sacrament of Penance. In this sacrament, the **penitent** is the person seeking God's forgiveness.

 Why does God always forgive us?

We celebrate the Sacrament of Penance.

When we are truly sorry for our sins, God forgives us. He gives us the grace to return to him and to be reconciled. We can be reconciled with God and the Church through the Sacrament of Penance.

The Church celebrates the Sacrament of Penance in different ways. One way is when a person meets individually with the priest for all the parts of the sacrament. This is called the Rite for Reconciliation of Individual Penitents.

Another way is when our parish gathers together to celebrate the sacrament. This is called the Rite for Reconciliation of Several Penitents.

Gathering for the sacrament is an important sign. It shows that God welcomes the community of faith and offers his mercy to us. We are reconciled and try to love God and one another more.

Think about this Act of Contrition. Write what this prayer, taken from the *Rite of Penance,* means to you.

Act of Contrition

My God,
I am sorry for my sins with all my heart.
In choosing to do wrong
and failing to do good,
I have sinned against you
whom I should love above all things.
I firmly intend, with your help,
to do penance,
to sin no more,
and to avoid whatever leads me to sin.
Our Savior Jesus Christ
suffered and died for us.
In his name, my God, have mercy.

What does this mean to you?

_____

_____

63

Como católicos...

Celebrar el sacramento de la Reconciliación fortalece nuestra amistad con Dios. Cuando confesamos nuestros pecados al sacerdote, le decimos los pensamientos, palabras y obras que nos han alejado de Dios. El recibir la absolución nos ayuda a dejar ir lo que nos mantenía alejados de Dios.

Es importante recordar que el sacerdote nunca, por ninguna razón, dice a nadie lo que le decimos en la confesión. El está obligado a guardar el secreto de la confesión. Eso es el *secreto de confesión*.

¿Por qué crees que el secreto de confesión es importante?

La reconciliación trae paz y unidad.

Cuando la primera comunidad cristiana tenía problemas, San Pablo le escribió: El dijo a sus miembros que dejaran de argumentar y empezaran a trabajar por la reconciliación. El dijo: "Anímense y vivan en armonía y paz; y el Dios de amor y de paz estará con ustedes" (2 Corintios 13:11).

Pablo quería que los primeros cristianos se trataran con respeto. El les enseñó a preocuparse por los necesitados en la comunidad. Hoy podemos hacer lo mismo.

- En nuestras casas podemos ayudar a nuestros padres haciendo nuestras tareas.

- En nuestra escuela podemos poner atención a las clases y tratar a los demás con respeto.

- En los deportes y juegos podemos incluir a todos y tratar de trabajar en equipo.

- En nuestro vecindario podemos respetar a las personas diferentes a nosotros.

- En nuestra parroquia podemos participar en los sacramentos y en las actividades parroquiales para ayudar a los necesitados.

Estas acciones pueden ayudar a llevar paz y unidad en nuestras comunidades. Ellas pueden ayudar a llevar reconciliación donde se necesite.

RESPONDEMOS

Trabaja con un compañero. Piensen en una vez cuando la reconciliación era necesaria en la escuela o en el vecindario. Ilustren las formas en que la gente trabajó para reparar la amistad y la paz. Después compartan su trabajo con todo el grupo.

Reconciliation brings peace and unity.

When an early Christian community was having trouble, Saint Paul wrote to them. He told them to stop arguing and to start working toward reconciliation. He said, "Mend your ways, encourage one another, agree with one another, live in peace, and the God of love and peace will be with you" (2 Corinthians 13:11).

Paul wanted the early Christians to treat one another with respect. He taught them to take care of those in the community who had needs. Today we can do the same.

- In our homes we can help our parents by doing our chores.

- In our school we can pay attention in class and treat others with respect.

- In sports and games we can include everyone and try to work as a team.

- In our neighborhood we can respect the differences in the people around us.

- In our parish we can participate in the sacraments and in the parish activities that reach out to those in need.

These actions can help bring peace and unity to our communities. They can help to bring reconciliation where it is needed.

WE RESPOND

🏃 Work with a partner. Think about a time when reconciliation was needed in your school or neighborhood. Act out the ways that the people worked to restore friendship and peace. Then share your work with the class.

As Catholics...

Celebrating the Sacrament of Penance strengthens our friendship with God. When we confess our sins to the priest, we tell him the thoughts, words, and actions that have led us away from God. Because we have received absolution we are able to let go of whatever might be keeping us from loving God. It is important to remember that the priest can never for any reason whatsoever, tell anyone what we have confessed. He is bound to secrecy by the sacrament. This secrecy is called the *seal of confession*.

Why do you think the seal of confession is important?

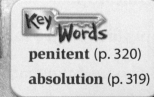

Key Words
penitent (p. 320)
absolution (p. 319)

Muestra *lo* que sabes

Organiza las letras de las palabras del . Después úsalas para escribir dos oraciones sobre la celebración del sacramento de la Reconciliación.

TIENPETNE _____

LNOBSAICOU _____

_____

_____

Celebra

Cuando los católicos se enferman, en la casa o en el hospital, ellos pueden recibir los sacramentos. Un sacerdote puede visitar y celebrar el sacramento de la Reconciliación. El sacerdote puede también llevarles la comunión. Esos sacramentos ofrecen la sanación y la fortaleza de Dios a los enfermos.

↳ **RETO PARA EL DISCIPULO** Como un niño de cuarto curso, ¿qué puedes hacer para ayudar a los enfermos? Añade tus propias ideas.

❏ leer una historia bíblica juntos

❏ llevar un té o una almohada

❏ rezar una decena del rosario

❏ hacer una tarjeta especial o escribir una nota

❏ _____

❏ _____

Pray Learn Celebrate Share Choose Live

PROJECT DISCIPLE

Show What *you* Know

Unscramble the letters of the **Key Words**. Then use the Key Words to write two sentences about celebrating the Sacrament of Penance.

TIENPTNE _____

LNOBSAITOU _____

_____

_____

Celebrate!

When Catholics are sick, at home or in the hospital, they can still receive the sacraments. A priest can visit and celebrate the Sacrament of Penance. The priest can also bring Holy Communion. These sacraments offer God's healing and strength to those who are sick.

↳ **DISCIPLE CHALLENGE** As a fourth grader, what ways can you help those who are sick? Add your own ideas.

❏ read a Bible story together

❏ bring a drink or pillow

❏ pray a decade of the Rosary

❏ make a special card or write a note

❏ _____

❏ _____

Orar
Conocer
Celebrar
Compartir
Expresar
Vivir

HACIENDO DISCIPULOS

Vidas de santos

San Alfonso Liguori es conocido por su devoción al sacramento de la Reconciliación. El es el patrono de los sacerdotes que celebran el sacramento de la Reconciliación.

Reza este acto de contrición escrito por san Alfonso Liguori.

"Jesús, te amo. Te amo con todo mi corazón. Me arrepiento de haberte ofendido. Nunca permitas que te ofenda de nuevo. Permite que te ame siempre y haz de mí lo que quieras".

Toma un momento para reflexionar en el significado de esta oración.

Compártelo.

San Alfonso Liguori, fundador de los Redentoristas

Datos

El confesionario es un pequeño cuarto designado para la celebración de la confesión individual. Con frecuencia está localizado cerca de la fuente bautismal. Esto nos recuerda que después de nuestro bautismo, Jesús perdona nuestro pecados por medio del sacramento de la Reconciliación.

Tarea

Planifica buscar un lugar para hacer un sitio de oración en tu casa. Habla con los miembros de la familia sobre lo que pondrán en el lugar de oración. (Hagan su lista aquí).

_____

_____

_____

_____

Invita a tu familia a ir al lugar de oración y hacer la oración que se encuentra en la página 58.

Saint Stories

Saint Alphonsus Liguori is known for his devotion to the Sacrament of Penance. He is the special saint, or patron saint, of priests who celebrate the Sacrament of Penance.

Pray this Act of Sorrow written by Saint Alphonsus Liguori.

"I love you, Jesus, my love. I love you with all my heart. I repent of having offended you. Never permit me to offend you again. Grant that I may love you always, and then do with me what you will."

Take a moment to reflect on what this prayer means to you.

Now, pass it on!

Redemptorist Fathers/Liguori Publications

Fast Facts

The Reconciliation Room is a small room designed for the individual celebration of the Sacrament of Penance. It is often located near the baptismal font. This reminds us that after Baptism, Jesus' forgiveness of our sins continues through the Sacrament of Penance.

Take Home

Make a plan to find space for a prayer corner in your home. Talk with your family members about what you will place in your prayer space.
(Make a list here.)

_____

_____

_____

_____

Invite your family to the prayer corner, and pray the prayer on page 59.

El año litúrgico

Durante el año litúrgico recordamos y celebramos a Jesucristo.

NOS CONGREGAMOS

✝ *Señor, siempre somos tu pueblo.*

¿Cómo sabes cuáles son los meses del año y los días de la semana? ¿Por qué crees que es importante saber esas cosas?

¿Son algunos días especiales para ti? ¿Son algunos momentos del año especiales para ti?

CREEMOS

Como miembros de la Iglesia tenemos días y tiempos especiales en el año. Recordamos esos momentos de manera especial cuando celebramos la liturgia, la oración pública y oficial de la Iglesia. La celebración de la Eucaristía, también llamada misa, es liturgia. La liturgia también incluye la celebración de los demás sacramentos y la Liturgia de las Horas. La Liturgia de las Horas es la oración colectiva de la Iglesia que es rezada varias veces al día.

La liturgia es tan importante en la vida de la Iglesia que el año eclesiástico es llamado año litúrgico. Durante el año litúrgico recordamos celebrar todo sobre Jesucristo, su nacimiento, vida, muerte resurrección y ascensión.

Cuando celebramos la vida de Cristo, mostramos que creemos en Dios el Padre, el Hijo y el Espíritu Santo. Al avanzar durante el año con Cristo, crecemos en fe, esperanza y caridad. Descubrimos que cada día del año es un día para vivir alabando a Dios con gozo y esperanza.

Las lecturas que escuchamos, los colores que vemos y la música que cantamos nos ayudan a saber el tiempo que estamos celebrando. ¿Sabes que tiempo estamos celebrando ahora? Usa este calendario litúrgico para ayudarte a encontrarlo.

El año litúrgico empieza en noviembre o temprano en diciembre con el Tiempo de Adviento.

"¡Alabado sea el nombre del Señor del oriente al occidente!"

Salmo 113:3

The Liturgical Year

| Advent | Christmas | Ordinary Time | Lent | Triduum | Easter | Ordinary Time |

Throughout the liturgical year we remember and celebrate Jesus Christ.

WE GATHER

✝ God, we are your people throughout all time.

How do we find out the day of the week, the month, and the year? Why is it important to know these things?

Are certain days special to you? Are certain times of the year special to you? Why?

WE BELIEVE

As members of the Church, we, too, have days and times of the year that are special. We remember these times in a very important way when we celebrate the liturgy, the official public prayer of the Church. The celebration of the Eucharist, also called the Mass, is liturgy. The liturgy also includes the celebration of the other sacraments and the Liturgy of the Hours. The Liturgy of the Hours is a special prayer of the Church that is prayed several times during the day.

The liturgy is so important to the life of the Church that our Church year is called the liturgical year. Throughout the liturgical year, we remember and celebrate everything about Jesus Christ: his birth, life, Death, Resurrection, and Ascension.

When we celebrate the life of Christ, we show that we believe in God the Father, the Son, and the Holy Spirit. As we go through the year with Christ, we grow in faith, hope, and love. We discover that every day of the year is a day to live in joyful hope and praise of God.

The readings we hear, the colors we see, and the songs we sing help us to know what season we are celebrating. Do you know what season we are celebrating now? Use the diagram of the liturgical year to help you to find out.

The liturgical year begins in late November or early December with the season of Advent.

"From the rising of the sun to its setting let the name of the LORD be praised."

Psalm 113:3

71

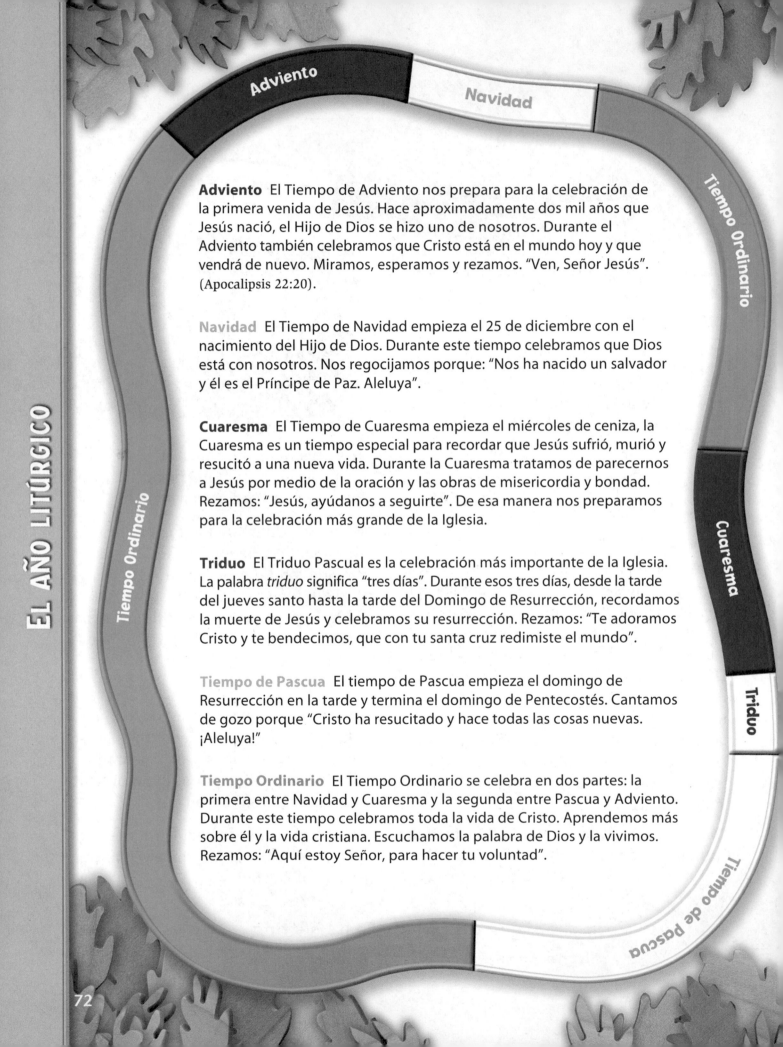

Adviento

Navidad

Tiempo Ordinario

Cuaresma

Triduo

Tiempo de Pascua

Tiempo Ordinario

Adviento El Tiempo de Adviento nos prepara para la celebración de la primera venida de Jesús. Hace aproximadamente dos mil años que Jesús nació, el Hijo de Dios se hizo uno de nosotros. Durante el Adviento también celebramos que Cristo está en el mundo hoy y que vendrá de nuevo. Miramos, esperamos y rezamos. "Ven, Señor Jesús". (Apocalipsis 22:20).

Navidad El Tiempo de Navidad empieza el 25 de diciembre con el nacimiento del Hijo de Dios. Durante este tiempo celebramos que Dios está con nosotros. Nos regocijamos porque: "Nos ha nacido un salvador y él es el Príncipe de Paz. Aleluya".

Cuaresma El Tiempo de Cuaresma empieza el miércoles de ceniza, la Cuaresma es un tiempo especial para recordar que Jesús sufrió, murió y resucitó a una nueva vida. Durante la Cuaresma tratamos de parecernos a Jesús por medio de la oración y las obras de misericordia y bondad. Rezamos: "Jesús, ayúdanos a seguirte". De esa manera nos preparamos para la celebración más grande de la Iglesia.

Triduo El Triduo Pascual es la celebración más importante de la Iglesia. La palabra *triduo* significa "tres días". Durante esos tres días, desde la tarde del jueves santo hasta la tarde del Domingo de Resurrección, recordamos la muerte de Jesús y celebramos su resurrección. Rezamos: "Te adoramos Cristo y te bendecimos, que con tu santa cruz redimiste el mundo".

Tiempo de Pascua El tiempo de Pascua empieza el domingo de Resurrección en la tarde y termina el domingo de Pentecostés. Cantamos de gozo porque "Cristo ha resucitado y hace todas las cosas nuevas. ¡Aleluya!"

Tiempo Ordinario El Tiempo Ordinario se celebra en dos partes: la primera entre Navidad y Cuaresma y la segunda entre Pascua y Adviento. Durante este tiempo celebramos toda la vida de Cristo. Aprendemos más sobre él y la vida cristiana. Escuchamos la palabra de Dios y la vivimos. Rezamos: "Aquí estoy Señor, para hacer tu voluntad".

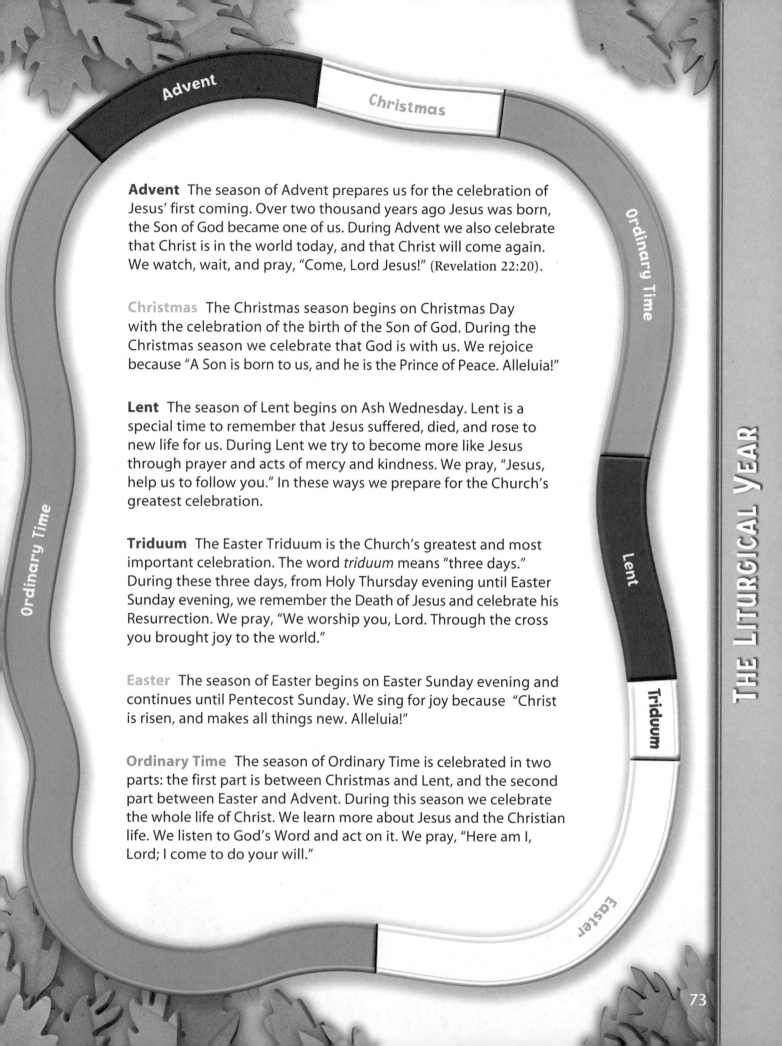

Advent The season of Advent prepares us for the celebration of Jesus' first coming. Over two thousand years ago Jesus was born, the Son of God became one of us. During Advent we also celebrate that Christ is in the world today, and that Christ will come again. We watch, wait, and pray, "Come, Lord Jesus!" (Revelation 22:20).

Christmas The Christmas season begins on Christmas Day with the celebration of the birth of the Son of God. During the Christmas season we celebrate that God is with us. We rejoice because "A Son is born to us, and he is the Prince of Peace. Alleluia!"

Lent The season of Lent begins on Ash Wednesday. Lent is a special time to remember that Jesus suffered, died, and rose to new life for us. During Lent we try to become more like Jesus through prayer and acts of mercy and kindness. We pray, "Jesus, help us to follow you." In these ways we prepare for the Church's greatest celebration.

Triduum The Easter Triduum is the Church's greatest and most important celebration. The word *triduum* means "three days." During these three days, from Holy Thursday evening until Easter Sunday evening, we remember the Death of Jesus and celebrate his Resurrection. We pray, "We worship you, Lord. Through the cross you brought joy to the world."

Easter The season of Easter begins on Easter Sunday evening and continues until Pentecost Sunday. We sing for joy because "Christ is risen, and makes all things new. Alleluia!"

Ordinary Time The season of Ordinary Time is celebrated in two parts: the first part is between Christmas and Lent, and the second part between Easter and Advent. During this season we celebrate the whole life of Christ. We learn more about Jesus and the Christian life. We listen to God's Word and act on it. We pray, "Here am I, Lord; I come to do your will."

Honrando a María y a los santos En todos los tiempos litúrgicos hay fiestas en honor a María, la madre de Dios. La Iglesia es devota de María porque ella es la madre del Hijo de Dios. Creemos que ella es nuestra madre y la madre de la Iglesia. Ella es un gran ejemplo para vivir como un discípulo de Jesús. Cuando celebramos una fiesta a María recordamos como Dios la bendijo. Recordamos importantes eventos en la vida de María y Jesús.

Durante el año litúrgico también recordamos a los santos, mujeres, hombres y niños que vivieron vidas santas en la tierra y que ahora comparten la vida eterna con Dios en el cielo. Los santos fueron fieles seguidores de Cristo.

Ellos amaron y se preocuparon por otros como lo hizo Jesús. Algunos santos murieron por creer en Cristo. Celebramos que sus vidas son ejemplos de fe para nosotros. Pedimos a los santos que rueguen a Dios por nosotros.

RESPONDEMOS

Junto con un compañero busquen un calendario y muestren los tiempos litúrgicos. Hablen sobre donde se encuentran los tiempos en el año calendario y lo que puede estar pasando en la casa, la escuela y el vecindario durante cada tiempo. Conversen sobre algunas formas que esas actividades pueden ayudarnos a vivir alabando con gozo y esperanza.

✝ Respondemos en oración

Estribillo: "¡Alabado sea el nombre del Señor del oriente al occidente!" (Salmo 113:3)

Lector 1: Demos gracias por el tiempo de Adviento y recemos, "Ven, Señor Jesús" (Apocalipsis 22:20).

Todos: (Estribillo)

Lector 2: Demos gracias por la Navidad y recemos "Nos ha nacido un Salvador, el Príncipe de paz".

Todos: (Estribillo)

Lector 3: Demos gracias por la Cuaresma y recemos: "Jesús, siempre te seguiremos".

Todos: (Estribillo)

Lector 4: Demos gracias por el Triduo, rezamos: "Cristo ha muerto, Cristo ha resucitado. Cristo vendrá de nuevo".

Todos: (Estribillo)

Lector 5: Demos gracias por la Pascua, rezamos: "Cristo ha resucitado, el hace todas las cosas nuevas ¡Aleluya!"

Todos: (Estribillo)

Lector 6: Demos gracias por el tiempo Ordinario, rezamos: "Aquí estoy Señor, para hacer tu voluntad".

Todos: (Estribillo)

Líder: Oremos: Señor, te damos gracias por tu Iglesia y por todos los tiempos de nuestro año litúrgico. Ayúdanos a seguirte todos los días, por los siglos de los siglos.

Todos: Amén.

Honoring Mary and the Saints In every liturgical season there are feast days that honor Mary, the Mother of Jesus, with special love. The Church is devoted to Mary because she is the Mother of the Son of God. We believe that she is our mother and the Mother of the Church, too. She is a great example for living as a disciple of Jesus. On her feast days we remember the ways that God blessed Mary. We recall important events in her life and in the life of Jesus.

During the liturgical year we also remember the saints—women, men, and children who have lived lives of holiness on earth and now share eternal life with God in Heaven.

The saints were faithful followers of Christ. They loved and cared for others as Jesus did. Some of the saints even died for their belief in Christ. We celebrate that their lives are examples of faith for us. We ask the saints to pray with us to God.

WE RESPOND

Work with a partner. Get a twelve-month calendar and talk about where the liturgical seasons fit into the calendar year. What might be happening in school, at home, or in the neighborhood during each liturgical season? Brainstorm some ways that those everyday activities help us to live in joyful hope and praise.

✞ We Respond in Prayer

Refrain: "From the rising of the sun to its setting
let the name of the LORD
be praised." (Psalm 113:3)

Reader 1: Let us give thanks for the season of Advent and pray, "Come, Lord Jesus!" (Revelation 22:20).

All: (Refrain)

Reader 2: Let us give thanks for the Christmas season and pray, "A Son is given to us, and he is the Prince of Peace."

All: (Refrain)

Reader 3: Let us give thanks for the holy season of Lent and pray, "Jesus, we will follow you wherever you go."

All: (Refrain)

Reader 4: Let us give thanks for the three days of the Triduum, and pray, "Christ

has died. Christ is risen. Christ will come again."

All: (Refrain)

Reader 5: Let us give thanks for the season of Easter, and pray, "Christ is risen and makes all things new. Alleluia!"

All: (Refrain)

Reader 6: Let us give thanks for the season of Ordinary Time and pray, "Here am I, Lord; I come to do your will."

All: (Refrain)

Leader: Let us pray. Lord, we thank you for your Church and for all of the seasons of our liturgical year. Help us to follow you all our days, now and forever.

All: Amen.

HACIENDO DISCIPULOS

Muestra lo que sabes

Aparea el tiempo litúrgico con las oraciones que se pueden hacer durante ese tiempo. Mira la página 72 si necesitas ayuda.

1. Adviento _____   **a.** "Jesús, ayúdanos a seguirte".

2. Navidad _____   **b.** "Aquí estoy Señor, para hacer tu voluntad".

3. Cuaresma _____   **c.** "Nos ha nacido un Salvador, Aleluya".

4. Triduo _____   **d.** "Ven Señor, Jesús".

5. Tiempo de Pascua _____   **e.** "Señor, con tu santa cruz redimiste el mundo".

6. Tiempo Ordinario _____   **f.** "Cristo ha resucitado y hace todas las cosas nuevas. ¡Aleluya!"

Celebra

Tenemos muchas fiestas en honor a María durante el año litúrgico. En Adviento celebramos la *Inmaculada Concepción de María*. La *Solemnidad de María, la Madre de Dios,* durante el tiempo de Navidad. Durante el Tiempo Ordinario celebramos la *Asunción de María*. También se celebran fiestas a María como *Nuestra Señora de Guadalupe, Inmaculado Corazón de María* y *Nuestra Señora del Rosario*. Los meses de mayo y octubre son dedicados a María.

↳ RETO PARA EL DISCIPULO

- Subraya la fiesta a María celebrada durante el Adviento.

- ¿Cuáles son los meses dedicados a María?

Consulta
¿Qué tiempo litúrgico estamos celebrando ahora?

_____

Tarea

Pongan una imagen de María en el lugar de oración. Pongan flores en los días en que la honramos con una celebración. Luego recen juntos a María.

Show What *you* Know

Match each season of the liturgical year with the prayers that might be said during that season. See page 73 if you need help.

1. Advent _____   **a.** "Jesus, help us to follow you."

2. Christmas _____   **b.** "Here I am, Lord, I come to do your will."

3. Lent _____   **c.** "A Son is born to us. Alleluia!"

4. Triduum _____   **d.** "Come, Lord Jesus!"

5. Easter _____   **e.** "Lord, through the cross you brought joy to the world."

6. Ordinary Time _____   **f.** "Christ is risen and makes all things new. Alleluia!"

Celebrate!

We have many feasts to honor Mary during the Liturgical Year. In Advent we celebrate the *Immaculate Conception of Mary*. The *Solemnity of Mary, the Mother of God* is during the Christmas season. The *Assumption of Mary* comes during Ordinary Time. Feasts are also celebrated under Mary's titles of *Our Lady of Guadalupe*, the *Immaculate Heart of Mary*, and *Our Lady of the Rosary*. The months of May and October have been devoted to Mary.

↳ **DISCIPLE CHALLENGE**

- Underline the feast of Mary that occurs during Advent.

- What months are especially devoted to Mary?

Take Home

In your prayer corner, place a statue or picture of Mary. On Mary's feast days, add flowers to honor her. Then gather there with your family and pray to Mary.

 **Question Corner**

What season of the liturgical year is the Church celebrating now?

_____

Tiempo Ordinario

Durante el Tiempo Ordinario celebramos la vida y las enseñanzas de Jesucristo

NOS CONGREGAMOS

✝ *Jesús, ayúdanos a vivir en tu amor cada día del año.*

¿En qué piensas cuando escuchas la palabra ordinario? ¿Puedes pensar en otras palabras que signifiquen lo mismo?

CREEMOS

Durante el Tiempo Ordinario celebramos toda la vida de Jesucristo. Escuchamos sus enseñanzas sobre Dios Padre y su amor y perdón. Aprendemos lo que significa ser un discípulo. Celebramos todo lo que Jesús hizo por nosotros. Celebramos su vida, muerte y resurrección.

El Tiempo Ordinario dura treinta y tres o treinta y cuatro semanas. Es el más largo de todos los tiempos y el único celebrado en dos partes. La primera es celebrada entre Navidad y Cuaresma. La segunda entre Pascua y Adviento.

El Tiempo Ordinario no quiere decir que los días de este tiempo sean ordinarios. Es llamado Tiempo Ordinario porque las semanas están ordenadas en orden numérico. Primer domingo, segundo domingo, y así sucesivamente. También se lee en orden, capítulo por capítulo, uno de los evangelios para que aprendamos sobre la vida de Jesús.

"Señor, muéstrame tus caminos; guíame por tus senderos".

Salmo 25:4

Ordinary Time

Advent · Christmas · Ordinary Time · Lent · Triduum · Easter · Ordinary Time

During the season of Ordinary Time, we celebrate the life and teachings of Jesus Christ.

WE GATHER

✞ *Jesus, help us live in your love every day of the year.*

What do you think of when you hear the word *ordinary*? Can you think of some other words that mean the same thing?

WE BELIEVE

During the season of Ordinary Time we celebrate the whole life of Jesus Christ. We listen to his teachings about God the Father, and about his love and forgiveness. We learn what it means to be a disciple. We celebrate everything that Jesus did for us. We celebrate his life, Death, and Resurrection.

The season of Ordinary Time lasts thirty three to thirty four weeks. It is the longest season of the year, and is the only season that is celebrated in two parts. The first part is celebrated between the seasons of Christmas and Lent. The second part of Ordinary Time lasts many weeks and spans the time between the seasons of Easter and Advent.

Ordinary Time does not mean that every day in this season is just an ordinary day! It is called Ordinary Time because the weeks are "ordered," or named in number order. For example, the First Sunday in Ordinary Time is followed by the Second Sunday in Ordinary Time, and so on. During Ordinary Time one of the Gospels is also read in number order, chapter by chapter, so that we learn about the life of Jesus.

"Make known to me your ways, LORD; teach me your paths."

Psalm 25:4

Hay cuatro *evangelistas* o escritores de los evangelios: Mateo, Marcos, Lucas y Juan. Durante el Tiempo Ordinario escuchamos la lectura de un evangelio completo de Mateo, Marcos o Lucas. Tarda tres años leer los evangelios, de modo que cada tres años se inicia el ciclo.

El Evangelio de Juan generalmente no se lee durante el Tiempo Ordinario. Sin embargo, puede leese en los otros tiempos.

San Mateo
Su fiesta se celebra el 21 de septiembre.

Mateo era un recaudador de impuestos. El dio todo lo que tenía para seguir a Jesús. El Evangelio de Mateo se centra, de manera especial, en que Jesús es divino y humano. Por siglos, cada evangelio ha sido identificado por un símbolo. El símbolo del Evangelio de Mateo es un ángel joven. Este símbolo significa que Jesús es Dios y hombre.

San Marcos
Su fiesta se celebra el 25 de abril.

El Evangelio de Marcos es el más corto y puede que fuera el primero en escribirse. El símbolo del Evangelio de Marcos es un león alado. El Evangelio de Marcos tiene muchas referencias de Jesús como el rey que ha venido a traernos su reino.

San Lucas
Su fiesta se celebra el 18 de octubre.

Lucas escribió un evangelio y los Hechos de los apóstoles. El Evangelio de Lucas, igual que el de Mateo, incluye historias de María, José y la venida del Hijo de Dios. El símbolo del evangelio de Lucas es un toro alado. Durante el tiempo de Jesús, el toro era un animal que se sacrificaba en el templo. En el Evangelio de Lucas aprendemos que Jesús es nuestro nuevo sacrificio. El se ofreció a sí mismo para salvarnos y por su muerte y resurrección tenemos nueva vida.

San Juan
Su fiesta se celebra el 27 de diciembre.

Juan el evangelista escribió un evangelio muy diferente a los otros tres.El símbolo del Evangelio de Juan es un águila. El águila puede ver desde lejos y lleva a sus crías en las alas. Un águila puede volar muy alto, hasta el cielo. Este evangelio nos ayuda a ver el plan de Dios vivido en la vida, muerte y resurrección de Jesús. Como un águila, el Cristo resucitado nos lleva a Dios.

There are four Gospel writers, or *Evangelists*: Matthew, Mark, Luke, and John. Each year at the Sunday and weekday Masses during Ordinary Time, we hear one of the Gospels of Matthew, Mark, or Luke in its entirety. So it takes three years to read all three of these Gospels. Then the cycle starts over again.

The Gospel of John is not usually read at Mass during Ordinary Time. However, it is read during the other seasons of the year.

Saint Matthew
Feast day September 21

Matthew was a tax collector. He gave up everything to follow Jesus. The Gospel of Matthew focuses in a special way on Jesus being both divine and human. Over the centuries, each Gospel was identified by a symbol. The symbol for Matthew's Gospel is an angelic young man. This symbol means that Jesus is both God and man.

Saint Mark
Feast day April 25

Mark's Gospel is the shortest one, and it may be the very first Gospel written. The symbol of Mark's Gospel is a royal winged lion. It is a symbol of kingship. Mark's Gospel has many references to Jesus as the king who has come to bring his kingdom to us.

Saint Luke
Feast day October 18

Luke wrote both a Gospel and the Acts of the Apostles. Luke's Gospel, like the Gospel of Matthew, includes the stories of Mary, Joseph, and the coming of the Son of God into the world. The symbol of Luke's Gospel is the winged ox. During the time of Jesus, an ox was an animal that was sacrificed in the Temple. In Luke's Gospel, we learn that Jesus is our new sacrifice. He offered himself to save us and because of his Death and Resurrection we have new life.

Saint John
Feast day December 27

The Evangelist John wrote a Gospel that is very different from the other three Gospels. The symbol of John's Gospel is an eagle. An eagle can see from very far away, and it carries its young on its wings. An eagle can soar high, up to the heavens. The Gospel of John helps us to see God's plan lived out in Jesus' life, Death, and Resurrection. Like an eagle, the risen Christ carries us to God.

RESPONDEMOS

Los evangelistas predicaron la buena nueva de Jesucristo. Cada uno de nosotros es también llamado a ser un evangelista. Como miembros de la Iglesia, predicamos la buena nueva y compartimos nuestra fe con otros.

Mira las palabras de Jesús escritas por los evangelistas. ¿Qué significan estas palabras para ti? Escríbelas como si Jesús las estuviera hablando hoy.

"Hagan ustedes con los demás como quieran que los demás hagan con ustedes". (Mateo 7:12)

_____

"¡Tengan valor, soy yo, no tengan miedo!" (Marcos 6:50)

_____

"Sean ustedes compasivos, como también su Padre es compasivo". (Lucas 6:36)

_____

"Que se amen unos a otros como yo los he amado a ustedes". (Juan 15:12)

_____

✝ Respondemos en oración

Líder: Vamos a celebrar la fiesta de San Francisco de Asís.

Lector 1: San Francisco de Asís era hijo de un hombre noble y rico. Francisco quería vivir como Jesús. Dejó sus riquezas y empezó una nueva comunidad en la Iglesia. Muchas personas hoy son miembros de su comunidad religiosa. Ellos con llamados franciscanos.

Lector 2: Vamos a escuchar la palabra de Dios que se lee durante la fiesta de San Francisco:

"De nada quiero presumir sino de la cruz de nuestro Señor Jesucristo. Reciban paz y misericordia todos los que viven según esta regla. Que nuestro Señor Jesucristo derrame su gracia sobre todos ustedes". (Gálatas 6:14, 16, 18)

Lector 3: Pidamos a San Francisco que rece por nosotros los que tratamos de seguir a Jesús. Nuestra respuesta será: "Ruega por nosotros".

Francisco, hombre de paz y amor por los pobres, (Respuesta)

Francisco, poeta y trovador de la creación de Dios. (Respuesta)

Francisco, protector de los animales, (Respuesta)

♫ Oración de San Francisco

Hazme un instrumento de tu paz, donde haya odio, lleve yo tu amor.

Donde haya injuria, tu perdón, Señor, y donde haya duda fe en ti.

WE RESPOND

The Evangelists spread the Good News of Jesus Christ. So, too, each of us is called to be an evangelist. As members of the Church, we spread the Good News and share our faith so that others might believe.

Look at Jesus' words written down by the Evangelists. What do these words mean to you? Rewrite these words as if Jesus were saying them today.

"Do to others whatever you would have them do to you." (Matthew 7:12)

_____

"Take courage, it is I, do not be afraid!" (Mark 6:50)

_____

"Be merciful, just as [also] your Father is merciful." (Luke 6:36)

_____

"Love one another as I love you." (John 15:12)

_____

✚ We Respond in Prayer

Leader: Let us celebrate the Feast of Saint Francis of Assisi.

Reader 1: Saint Francis was the son of a rich nobleman. Francis wanted to live just like Jesus. He left his riches behind and began a new community in the Church. Many people today are members of this religious community. They are called Franciscans.

Reader 2: Let us listen now to the Word of God as it is read on the Feast of Saint Francis.

"May I never boast except in the cross of our Lord Jesus Christ. Peace and mercy be to all who follow this rule.

The grace of our Lord Jesus Christ be with your spirit." (Galatians 6:14, 16, 18)

Reader 3: Let us ask Saint Francis to pray for us as we try to follow Jesus. Our response after each is "Pray for us."

Francis, man of peace and lover of the poor, (Response)

Francis, poet and singer of God's creation, (Response)

Francis, protector of animals, (Response)

♫ Prayer of St. Francis

Make me a channel of your peace.
Where there is hatred, let me bring your love.
Where there is injury, your pardon, Lord,
And where there's doubt, true faith in you.

HACIENDO DISCIPULOS

Muestra *lo* que sabes

Traza líneas conectando al evangelista con su símbolo.

1. San Mateo •   • león alado

2. San Marcos •   • águila

3. San Lucas •   • un ángel joven

4. San Juan •   • toro alado

¿Qué evangelio no se lee generalmente durante el Tiempo Ordinario?

_____

Vidas de santos

La fiesta de los santos Pedro y Pablo es el 29 de junio durante el Tiempo Ordinario. Estos dos grandes santos han sido honrados a través de la historia de la Iglesia. San Pedro fue el apóstol escogido por Jesús para dirigir su Iglesia. San Pablo se describe a sí mismo como un servidor de Jesucristo: "Elegido como apóstol y destinado a proclamar el evangelio". (Romanos 1:1)

↳ RETO PARA EL DISCIPULO

- Encierra en un círculo la frase que dice para lo que Jesús escogió a Pedro.

- Subraya la frase que Pablo usó para describirse a sí mismo.

Reza

Dios de amor, durante este Tiempo Ordinario, recordamos y celebramos la vida de Jesús. Ayúdame a seguir a Jesús en mi vida diaria. Enséñame, oh Señor y seguiré tus sendas. Amén.

Tarea

En familia, durante las semanas del Tiempo Ordinario, sigan aprendiendo y celebrando la vida de Jesucristo. En familia conversen sobre cosas específicas que pueden poner en el lugar de oración para ayudarse a recordar que están celebrando el Tiempo Ordinario.

PROJECT DISCIPLE

Show What *you* Know

Draw lines connecting the Evangelist with his symbol.

1. Saint Matthew •   • winged lion

2. Saint Mark •   • eagle

3. Saint Luke •   • angelic young man

4. Saint John •   • winged ox

Which Evangelist's Gospel is NOT usually read during Ordinary Time?

_____

Saint Stories

The Feast of Saints Peter and Paul falls on June 29 during Ordinary Time. These two great saints have been honored throughout the history of the Church. Saint Peter was the Apostle chosen by Jesus to lead his Church. Saint Paul described himself as a servant of Jesus Christ, "called to be an apostle and set apart for the gospel of God." (Romans 1:1)

↳ **DISCIPLE CHALLENGE**

- Circle the phrase that tells what Jesus chose Peter to do.

- Underline the phrase that Paul used to describe himself.

Pray Today

Dear God, during this season of Ordinary Time, I remember and celebrate Jesus' life. Help me to follow Jesus in my daily life. Teach me, O Lord, and I will follow your way. Amen.

Take Home

As a family, during the weeks of Ordinary Time, continue to learn about and celebrate the life of Jesus Christ. Have family discussions about specific things you can place in your prayer corner to help you remember that you are celebrating Ordinary Time.

8

Aprendiendo sobre la ley de Dios

NOS CONGREGAMOS

✝ **Líder:** Vamos a escuchar una lectura del libro de los Salmos.

Lector: "Señor, enséñame el camino de tus leyes,
pues quiero seguirlo hasta el fin.
Dame entendimiento para guardar tu enseñanza;
¡quiero obedecerla de todo corazón!
Llévame por el camino de tus mandamientos,
pues en él está mi felicidad".
(Salmo 119:33–35)

Todos: "Señor, enséñame el camino de tus leyes". (Salmo 119:33)

Piensa en una vez cuando alguien te pidió seguir algunas instrucciones. ¿Por qué es importante hacer lo que se te pide?

CREEMOS

Dios llama a su pueblo.

En el Antiguo Testamento aprendemos sobre la relación entre Dios y su pueblo. Leemos la historia del pueblo de Dios antes de que naciera Jesús.

El pueblo escogido por Dios fue llamado Israel. Dios mostró su gran amor por él y el pueblo mostró su amor por Dios. El pueblo llamaba a Dios para que le guiara y le ayudara. Alababa el nombre de Dios. Dios recordaba a su pueblo y le escuchaba. Dios lo cuidaba y protegía.

Learning About God's Law

WE GATHER

Leader: Let us listen to a reading from the Book of Psalms.

Reader: "LORD, teach me the way
of your laws;
I shall observe them
with care.
Give me insight to
observe your teaching,
to keep it with all my heart.
Lead me in the path of
your commands,
for that is my delight."
(Psalm 119:33–35)

All: "LORD, teach me the way
of your laws."(Psalm 119:33)

Think of a time when someone asked you to follow some instructions. Why was it important to do as you were asked?

WE BELIEVE
God calls his people.

In the Old Testament we learn about the relationship between God and his people. We read the history of God's people in the time before the birth of Jesus.

The people whom God chose as his own were called the Israelites. God showed his great love for them, and they showed their love for God. They called on God for help and guidance. They gave praise to God's name. God remembered his people and heard them. He cared for and protected them.

El pueblo de Dios vivía en el área del medio oriente conocida hoy como Israel. Sin embargo, en tiempos del Antiguo Testamento, esta tierra era llamada Canaán. Una gran sequía forzó al pueblo de Dios a salir de Canaán. El pueblo se fue a Egipto, donde encontraron comida. Se quedó en Egipto y perdió su libertad. El pueblo de Dios fue esclavizado. Fueron forzados a trabajar por el faraón, el rey de Egipto. Dios quería que su pueblo fuera libre de amarlo y adorarlo. Dios escogió a Moisés para que dirigiera al pueblo a la libertad.

 Exodo 3:7–10

Dios le dijo a Moisés que había visto la forma en que su pueblo sufría en Egipto. Dios dijo: "Por eso he bajado, para salvarlos del poder de los egipcios; voy a sacarlos de ese país y a llevarlos a una tierra grande y buena, donde la leche y la miel corren como el agua".

Entonces Dios dijo a Moisés: "Ponte en camino, que te voy a enviar ante el faraón para que saques de Egipto a mi pueblo, a los israelitas". (Exodo 3:8, 10)

Con Moisés como líder y con la guía de Dios, el pueblo salió de Egipto. Fue guiado de regreso a Canaán, la tierra que Dios le había prometido.

Dios guió a Moisés y su pueblo. ¿Cómo Dios nos guía hoy?

Los Diez Mandamientos son las leyes de Dios para su pueblo.

En el desierto entre Egipto y Canaán, los israelitas llegaron al Monte Sinaí. Dios pidió a Moisés subir a la montaña.

Ahí Dios hizo un acuerdo especial con Moisés y el pueblo. Dios prometió ser su Dios si ellos prometían ser su pueblo. Este acuerdo entre Dios y su pueblo es llamado **alianza**.

En esta alianza Dios prometió proteger a su pueblo y ayudarlo a vivir en libertad. A cambio los israelitas prometieron vivir como Dios quería que ellos vivieran. Ellos prometieron adorarlo, como el verdadero Dios.

Dios dio a Moisés y a su pueblo los Diez Mandamientos. Los **Diez Mandamientos** son las leyes de la alianza que Dios dio a Moisés en el Monte Sinaí. Los israelitas, conocidos después como el pueblo judío, cumplian estas leyes. Los Diez Mandamientos son también las leyes de Dios para nosotros. Los encontramos en el Antiguo Testamento.

said, "Therefore I have come down to rescue them from the hands of the Egyptians and lead them out of that land into a good and spacious land, a land flowing with milk and honey."

Then God said to Moses, "Come, now! I will send you to Pharaoh to lead my people, the Israelites, out of Egypt" (Exodus 3:8, 10).

With Moses to lead them and God guiding their way, the people left Egypt. They were heading back to Canaan, the land God had promised them.

God guided Moses and his people. How does God guide us today?

The Ten Commandments are God's Laws for his people.

In the desert between Egypt and Canaan, the Israelites came to Mount Sinai. God asked Moses to climb the mountain. There God made a special agreement with Moses and the people. God promised to be their God if they would be his people. This special agreement between God and his people is called a **covenant**.

In this covenant God promised to protect his people and to help them live in freedom. In return the Israelites promised to live as God wanted them to live. They promised to worship him, the one true God.

God gave Moses and his people the Ten Commandments. The **Ten Commandments** are the Laws of God's covenant given to Moses on Mount Sinai. The Israelites, later known as the Jewish People, followed these Laws. The Ten Commandments are God's Laws for us, too. We find them in the Old Testament.

God's people were living in the area of the Middle East that is now the country called Israel. However, in the time of the Old Testament, this land was called Canaan. Once a great famine forced God's people to leave their homes in Canaan. They went to Egypt to find food. They stayed in Egypt, but they later lost their freedom there. God's people became slaves. They were forced to work for the pharaoh, the ruler of Egypt.

God wanted his people to be free to love and worship him. So God chose Moses to lead the people out of Egypt to freedom.

Exodus 3:7–10

God told Moses that he had seen the way his people were suffering in Egypt. God

Dios nos dio los Diez Mandamientos para vivir una vida de amor. Los primeros tres mandamientos nos ayudan a mostrar amor y respeto a Dios. Los demás nos ayudan a mostrar amor y respeto por nosotros mismos y los demás.

Hablen sobre como mostrar respeto a los demás.

Jesús nos enseña sobre la ley de Dios.

Dios amó tanto a su pueblo que nunca se alejó de él. Cuando vio que su pueblo estaba flaqueando, Dios envió a los profetas a recordarle cumplir la alianza. Los profetas recordaban al pueblo el amor de Dios. Los animaban a confiar en Dios y a tener fe en él. Ellos recordaban al pueblo que Dios había prometido salvarlo del pecado.

Dios cumple su promesa. El envió a su único Hijo al mundo para salvar a todo el mundo del pecado. Jesús es el Hijo de Dios.

Guido Reni (1575–1642), Moisés y la Tablas de la Ley

Como católicos...

Dios envió a muchos profetas al pueblo. Uno de los más importantes fue Isaías. Isaías dijo al pueblo que Dios nunca los abandonaría. Que Dios enviaría a un Salvador. Jesús es el Salvador, el Mesías esperado por el pueblo.

Todos los años, durante Adviento y Navidad, escuchamos las palabras de Isaías: "Porque nos ha nacido un niño, Dios nos ha dado un hijo" (Isaías 9:6). Jesucristo es el Hijo de Dios y nuestro Salvador.

Los Diez Mandamientos

1. Yo soy el Señor tu Dios, no tengas otros dioses aparte de mi.

2. No hagas mal uso del nombre del Señor, tu Dios.

3. Acuerdate del dia de reposo, para consagrarlo al Señor.

4. Honra a tu padre y a tu madre.

5. No mates.

6. No cometas adulterio.

7. No robes.

8. No digas mentiras en perjuicio de tu projimo.

9. No desees la mujer de tu projimo.

10. No codicies los bienes de tu projimo.

God gave us the Ten Commandments so we can know how to live a life of love. The first three commandments help us to show love and respect for God. The other seven commandments help us to show love and respect for ourselves and others.

With a partner discuss ways to show respect for God and others.

THE TEN COMMANDMENTS

1. I AM THE LORD YOUR GOD: YOU SHALL NOT HAVE STRANGE GODS BEFORE ME.

2. YOU SHALL NOT TAKE THE NAME OF THE LORD YOUR GOD IN VAIN.

3. REMEMBER TO KEEP HOLY THE LORD'S DAY.

4. HONOR YOUR FATHER AND YOUR MOTHER.

5. YOU SHALL NOT KILL.

6. YOU SHALL NOT COMMIT ADULTERY.

7. YOU SHALL NOT STEAL.

8. YOU SHALL NOT BEAR FALSE WITNESS AGAINST YOUR NEIGHBOR.

9. YOU SHALL NOT COVET YOUR NEIGHBOR'S WIFE.

10. YOU SHALL NOT COVET YOUR NEIGHBOR'S GOODS.

As Catholics...

God sent many prophets to his people. One of the greatest of these was Isaiah. Isaiah told the people that God would never abandon them, that God would send them a Savior. Jesus is the Savior Isaiah told the people about.

Every year during Advent and Christmas, we hear the words of Isaiah: "For a child is born to us, a son is given us" (Isaiah 9:5). Jesus is the Son of God and our Savior.

Jesus teaches us about God's Law.

God loved his people so much that he never turned away from them. When he saw his people failing, God sent prophets to remind them to keep the covenant. The prophets told the people about God's love for them. They encouraged the people to trust in God and have faith in him. They reminded the people that God had promised to save them from sin.

God kept his promise. He sent his only Son into the world to save all people from sin. Jesus is the Son of God.

Cuando Jesús crecía en Nazaret, él estudió las enseñanzas del Antiguo Testamento. Aprendió sobre la alianza hecha por Dios con su pueblo. Cumplió los Diez Mandamientos. El vivió su vida de acuerdo a la alianza.

Un día alguien preguntó a Jesús: "Maestro, ¿cuál es el mandamiento más importante de la ley?" Llamamos el gran mandamiento a la respuesta de Jesús. Jesús contestó al hombre: "Ama al Señor tu Dios con todo tu corazón, con toda tu alma y con toda tu mente" (Mateo 22:36–37). Esta es la primera parte del gran mandamiento. Esto resume los tres primeros mandamientos.

Jesús también dijo al hombre: "Ama a tu prójimo como a ti mismo" (Mateo 22:39). Esta parte del gran mandamiento resume los siete mandamientos restantes.

Jesús mismo vivió el gran mandamiento. El nos mostró que cumplir los mandamientos significa amar a Dios sobre todas las cosas y amar a los demás como a nosotros mismos.

Hoy, ¿cuáles son algunas personas que nos ayudan a confiar y tener fe en Dios?

Jesús nos enseña a amarnos unos a otros.

La noche antes de morir, Jesús dijo a sus discípulos: "Les doy este mandamiento nuevo: que se amen los unos a los otros. Así como yo los amo a ustedes, . . . Si se aman los unos a los otros, todo el mundo se dará cuenta de que son discípulos míos" (Juan 13:34–35).

Amarnos unos a otros como Jesús dice nos ayuda a cumplir los Diez Mandamientos. Jesús fue un perfecto ejemplo de amor por Dios y por el prójimo. El mostró su amor de muchas formas. El escuchó a los que estaban en necesidad. Denunció las injusticias habló en favor de la libertad de todos y respetó la dignidad de todos.

Somos llamados a respetar la dignidad humana de los demás. Todos somos creados para compartir en la vida y el amor de Dios. Cada persona tiene los mismos derechos básicos. A estos derechos los llamamos **derechos humanos**. Estos derechos incluyen:

- derecho a la vida. Este es el más básico de los derechos humanos.

- derecho a la fe y a la familia

- derecho a la educación y al trabajo

- derecho a trato igualitario y seguridad

- derecho a casa y cuidado de salud

RESPONDEMOS

Junto con un compañero hablen de las formas en que pueden respetar los derechos de los demás como lo hizo Jesús. Hablen de las formas en que podemos seguir el ejemplo de Jesús de amar a Dios y a los demás.

Vocabulario
alianza (pp 317)

Diez Mandamientos (pp 317)

derechos humanos (pp 317)

When Jesus was growing up in Nazareth, he studied the teachings of the Old Testament. He learned about the covenant God made with his people. He followed the Ten Commandments. He lived his life according to the covenant.

One day someone asked Jesus, "Teacher, which commandment in the law is the greatest?" We call Jesus' answer the Great Commandment. Jesus said to the man, "You shall love the Lord, your God, with all your heart, with all your soul, and with all your mind" (Matthew 22:36–37). This is the first part of the Great Commandment. It sums up the first three of the Ten Commandments.

Jesus also told the man, "You shall love your neighbor as yourself" (Matthew 22:39). This part of the Great Commandment sums up the Fourth through Tenth Commandments.

Jesus himself lived out the Great Commandment. He showed us that keeping the Ten Commandments means loving God above all else and loving others as ourselves.

 Who are some people today that encourage us to trust in God and have faith in him?

Jesus teaches us to love one another.

On the night before he died, Jesus told his disciples, "I give you a new commandment: love one another. As I have loved you, so you also should love one another. This is how all will know that you are my disciples, if you have love for one another" (John 13:34–35).

Loving one another as Jesus did helps us to follow the Ten Commandments. Jesus was a perfect example of love for God and neighbor. He showed his love in many ways. He listened to those who were lonely. He went out of his way to help people in need. He spoke out for the freedom of all people and for those who were treated unjustly. He respected the dignity of each person.

We are called to respect the human dignity of all people. All people are created by God to share in his life and love. Each and every person has the same basic rights. We call the basic rights that all people have **human rights**. These rights include the

- right to life. This the most basic of all human rights.

- right to faith and family

- right to education and work

- right to equal treatment and safety

- right to housing and health care.

WE RESPOND

With a partner, discuss the ways you can respect the rights of others as Jesus did. Talk about ways that we can follow Jesus' example of love for God and others. Then make a Word Find using those ways. Exchange your puzzle with another group and have them find and circle the words.

Key Words

covenant (p. 319)

Ten Commandments (p. 320)

human rights (p. 319)

Muestra *lo* que sabes

Encuentra las palabras del *Vocabulario* y completa cada oración, usa el código. Usa la letra de cada símbolo.

✺	♣	★	◎	♥	⊕	✖	✳	◆	✹	⟁	◉	✤	♠	☀
A	C	D	E	L	H	I	M	N	O	R	S	T	U	Z

1. El acuerdo especial entre Dios y su pueblo es llamado

____ ____ ____ ____ ____ ____ ____ .
✺   ♥   ✖   ✺   ◆   ☀   ✺

2. Las leyes de la alianza que Dios dio a Moisés en el Monte Sinaí son los

____ ____ ____ ____   ____ ____ ____ ____ ____ ____ ____ ____ ____ ____ ____ .
★ ✖ ◎ ☀   ✳ ✺ ◆ ★ ✺ ✳ ✖ ◎ ◆ ✤ ✹ ◉

3. Los derechos básicos que tienen todas las personas

____ ____ ____ ____ ____ ____ ____ ____   ____ ____ ____ ____ ____ ____ ____ .
★ ◎ ⟁ ◎ ♣ ⊕ ✹ ◉   ⊕ ♠ ✳ ✺ ◆ ✹ ◉

Datos

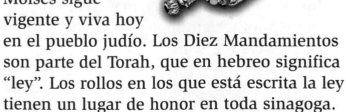

La alianza que Dios hizo con Moisés sigue vigente y viva hoy en el pueblo judío. Los Diez Mandamientos son parte del Torah, que en hebreo significa "ley". Los rollos en los que está escrita la ley tienen un lugar de honor en toda sinagoga.

Reza

Espíritu Santo, ayúdame a vivir de acuerdo a los Diez Mandamientos. Ayúdame

_____

_____

_____

_____

_____

PROJECT DISCIPLE

Show What *you* Know

To find the **Key Words** to complete each sentence, use the code below. Fill in the letter that matches each symbol.

✳	♣	★	◎	♥	⊕	✖	✲	◆	❀	♣	◎	♣	♠	✿
A	C	D	E	G	H	I	M	N	O	R	S	T	U	V

1. The special agreement between God and his people is called a

<u>C</u> <u>o</u> <u>v</u> <u>e</u> <u>n</u> <u>a</u> <u>n</u> <u>t</u> .
♣ ❀ ✿ ◎ ◆ ✳ ◆ ♣

2. The laws of God's covenant given to Moses on Mount Sinai are the

<u>t</u> <u>e</u> <u>n</u>　<u>c</u> <u>o</u> <u>m</u> <u>m</u> <u>a</u> <u>n</u> <u>d</u> <u>m</u> <u>e</u> <u>n</u> <u>t</u> <u>s</u> .
♣ ◎ ◆　♣ ❀ ✲ ✲ ✳ ◆ ★ ✲ ◎ ◆ ♣ ◎

3. The basic rights that all people have are

<u>H</u> <u>u</u> <u>m</u> <u>a</u> <u>n</u>　<u>r</u> <u>i</u> <u>g</u> <u>h</u> <u>t</u> <u>s</u> .
⊕ ♠ ✲ ✳ ◆　❀ ✖ ♥ ⊕ ♣ ◎

Fast Facts

The covenant that God made with Moses is still honored and lived today by the Jewish People. The Ten Commandments are part of what is called The Torah, which in Hebrew means, "The Law." The scrolls on which the law is written have a place of honor in every synagogue.

Pray Today

Holy Spirit, help me to live by the Ten Commandments. Help me to

_____

_____

_____

_____

_____

HACIENDO DISCÍPULOS

Haz lo

Dios nos pide respetar los derechos de todo el mundo. Escoge uno de los derechos humanos listados abajo.

- derecho a la vida
- derecho a la fe y la familia
- derecho a educación y trabajo
- derecho a tratamiento equitativo y seguridad
- derecho a vivienda y cuidado de salud

Haz un plan para promover este derecho en tu escuela y vecindario esta semana.

_____

_____

_____

_____

Escritura

"Amarás al Señor tu Dios con todo tu corazón, con toda tu alma y con toda tu mente" (Mateo 22:37). *"Amarás a tu prójimo como a ti mismo"*. (Mateo 22:39)

- Encierra en un círculo las frases que contestan: ¿A quién debemos amar?
- Subraya las frases que dicen como debemos amar a Dios.

Tarea

Conversa con tu familia sobre formas de vivir el Gran Mandamiento. Escribe una forma en que tu familia amará a Dios y a los demás esta semana.

_____

_____

_____

_____

Pray
Learn
Celebrate
Share
Choose
Live

PROJECT DISCIPLE

Make *it* Happen

God calls us to respect everyone's human rights. Choose one of the human rights listed below.

- right to life
- right to faith and family
- right to education and work
- right to equal treatment and safety
- right to housing and health care

Make a plan to promote this right in your school and neighborhood this week.

_____

_____

_____

_____

What's *the* Word?

"You shall love the Lord, your God, with all your heart, with all your soul, and with all your mind." (Matthew 22:37) *"You shall love your neighbor as yourself."* (Matthew 22:39)

- Circle the phrases that answer: Who shall we love?

- Underline the phrases that tell how you should love God.

Take Home

Discuss with your family ways to live the Great Commandment. Write one way your family will love God and others this week.

_____

_____

_____

_____

NOS CONGREGAMOS

✝ **Líder:** Vamos a rezar estas palabras del libro de los Salmos.

Lector: "Porque sólo tú eres Dios; ¡tú eres grande y haces maravillas!" (Salmo 86:10)

Todos: Bendito seas por siempre Señor.

Lector: "Oh Señor, enséñame tu camino, para que yo lo siga fielmente. Haz que mi corazón honre tu nombre". (Salmo 86:11)

Todos: Bendito seas por siempre Señor.

☀ Piensa en alguien cercano a ti o a quien admiras. ¿Cómo le muestras que crees en él? ¿Por qué crees es importante que lo sepa?

CREEMOS

Creemos en un solo y verdadero Dios.

El primer mandamiento dice: "Yo soy el Señor, tu Dios, no tengas otros dioses aparte de mí". En el Antiguo Testamento leemos que no todo el mundo creía en un solo y verdadero Dios como los israelitas. Los pueblos que creían en muchos dioses imaginaban como sería dios. Ellos tallaban imágenes de sus dioses en madera y piedra.

The First Commandment

WE GATHER

✝ **Leader:** Let us pray these words from the Book of Psalms.

Reader: "For you are great and do wondrous deeds; and you alone are God." (Psalm 86:10)

All: Blessed be God for ever.

Reader: "Teach me, LORD, your way
that I may walk in your truth,
single-hearted and revering your name."
(Psalm 86:11)

All: Blessed be God for ever.

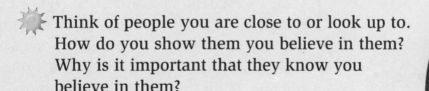 Think of people you are close to or look up to. How do you show them you believe in them? Why is it important that they know you believe in them?

WE BELIEVE

We believe in the one true God.

The First Commandment states that "I am the LORD your God. You shall not have strange Gods before me." In the Old Testament we read that not everyone believed in the one true God as the Israelites did. The people who believed in many gods imagined how their gods would look. They carved images of them from wood and stone.

Los israelitas vivían entre gente que adoraba muchos dioses, por eso Dios les dijo: "Yo soy el Señor tu Dios, que te sacó de Egipto, donde eras esclavo. No tengas otros dioses aparte de mí. No te hagas ningún ídolo ni figura de lo que hay arriba en el cielo, ni de lo que hay abajo en la tierra, ni de lo que hay en el mar debajo de la tierra. No te inclines delante de ellos ni les rindas culto". (Exodo 20:2–5)

Dios pidió a su pueblo creer en él, amarle y honrarle sobre todas las cosas. Esta es una oración especial que los israelitas rezaban. Es llamada el *Shema*, palabra hebrea que significa "escuchar".

"Oye, Israel: el SEÑOR nuestro Dios es el único SEÑOR. Ama al SEÑOR tu Dios con todo tu corazón, con toda tu alma y con todas tus fuerzas".
(Deuteronomio 6:4–5).

Hoy, los judíos en todo el mundo siguen rezando el Shema todos los días.

Piensa y reza sobre estas preguntas:

¿Tratas de amar a Dios sobre todas las cosas? ¿Realmente creo, confío y amo a Dios?

Honramos a un solo y verdadero Dios.

Cuando cumplimos el primer mandamiento, honramos a Dios. Honramos a Dios creyendo en él, rezándole y adorándole. También honramos a Dios cuando amamos a los demás.

Orar es escuchar y hablar con Dios en nuestras mentes y corazones. La oración nos acerca a Dios. **Culto** es dar gracias y alabanzas a Dios. Alabamos a Dios por su bondad. Adoramos a Dios y le damos gracias por los muchos dones que nos da. Ofrecemos nuestro amor a Dios.

Nuestro acto más grande de amor y alabanza a Dios es la celebración de la misa. En la misa nos unimos a Jesús, quien se ofreció a sí mismo en la cruz para salvarnos.

Cuando honramos a Dios mostramos nuestro agradecimiento por todo lo que ha hecho por nosotros. Escribe un poema titulado "Honrando a Dios".

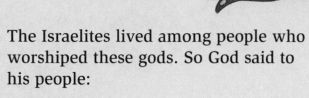

The Israelites lived among people who worshiped these gods. So God said to his people:

"I, the LORD, am your God, who brought you out of the land of Egypt, that place of slavery. You shall not have other gods besides me. You shall not carve idols for yourselves in the shape of anything in the sky above or on the earth below or in the waters beneath the earth; you shall not bow down before them or worship them" (Exodus 20:2–5).

God asked his people to believe in him, to love him, and to honor him above all else. Here is a special prayer the Israelites prayed. It is called the Shema. *Shĕmá* is the Hebrew word meaning "hear."

"Hear, O Israel!
The LORD is our God,
the LORD alone!
Therefore, you shall love
the LORD, your God,
with all your heart,
and with all your soul,
and with all your strength."
(Deuteronomy 6:4–5)

Today, Jews all around the world still pray the Shema every day.

Think quietly and prayerfully about these questions:

Do I try to love God above all things?
Do I really believe in, trust, and love God?

We honor the one true God.

When we live out the First Commandment, we honor God. We honor God by believing in him, praying to him, and worshiping him. We also honor God by loving others.

Prayer is listening and talking to God with our minds and hearts. Through prayer we can grow closer to God. **Worship** is giving God thanks and praise. We praise him for his goodness. We adore God and thank him for his many gifts to us. We offer our love to God.

Our greatest act of love and worship is the celebration of the Mass. At Mass we are united to Jesus, who offered himself on the cross to save us.

When we honor God we show our thanks for all that he has done for us. Compose a poem titled "Honoring God."

Amamos a Dios sobre todas las cosas.

Dios quiere que seamos felices. El quiere que tengamos las cosas que necesitamos. Dios quiere que ayudemos a otros a tener lo que necesitan.

Todos necesitamos ropa y comida, un lugar para vivir y un medio para transportarnos de un lugar a otro. Necesitamos divertirnos con nuestra familia y amigos. Necesitamos la oportunidad de ganarnos la vida.

Sin embargo, el primer mandamiento nos recuerda que necesitamos a Dios más que a nada. Debemos poner a Dios primero en nuestras vidas. Todo lo que hacemos y decimos debe mostrar lo importante que es Dios para nosotros.

Algunas veces ponemos algo o a alguien antes que Dios. Si adoramos a esa persona o cosa y no a Dios, estamos haciendo un falso Dios. Adorar a una criatura o cosa en vez de a Dios es **idolatría**.

Con su vida y obra, Jesús mantuvo a Dios primero en su vida.

📖 (Lucas 4:1–8)

Antes de que Jesús iniciara su vida pública, él fue al desierto a rezar. Ahí el diablo ofreció a Jesús toda la tierra del mundo. El le daría a Jesús toda su riqueza y poder. El le dijo a Jesús: "Si te arrodillas y me adoras, todo será tuyo" (Lucas 4:7). Jesús rechazó al diablo.

Riqueza y poder no eran importantes para Jesús. Nada era más importante para Jesús que servir a Dios, su Padre. El amó a su Padre sobre todas las cosas. Jesús quiere que amemos a Dios sobre todas las cosas y que le sirvamos mientras vivimos.

🏃 Con un compañero, hagan una lista de cosas a las que la gente puede dar más amor y honor que a Dios.

Como católicos...

Sólo a Dios se puede rendir culto y adorar. Veneramos y mostramos devoción por María y los santos. Los santos fueron personas santas que honraron a Dios durante sus vidas. Podemos aprender como rendir culto a Dios estudiando la vida de los santos. La vida de los santos nos muestra que es posible amar a Dios sobre todas las cosas.

¿De cuál santo es tu familia devota? ¿Cómo este santo es un ejemplo para vivir como cristiano?

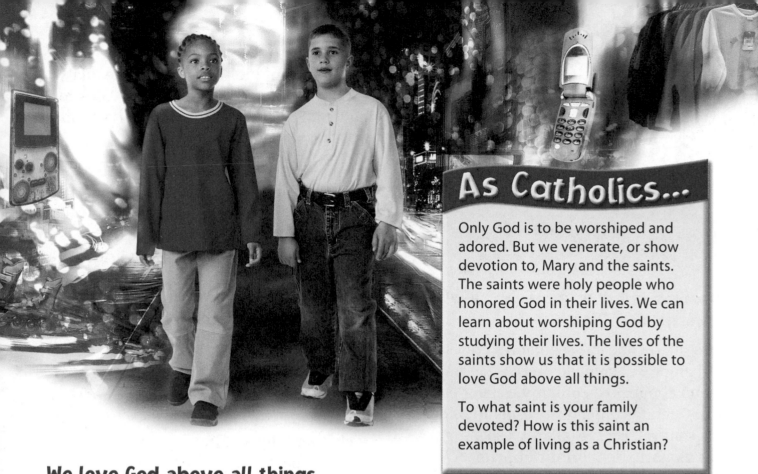

We love God above all things.

God wants us to be happy. He wants us to have the things we need. God wants us to help others to have what they need, too.

We all need food and clothing, a place to live, and a way to travel from one place to another. We need to enjoy time with our family and friends. We need the chance to make a living.

However, the First Commandment reminds us that we need God more than anything. We must put God first in our lives. Everything we do and say should show how important God is to us.

Sometimes we put someone or something before God. If we worship a person or a thing instead of God, we are setting up a false god. Giving worship to a creature or thing instead of God is **idolatry**.

By his life and words, Jesus kept God first in his life.

 Luke 4:1–8

Before Jesus began his work among the people, he went to the desert to pray. There the Devil offered Jesus all the lands of the world. He would give Jesus all their riches and power. He said to Jesus, "All this will be yours, if you worship me" (Luke 4:7). Jesus refused the Devil.

Riches and power were not important to Jesus. Nothing was more important to Jesus than serving God his Father. He loved his Father above all things. Jesus wants us to love God above all things and to serve him throughout our lives.

With a partner, list some things that people might love and honor more than God.

_____

_____

La Anunciacion, Fray Angelico, 1450

Ponemos nuestra esperanza y confianza en Dios.

Jesús quería que sus seguidores creyeran en el amor y el cuidado de Dios. Jesús enseñó al pueblo a confiar y esperar en Dios. Cuando confiamos y esperamos en Dios somos felices. Confiar y esperar en Dios es parte de cumplir el primer mandamiento. Dios, Espíritu Santo, nos ayuda a confiar y a esperar. Confiar en Dios quiere decir creer en su amor por nosotros. Poner nuestra esperanza en Dios quiere decir que tenemos confianza en las bendiciones de Dios en nuestras vidas.

La santísima virgen María, la madre de Jesús, es un gran ejemplo de esperanza y confianza. Cuando era una joven, un ángel del Señor vino a ella. El ángel le dijo: "María, no tengas miedo, pues tú gozas del favor de Dios". (Lucas 1:30). María se enteró de que Dios la había escogido para ser la madre de su Hijo. Ella debió estar sorprendida y confusa. Pero María creyó en el amor de Dios por ella. Así que dijo: "Yo soy esclava del Señor; que Dios haga conmigo como me has dicho". (Lucas 1:38)

María fue bendecida por Dios. Ella puso su esperanza en él y en su Hijo. María tenía

confianza en que Dios cuidaría de ella y estaba dispuesta a hacer lo que Dios le pidiera. En todo lo que hizo, María confió en Dios plenamente.

Confiar en Dios todo el tiempo no es siempre fácil. Hay momentos cuando podemos perder de vista el amor de Dios por nosotros. Algunas veces hacemos deportes, miramos televisión o usamos la computadora, nos toma tanto tiempo que Dios pierde importancia en nuestras vidas. Otras veces estamos tan contentos porque las cosas están saliendo bien que podemos olvidar que necesitamos a Dios.

Llama a Dios. El te ayudará a recordar que lo necesitas. Por medio de los sacramentos y el amor a otros, Dios te dará la gracia para confiar en él y esperar en su bondad.

RESPONDEMOS

Diseña un screen saver que te recuerde cumplir con el primer mandamiento.

Vocabulario

orar (pp 318)

culto (pp 317)

idolatría (pp 317)

We place our hope and trust in God.

Jesus wanted his followers to believe in God's love and care. Jesus taught people to trust and hope in God. When we trust and hope in God, we will be happy. Trusting and hoping in God is part of living out the First Commandment. God the Holy Spirit helps us to trust and hope. Trusting God means believing in his love for us. Putting our hope in God means we are confident in God's blessings in our lives.

The Blessed Virgin Mary, the Mother of Jesus, is a great example of hope and trust. When she was a young girl, an angel of the Lord came to her. The angel told her, "Do not be afraid, Mary, for you have found favor with God" (Luke 1:30). Mary then learned that God had chosen her to be the Mother of his Son. She must have been both amazed and confused. But Mary believed in God's love for her. So she said, "Behold, I am the handmaid of the Lord. May it be done to me according to your word" (Luke 1:38).

Mary was blessed by God. She put her hope in him and in his Son. Mary was confident of God's care for her, and was willing to do what God asked of her. In all that she did, Mary trusted God completely.

Trusting in God at all times is not always easy. There are times when we may lose sight of his love for us. Sometimes playing sports, watching television, or using the computer take so much time that God loses importance in our lives. Other times we are so happy and things are going so well that we may forget that we need God.

Call on God! God will help you to remember that you need him. Through the sacraments and the love of others, God will give you the grace to trust in him and to hope in his goodness.

WE RESPOND

Design a computer screen saver to remind yourself to follow the First Commandment.

Key Words

prayer (p. 320)

worship (p. 320)

idolatry (p. 319)

Orar
Conocer
Celebrar
Compartir
Expresar
Vivir

HACIENDO DISCIPULOS

Muestra *lo* que sabes

La hermana de Julián borró su tarea sobre las definiciones del **Vocabulario**. Usa las palabras en el cuadro para ayudar a Julián a recuperar su tarea.

Dios

corazones

escuchar

culto

orar

idolataría

alabar

1. _____ es hablar y _____ a Dios con

   nuestras mentes y _____.

2. Rendir _____ es dar gracias y _____ a Dios.

3. Adorar criaturas o cosas en vez de adorar a _____

   es _____.

Datos

En la fiesta de la Anunciación, celebramos que el ángel visita a María. La palabra *anunciación* viene de anunciar. El ángel Gabriel anunció a María que Dios le había "concedido su favor" (Lucas 1:30) y que sería la madre del Hijo de Dios. Esta fiesta generalmente se celebra el 25 de marzo. Si el día cae durante la Semana Santa, la fiesta se celebra después de Pascua.

Escritura

"Escucha, Israel, el Señor es nuestro Dios, el Señor es uno. Amarás al Señor tu Dios con todo tu corazón, con toda tu alma y con todas tus fuerzas. Guarda en tu corazón estas palabras que hoy te digo. Incúlcaselas a tus hijos y háblales de ellas cuando estés en casa o cuando vayas de viaje, acostado o levantado".
(Deuteronomio 6:4–7)

- Encierra en un círculo lo que responde a: ¿a quién debemos amar?

- Subraya las frases que dicen como debemos amar a Dios.

PROJECT DISCIPLE

Show What *you* Know

Jordan's sister hit the delete key after Jordan worked on the **Key Words** definitions. Use the words in the box to help Jordan restore his work.

God
hearts
listening
prayer
idolatry
praise
worship

1. _____ is talking and _____ to God

   with our minds and _____.

2. __worship__ is giving God thanks and __praise__.

3. Worshiping a creature or thing instead of __god__

   is __idolatry__.

Fast Facts

On the Feast of the Annunciation, we celebrate the angel appearing to Mary. The word *Annunciation* comes from "announce." The angel Gabriel announced to Mary that she had "found favor with God" (Luke 1:30) and would be the Mother of God's Son. This feast is usually on March 25. If that day falls during Holy Week, the feast is celebrated after Easter.

What's *the* Word?

"Hear, O Israel! The Lᴏʀᴅ is our God, the Lᴏʀᴅ alone! Therefore, you shall love the Lᴏʀᴅ, your God, with all your heart, and with all your soul, and with all your strength. Take to heart these words which I enjoin on you today. Drill them into your children. Speak of them at home and abroad, whether you are busy or at rest." (Deuteronomy 6:4–7)

- Circle the phrase that answers: Who shall we love?

- Underline the phrases that tell how you should love God.

HACIENDO DISCIPULOS

Investiga

Cumplir con el primer mandamiento significa que ponemos a Dios primero en nuestras vidas. Algunas mujeres y hombres católicos ponen a Dios primero en sus vidas viviendo en comunidades de oración. Ellos viven vida monástica. Cada comunidad monástica vive en un lugar llamado monasterio. Estos hombres y mujeres dan sus vidas a Dios rezando por el mundo. Trabajan en diferentes cosas para mantenerse: cultivando, horneando pan para vender. Todo lo que hacen lo ofrecen a Dios en oración.

↳ RETO PARA EL DISCIPULO

- ¿Cómo ponen a Dios primero en sus vidas los que viven en monasterios?

_____

- Todo lo que hacemos debe ofrecerse a Dios en oración, ¿qué puedes ofrecer a Dios en oración?

_____

Reza

Mi Dios, creo en ti, confío en ti, te amo.

Haz *lo*

La Iglesia enseña que vivimos el primer mandamiento cuando honramos a Dios en oración y adoración. ¿Qué oraciones de alabanza y acción de gracias puedes hacer para expresar tu amor a Dios?

_____

_____

_____

Tarea

El ángelus es una oración que se reza tres veces al día: 6 a.m., 12 meridiano y 6 p.m. Esta oración recuerda los eventos de la anunciación. Reza esta parte del ángelus con tu familia.

"El ángel del Señor anunció a María, y ella concibió del Espíritu Santo".

Dios te salve María . . .

"He aquí la esclava del Señor; hágase en mi según tu palabra".

Dios te salve María . . .

More to Explore

Keeping the First Commandment means that we put God first in our lives. Some Catholic men and women put God first in their lives by living in communities of prayer. They live the *monastic life*. Each monastic community lives in a place called a monastery. These men and women give their lives to God in prayer for the world. They work to support themselves in various ways, such as farming or making bread to sell. All that they do is offered to God in prayer.

↳ DISCIPLE CHALLENGE

- How do people who live in monasteries put God first in their lives?

  _____

- Anything we do can be offered to God in prayer. What can you offer to God in prayer?

  _____

Pray Today

My God, I believe in you, I trust you, I love you.

Make it Happen

The Church teaches that we live out the First Commandment when we honor God in prayer and worship. What prayers of praise and thanksgiving can you say to express your love of God?

_____

_____

_____

Take Home

The Angelus is a prayer that is prayed three times a day: 6 A.M., 12 NOON, and 6 P.M. This prayer recalls the events of the Annunciation. Pray this part of The Angelus with your family.

The angel spoke God's message to Mary, and she conceived of the Holy Spirit.

Hail Mary . . .

"I am the lowly servant of the Lord: let it be done to me according to your word."

Hail Mary . . .

El segundo mandamiento

NOS CONGREGAMOS

✝ **Líder:** "¡Siéntase alegre el corazón de los que buscan al Señor!" (Salmo 105:3)

Todos: "¡Siéntase alegre el corazón de los que buscan al Señor!" (Salmo 105:3)

Líder: Oremos.
Dios de amor, nos glorificamos en tu nombre al llamarte Padre.
Glorificamos el nombre de Jesús.
Glorificamos el nombre del Espíritu Santo.

Todos: "¡Siéntase alegre el corazón de los que buscan al Señor!" (Salmo 105:3)

🎵 **Cantando mi fe**

¡Que bueno es pasar por el mundo cantando mi fe!
(estribillo)
Cantemos con gozo al Dios bueno,
al Dios que nos salva;
y démosle siempre las gracias
por su amor.

☀ ¿Tienes tú, o uno de tus familiares, un amigo que tiene un apodo? ¿Por qué das nombres especiales a las personas?

CREEMOS

El nombre de Dios es santo.

Por amor, Dios se reveló a su pueblo. Cuando Dios se dio a conocer a Moisés, Moisés le preguntó su nombre. Dios contestó: "Yo soy el que soy" (Exodo 3:14). Las letras en hebreo de la respuesta de Dios es Javé.

The Second Commandment

WE GATHER

✝ **Leader:** "Glory in his holy name;
 rejoice, O hearts that seek the LORD!" (Psalm 105:3)

All: "Glory in his holy name,
 rejoice, O hearts that seek the LORD!" (Psalm 105:3)

Leader: Let us pray.
 Loving God, we glory in your name
 as we call you Father.
 We glory in the name of Jesus.
 We glory in the name of the Holy Spirit.
 O God, we glory in your name!

All: "Glory in his holy name,
 rejoice, O hearts that seek the LORD!" (Psalm 105:3)

🎵 **Lord, I Lift Your Name on High**

Lord, I lift your name on high.
Lord, I love to sing your praises.
I'm so glad you're in my life.
I'm so glad you came to save us.

☀ Do you or a family member or friend have a special
 nickname? Why do we give special names to people?

WE BELIEVE
God's name is holy.

Because of his love God revealed himself to
his people. When God made himself known to
Moses, Moses asked his name. God answered,
"I am who am" (Exodus 3:14). The Hebrew
letters of God's response form the
name Yahweh.

Los israelitas sabían que Dios era santo. Ellos entendieron que su nombre también era santo. Por respeto a la santidad de Dios, los israelitas no pronunciaban el nombre de Javeh en voz alta. Ellos llamaban Señor a Dios. Alababan el nombre del Señor con frecuencia. Por ejemplo, los israelitas rezaban: "¡Alabado sea el nombre del Señor del oriente al occidente!" (Salmo 113:3)

Los israelitas escribieron al Señor muchos salmos como ese. Un **salmo** es un canto de alabanza en honor a Dios. El libro de los Salmos está en el Antiguo Testamento.

Igual que los israelitas, creemos que el nombre de Dios es santo. El segundo mandamiento es: "No hagas mal uso del nombre del Señor, tu Dios". Tomar el nombre de Dios en vano significa usarlo sin respeto o de forma innecesaria. El segundo mandamiento nos recuerda que Dios es santo y su nombre también. Esto nos recuerda honrar a Dios y su nombre.

¿Cuáles son algunas formas en que podemos alabar a Dios y su santo nombre?

Respetamos el nombre de Dios.

Respetar el nombre de Dios y el nombre de Jesús es señal de nuestro respeto a Dios. Cada vez que usamos el nombre de Dios, estamos llamando al Dios todopoderoso. Llamamos a Dios por los muchos títulos que tenemos de él. Estos títulos vienen de las formas en que Dios trabaja en nuestras vidas. Ellos vienen de la forma en que Dios ha actuado en la vida de su pueblo.

Como cristianos, usamos muchos de los títulos de Dios para aclamar a las tres personas de la Santísima Trinidad. Por ejemplo, cuando hacemos la señal de la cruz decimos: "En el nombre del Padre, y del Hijo, y del Espíritu Santo". Estamos llamando a la Santísima Trinidad con reverencia. La palabra **reverencia** significa honor, amor y respeto.

El segundo mandamiento nos enseña honrar y respetar el nombre de Dios y de Jesús. El segundo mandamiento también nos recuerda honrar y respetar el nombre de María y de todos los santos. Por la forma en que vivieron estos santos están con Dios por siempre.

Estos son algunos títulos que usamos para llamar a Dios:

Padre, Señor, Dios misericordioso, Dios de amor y sabiduría, Dios de esperanza y luz, Todopoderoso, Dios creador, Santísimo.

Junto con un compañero añadan títulos de Dios a la lista.

Títulos de Dios

_____

_____

_____

_____

_____

The Israelites knew that God was holy. They understood that his name was holy, too. Out of respect for God's holiness, the Israelites did not say the name Yahweh aloud. Instead they called upon God as Lord. They praised the name of the Lord often. For instance, the Israelites prayed, "From the rising of the sun to its setting

   let the name of the LORD be praised" (Psalm 113:3).

The Israelites wrote many psalms like this one to the Lord. A **psalm** is a song of praise to honor the Lord. The Book of Psalms is in the Old Testament.

Like the Israelites, we believe that God's name is holy. The Second Commandment is, "You shall not take the name of the LORD your God in vain." To take God's name in vain means to use it in a disrespectful or unnecessary way. The Second Commandment reminds us that God is holy and so is his name. It reminds us to honor God and his name.

What are some ways we can praise God and his holy name?

We respect God's name.

Respecting God's name and the name of Jesus is a sign of the respect we owe to God. Each time that we use God's name, we are calling on the all-powerful God. We call on God by using one of his many titles. These titles come from ways that God works in our lives today. They come from ways God has acted in the lives of his people.

As Christians, we use many titles of God to call upon the Three Persons of the Blessed Trinity. For instance, when we pray the Sign of the Cross we say, "In the name of the Father, and of the Son, and of the Holy Spirit." We are calling upon the Blessed Trinity with reverence. The word **reverence** means honor, love, and respect.

The Second Commandment teaches us to honor and respect God's name and the name of Jesus. The Second Commandment also reminds us to honor and respect the names of Mary and all the saints. Because of the lives they lived, these holy people are with God forever.

Here are some titles we use to call on God.

Lord, Father, Merciful God, God of wisdom and love, God of hope and light, Almighty, ever-living God, Creator, Holy One.

With a partner add to this list of titles.

Titles for God

_____

_____

_____

_____

_____

Invocamos el nombre de Dios.

Podemos usar el nombre de Dios para:

- alabarlo y ofrecerle nuestro amor y respeto

- pedirle que esté con nosotros y con otros

- pedirle perdón cuando nos hemos separado de él

- darle gracias por estar siempre con nosotros y darnos todo lo que necesitamos

- bendecirnos y bendecir a los demás. **Bendecir** es dedicar algo o alguien a Dios o hacer algo santo en nombre de Dios.

Cuando usamos el nombre de Dios en esta forma obedecemos el segundo mandamiento.

También respetamos el nombre de Dios cuando lo usamos para mostrar que estamos diciendo la verdad. Por ejemplo, cuando tomamos juramento, ponemos nuestra mano sobre la Biblia y llamamos a Dios. Pedimos a Dios que sea testigo de que estamos diciendo la verdad. Si lo que decimos no es cierto, estamos usando el nombre de Dios en vano.

A veces algunas personas, cuando están enojadas, usan el nombre de Dios para maldecir, o pedir que les pase algo malo a otros. Cuando hacen eso están usando el nombre de Dios en vano.

Para cumplir con el segundo mandamiento tenemos siempre que honrar el nombre de Dios. Jesús honró el nombre de Dios. El nos enseñó a rezar: "Santificado sea tu nombre" (Lucas 11:2). Cada vez que llamamos a Dios con amor y respeto o usamos su nombre para la verdad, estamos manteniendo santo su nombre. Cumplir con el segundo mandamiento también nos pide tener un respeto profundo por todos. También debemos usar sus nombres con respeto.

¿De qué forma has usado el nombre de Dios esta semana? ¿Has respetado el nombre de Dios y el nombre de Jesús?

Como católicos...

En el sacramento del Bautismo somos bautizados en el nombre del Padre, y del Hijo, y del Espíritu Santo. Somos bendecidos en nombre de la Santísima Trinidad nos da el don de la gracia por primera vez.

Recibimos un nombre cristiano con el Bautismo como señal de nueva vida. Este nombre puede honrar a un santo o una cualidad cristiana, tal como fe, esperanza o caridad. También pueden ser nombres de la Biblia.

Investiga por qué se te dio tu nombre.

DIOS TE ALABAMOS

114

We call upon God's name.

We can use God's name to

- praise him and give him our love and respect

- call upon him and ask him to be with us and others

- ask him to forgive us when we have turned away from him

- thank him for being with us and giving us all that we need

- bless ourselves and others. To **bless** is to dedicate someone or something to God or to make something holy in God's name.

When we use God's name in these ways, we obey the Second Commandment.

We also respect God's name when we use it to show that we are truthful. For example, when we take an oath, we place our hand on a Bible and call on God. We call on God to witness that we are speaking the truth. If what we are saying is not true, then we are using God's name in vain.

Sometimes in anger people may use God's name to curse, or call harm on, others. When they do this, they are using God's name in vain.

To follow the Second Commandment, we must always honor God's name. Jesus honored God's name as holy. He taught us to pray, "Father, hallowed be your name" (Luke 11:2). Each time we call on God with love and respect or use his name in truth, we keep his name holy. Following the Second Commandment also requires us to have a deep respect for all of his children. We should use their names, too, with respect.

In what ways have you used God's name this week? Have you respected God's name and the name of Jesus?

As Catholics...

In the Sacrament of Baptism, we are baptized in the name of the Father, and of the Son, and of the Holy Spirit. We are blessed in the name of the Blessed Trinity. We receive the gift of grace for the first time.

At Baptism we may receive a Christian name as a sign of new life. This name may honor a saint or a Christian quality such as faith, hope, or charity. It may also be a name from the Bible.

Find out why you were given your name.

gente, y los puestos de los que vendían palomas; y les dijo: "Mi casa será declarada casa de oración, pero ustedes han hecho de ella una cueva de ladrones". (Mateo 21:12, 13)

Jesús estaba enojado por la falta de respeto que la gente mostraba al lugar santo de Dios. El segundo mandamiento nos recuerda que los lugares donde alabamos a Dios y honramos su nombre son santos.

¿Cómo puedes respetar los lugares santos?

RESPONDEMOS

Diseña un programa de servicio público para enseñar a la gente a usar el nombre de Dios con respeto.

Respetamos y honramos los lugares santos.

Jesús enseñó a sus seguidores a honrar a Dios y a hablar con respeto cuando usaran el nombre de Dios. También les enseñó a honrar los lugares dedicados a Dios. Esos lugares son sagrados. **Sagrado** es otra palabra para santo.

La siguiente historia es sobre respetar y honrar la casa de Dios.

El Templo de Jerusalén era un lugar muy santo. Una vez Jesús vio que algunas personas estaban vendiendo cosas en el Templo. Jesús "Volcó las mesas de los que cambiaban dinero a la

Vocabulario

salmo (pp 318)

reverencia (pp 318)

bendecir (pp 317)

sagrado (pp 318)

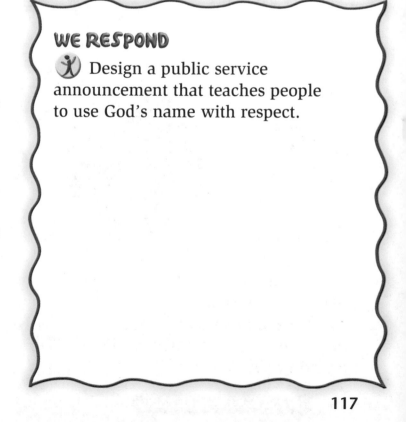

Key Words

psalm (p. 320)

reverence (p. 320)

bless (p. 319)

sacred (p. 320)

We respect and honor sacred places.

Jesus taught his followers to honor God and to speak respectfully when using God's name. But he also taught his followers to honor places that are dedicated to God. These places are sacred. **Sacred** is another word for holy.

The following story is about respecting and honoring the house of God.

The Temple in Jerusalem was a very holy place. Once Jesus saw that some people were selling and buying things in a certain part of the Temple. Jesus then "overturned the tables of the money changers and the seats of those who were selling doves." Jesus used the words of a prophet, saying, "'My house shall be a house of prayer, but you are making it a den of thieves'" (Matthew 21:12, 13).

Jesus was angry at the disrespect people were showing toward God's holy place. We are called to respect sacred places. The Second Commandment reminds us that places where we worship God and honor his name are holy, too.

WE RESPOND

Design a public service announcement that teaches people to use God's name with respect.

HACIENDO DISCIPULOS

Muestra *lo* que sabes

En el cuadro de letras encierra en un círculo la palabra que contesta la frase. Las palabras pueden estar horizontal, vertical o diagonalmente.

1. Un canto de alabanza a Dios

2. Honor, amor y respeto

3. Dedicar alguien o algo a Dios o hacer algo santo en nombre de Dios

4. Otra palabra para santo

5. Llamar a Dios como testigo de que lo que decimos es verdad

6. Tres títulos para Dios

R	A	I	C	N	E	R	E	V	E	R	E
O	S	J	U	R	A	R	P	E	T	A	E
L	M	N	O	R	I	C	E	D	N	E	B
M	B	L	S	A	G	R	A	D	O	R	E
D	E	D	A	R	O	D	A	E	R	C	I
O	S	H	L	S	R	O	Ñ	E	S	D	P
O	S	O	R	E	D	O	P	O	D	O	T

Copia las letras que sobran en orden hasta que encuentres un mensaje escondido.

Mensaje escondido: ___ ___ ___ ___ ___ ___   ___ ___

___ ___ ___ ___ ___ ___   ___ ___ ___ ___

Reza

Los cristianos tenemos una oración especial llamada la oración de Jesús. Cierra los ojos y mantente en paz. Después inhala y di despacio: "Jesús". Al exhalar di: "salvador", o "paz" o cualquier otra palabra corta que te recuerde a Jesús. Reza la oración de Jesús ahora.

Consulta

Pregunta a cinco o más de tus amigos cuándo pedirán la bendición de Dios esta semana. Escribe las respuestas aquí.

_____

_____

_____

_____

PROJECT DISCIPLE

Show What *you* Know

In the letter box, circle the answers to the clues. Look forward, backward, up, down, and diagonally.

1. A song of praise to honor the Lord

2. Honor, love, and respect

3. Another word for holy

4. Dedicate someone or something to God or make something holy in God's name

5. To call on God to witness that we are speaking the truth

6. Three titles for God

D	R	R	O	T	A	E	R	C	E
R	S	P	P	S	A	L	M	E	C
O	T	G	S	O	H	T	A	O	D
L	R	E	V	E	R	E	N	C	E
A	L	M	I	G	H	T	Y	S	N
B	A	D	E	R	C	A	S	M	E

Copy the left over letters in order. You will find a hidden message.

Hidden message: ___ ___ ___ ___ ___ ___ ___

___ ___ ___, ___ ___ ___ ___ ___

Pray Today

As Christians we have a special prayer called the Jesus Prayer. Begin by closing your eyes and being still. Then, as you breathe in, say very quietly, "Jesus." As you breathe out, say, "Savior," or "Peace" or another short word that reminds you of Jesus. Pray the Jesus Prayer now.

Question Corner

Take a survey. Ask five or more friends when they will ask for God's blessing this week. Write your findings here.

_____
_____
_____
_____

Escritura

*¡Alaben al Señor todas las naciones,
aclámenlo todos los pueblos! Grande es
su amor por nosotros, y la fidelidad del
Señor dura por siempre. ¡Aleluya!*

(Salmo 117:1–2)

- ¿Qué pidió el salmista a las naciones?

  _____

- ¿Cómo describe el salmista a Dios?

  _____

Investiga

La palabra letanía viene del griego que significa "rezar". Una
letanía es una oración. Algunas letanías son cantos o rezos
pidiendo a Dios. Las letanías muestran reverencia a Dios usando
diferentes títulos o descripciones honrando a Dios.

↳ RETO PARA EL DISCIPULO

- Subraya la oración que dice lo que es una letanía.
- ¿Cómo muestra una letanía reverencia a Dios?

  _____

  _____

  _____

  Busca una letanía que puedas rezar
  con tu familia.

  Compártelo.

Tarea

Haz una bandera de bendición para
poner en tu casa. Esta puede decir:
"Bendice este hogar" o "Bendice a esta
familia". Usala para recordar cumplir
con el segundo mandamiento.

PROJECT DISCIPLE

What's *the* Word?

"Praise the LORD, all you nations!
Give glory, all you peoples!
The LORD's love for us is strong;
the LORD is faithful forever.
Hallelujah!" (Psalm 117:1–2)

- What does the psalm writer call upon nations to do?

  _____

- How does the psalm writer describe God?

  _____

More *to* Explore

The word *litany* comes from the Greek word for "prayer." A litany is a prayer. Some litanies are sung or said to ask requests of God. Litanies show reverence for God by using many different titles or descriptions that honor God.

↳ **DISCIPLE CHALLENGE**

- Underline the sentence that tells what a litany is.
- How do litanies show reverence for God?

  _____

  _____

  _____

Find a litany that you can pray with your family.

Now, pass it on!

Take Home

Make a blessing banner to put up in your home. It might say, "Bless this Home," or "Bless this Family." Use it as a reminder to keep the Second Commandment.

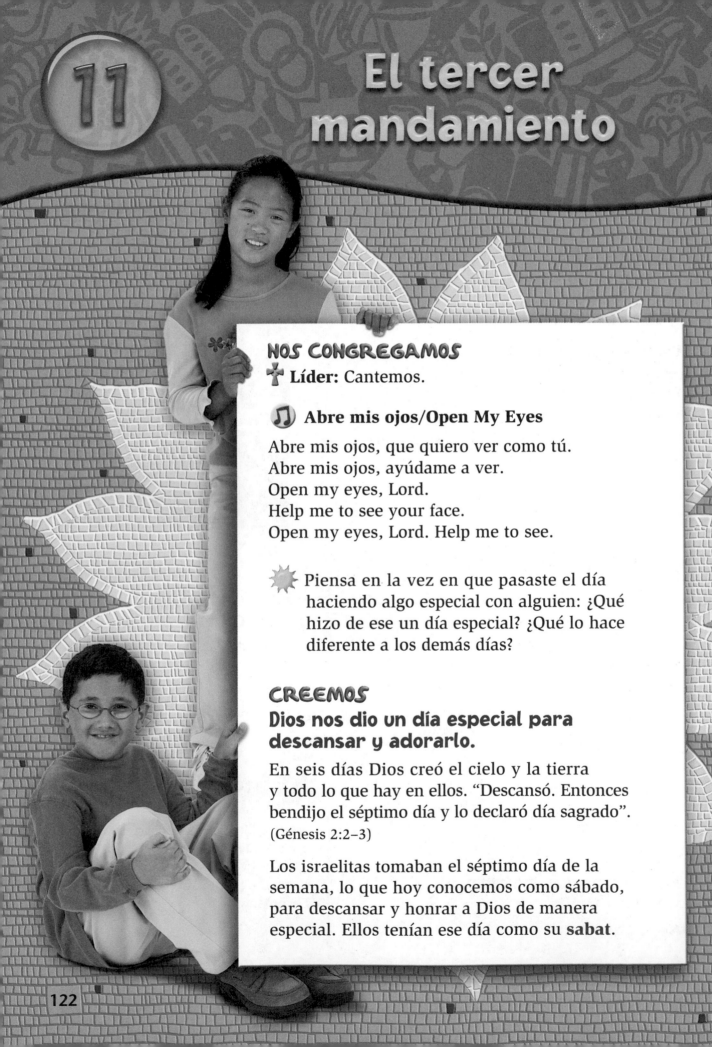

NOS CONGREGAMOS

✝ **Líder:** Cantemos.

🎵 **Abre mis ojos/Open My Eyes**

Abre mis ojos, que quiero ver como tú.
Abre mis ojos, ayúdame a ver.
Open my eyes, Lord.
Help me to see your face.
Open my eyes, Lord. Help me to see.

☀ Piensa en la vez en que pasaste el día haciendo algo especial con alguien: ¿Qué hizo de ese un día especial? ¿Qué lo hace diferente a los demás días?

CREEMOS

Dios nos dio un día especial para descansar y adorarlo.

En seis días Dios creó el cielo y la tierra y todo lo que hay en ellos. "Descansó. Entonces bendijo el séptimo día y lo declaró día sagrado". (Génesis 2:2–3)

Los israelitas tomaban el séptimo día de la semana, lo que hoy conocemos como sábado, para descansar y honrar a Dios de manera especial. Ellos tenían ese día como su **sabat**.

The Third Commandment

WE GATHER

✝ **Leader:** Let us sing together.

🎵 **Open My Eyes/Abre mis ojos**

Abre mis ojos, que quiero ver como tú.
Abre mis ojos ayúdame a ver.
Open my eyes, Lord.
Help me to see your face.
Open my eyes, Lord. Help me to see.

All: Amen.

☀ Think of a time you spent a day doing something special with someone. What made the day special? What made it different from other days?

WE BELIEVE

God gave us a special day to rest and to worship him.

In six days God created the heavens, the earth, and all that is in them. "He rested on the seventh day from all the work he had undertaken. So God blessed the seventh day and made it holy." (Genesis 2:2–3)

The Israelites set apart the seventh day of the week, known today as Saturday, to rest and to honor God in a special way. They kept this day as their **Sabbath**.

Sabat es una palabra hebrea que significa "descanso". Está escrito en el libro del Exodo que Dios pidió a su pueblo: "Acuérdate del día de reposo, para consagrarlo al Señor". (Exodo 20:8)

Durante el sabat los israelitas alababan a Dios por la creación. Ellos daban gracias a Dios por haberlos liberados de la esclavitud de Egipto. Recordaban la alianza que Dios hizo con ellos. Pensaban en como podían cumplir la ley de Dios.

Igual que los israelitas y los judíos, los cristianos dedican un día al Señor, el domingo. Cristo resucitó de la muerte el primer día de la semana. Es por eso que llamamos al domingo, el día del Señor.

El tercer mandamiento nos dice: "Acuérdate del día de reposo, para consagrarlo al Señor". Todos los domingos nos reunimos para celebrar que Jesús murió y resucitó para salvarnos. Descansamos del trabajo y las actividades que nos impiden mantener santo el día del Señor.

¿Cómo puedes hacer del domingo un día para honrar a Dios?

Mantenemos santo el día del Señor participando en la misa los domingos.

En los evangelios leemos que Jesús iba a la sinagoga durante el sabat. **Sinagoga** es el lugar donde el pueblo judío se reúne para adorar y aprender sobre Dios. Jesús mantuvo santo el sabat rezando y haciendo el bien a los demás. El también pasó tiempo con su familia y amigos.

Los primeros cristianos continuaron la tradición de apartar un día para descansar y adorar a Dios. "Todos seguían firmes en lo que los apóstoles les enseñaban, y compartían lo que tenían, y oraban y se reunían para partir el pan" (Hechos de los apóstoles 2:42).

Nosotros también nos reunimos para celebrar el día del Señor. Los domingos nos reunimos para la celebración de la misa. Asistir a misa es lo más importante que podemos hacer para mantener santo el día del Señor. La Eucaristía es el centro de nuestra vida y adoración.

Es importante que todos participen en la misa. ¿En qué forma tú y tu familia lo hacen?

Sabbath is a Hebrew word that means "rest." It is written in the Book of Exodus that God told his people: "Remember to keep holy the sabbath day" (Exodus 20:8).

On the Sabbath day the Israelites praised God for creation. They thanked God for freeing them from slavery in Egypt. They remembered the covenant God made with them. They thought about the ways they were following God's law.

Like the Israelites and later the Jews, Christians have a day dedicated to God, Sunday. It was on the first day of the week that Christ rose from the dead. This is why we call Sunday the Lord's Day.

In the Third Commandment we are told, "Remember to keep holy the Lord's Day." Every Sunday we gather to celebrate that Jesus died and rose to save us. We rest from any work or activities that keep us from making the Lord's Day holy.

How can you make this Sunday a day to honor God?

We keep the Lord's Day holy by participating in Sunday Mass.

In the Gospels we read that Jesus went to the synagogue on the Sabbath. The **synagogue** is the gathering place where Jewish People pray and learn about God. Jesus kept the Sabbath holy by praying and by doing good things for others. He also spent time with his family and friends.

The first Christians continued to set apart a day for rest and worship of God. On this day, "They devoted themselves to the teaching of the apostles and to the communal life, to the breaking of the bread and to the prayers" (Acts of the Apostles 2:42).

We, too, come together to celebrate the Lord's Day. On Sundays we gather for the celebration of the Mass. Participating in the Mass is the most important thing that we do to keep the Lord's Day holy. This is because the Eucharist is at the very center of our life and worship.

It is important that every person takes part in the Mass. In what ways can you and your family do this?

Cada vez que participamos de la misa obedecemos las palabras de Jesús: "Hagan esto en memoria de mí" (Lucas 22:19). Como católicos debemos participar en la misa los domingos. Muchas parroquias celebran también esta misa los sábados en la tarde.

También asistimos a misa los días de precepto. Un **día de precepto** es un día destinado a celebrar un evento especial de la vida de Jesús, María o los santos.

Días de precepto en los Estados Unidos

Solemnidad de María, la madre de Dios
(1 de enero)

Ascensión
(si se celebra en jueves durante el tiempo de Pascua)*

Asunción de María
(15 de agosto)

Todos los santos
(1 de noviembre)

Inmaculada concepción
(8 de diciembre)

Navidad
(25 de diciembre)

*(Algunas diócesis celebran la Ascensión el domingo siguiente.)

El día del Señor es un día para descansar y relajarse.

Las cosas que nos gustan nos ayudan a descansar y a relajarnos. Hacer cosas que nos gustan fortalece nuestras familias y amistades. Descansar y relajarse son parte importante en el cumplimiento del tercer mandamiento. Relajarse puede ayudarnos a estar más conscientes de la presencia y bondad de Dios.

El día del Señor es un buen día para compartir los regalos que Dios nos ha dado. Podemos compartir una comida con nuestra familia y gozar de la compañía de los demás. Podemos pasar tiempo leyendo la Biblia y rezando en familia. Podemos juntarnos con familiares y amigos. Podemos visitar enfermos o a los que no pueden salir de sus casas. Podemos participar en actividades de la parroquia.

Todas las cosas que hacemos pueden acercarnos a Dios y nos recuerdan que Dios nos ha dado muchos dones. Ser agradecidos nos acerca a Dios y a los demás. De esta forma mantenemos santo todo el día del Señor.

🏃 Haz una lista de las cosas que te gustan hacer. ¿Sería bueno hacer esas cosas el domingo? ¿Por qué sí o no?

Each time that we participate in Mass we are obeying the words of Jesus: "Do this in memory of me" (Luke 22:19). As Catholics we must participate in Mass on Sundays. In many parishes this Mass is celebrated on Saturday evenings, too.

We also must participate in Mass on holy days of obligation. A **holy day of obligation** is a day set apart to celebrate a special event in the life of Jesus, Mary, or the saints.

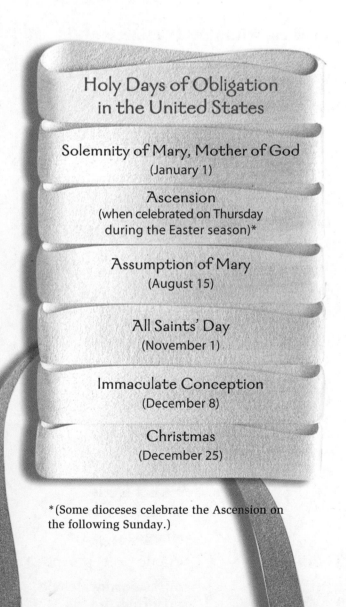

Holy Days of Obligation in the United States

Solemnity of Mary, Mother of God
(January 1)

Ascension
(when celebrated on Thursday during the Easter season)*

Assumption of Mary
(August 15)

All Saints' Day
(November 1)

Immaculate Conception
(December 8)

Christmas
(December 25)

*(Some dioceses celebrate the Ascension on the following Sunday.)

The Lord's Day is a day for rest and relaxation.

Doing things that we enjoy helps us to rest and relax. Doing things we enjoy together strengthens our families and friendships. Rest and relaxation are an important part of following the Third Commandment. Relaxing can help us to be more aware of God's presence and goodness.

The Lord's Day is a good time to share the gifts God has given us. We can share a meal with our family and enjoy one another's company. We can spend time reading from the Bible and praying as a family. We can get together with friends. We can take time to visit people who are sick or unable to leave their homes. We can take part in parish activities to help others.

All the things that we do should bring us closer to God and remind us that God has given us many gifts. Being thankful brings us closer to God and to one another. In this way we keep the Lord's Day holy all day long.

Discuss some things you like to do. Would it be good to do these things on Sunday? Why or why not?

Mantenemos santo el Día del Señor cuidando de las necesidades de los demás.

El hacer buenas cosas por otros en nombre de Jesús nos ayuda a santificar el domingo. Las obras de misericordia son formas en que podemos ayudar a satisfacer las necesidades de los demás.

La gente tiene diferentes tipos de necesidades. Podemos preocuparnos de las necesidades físicas de la gente. *Corporal* quiere decir "del cuerpo". Las cosas que hacemos para cuidar de las necesidades físicas de otros son **obras corporales de misericordia**.

Obras corporales de misericordia

Dar de comer al hambriento.

Dar de beber al sediento.

Vestir al desnudo.

Visitar a los presos.

Dar alojamiento al que lo necesite.

Cuidar a los enfermos.

Enterrar a los muertos.

Podemos cuidar de las necesidades espirituales de la gente. Espiritual quiere decir "del espíritu". Las cosas que hacemos por el bien de las mentes, corazones y almas de otros son las **obras espirituales de misericordia**.

Obras espirituales de misericordia

Corregir al pecador.

(Corregir al que lo necesite.)

Instruir al ignorante.

(Compartir nuestro conocimiento con los demás.)

Aconsejar al que duda.

(Dar consejo a quienes lo necesiten.)

Consolar a los tristes.

(Dar consuelo a los que sufren.)

Ser paciente.

(Tener paciencia con los demás.)

Perdonar las ofensas.

(Perdonar a los que nos ofenden.)

Rezar por los vivos y los muertos.

RESPONDEMOS

Haz una lista de cosas que la gente puede hacer para guardar santo el Día del Señor.

Vocabulario

sabat (pp 318)

sinagoga (pp 318)

día de precepto (pp 317)

obras corporales de misericordia (pp 318)

obras espirituales de misericordia (pp 318)

We keep the Lord's Day holy by caring for the needs of others.

Doing good things for others in Jesus' name helps us to make Sunday holy. The Works of Mercy are ways we can care for the needs of others.

People have different kinds of needs. We can care for the physical needs of people. *Corporal* means "of the body." The things that we do to care for the physical needs of others are the **Corporal Works of Mercy**.

Corporal Works of Mercy

Feed the hungry.

Give drink to the thirsty.

Clothe the naked.

Help those imprisoned.

Shelter the homeless.

Visit the sick.

Bury the dead.

We can care for the spiritual needs of people. *Spiritual* means "of the spirit." The things that we do to care for the minds, hearts, and souls of others are the **Spiritual Works of Mercy**.

Spiritual Works of Mercy

Admonish the sinner.
> (Give correction to those who need it.)

Instruct the ignorant.
> (Share our knowledge with others.)

Counsel the doubtful.
> (Give advice to those who need it.)

Comfort the sorrowful.
> (Comfort those who suffer.)

Bear wrongs patiently.
> (Be patient with others.)

Forgive all injuries.
> (Forgive those who hurt us.)

Pray for the living and the dead.

WE RESPOND

 Make a list of things people can do to keep the Lord's Day holy.

As Catholics...

The Church has different names for the Lord's Day. The Lord's Day has been called the *First Day*. This is because Jesus rose from the dead on the first day of the week. Another name for the Lord's Day is the *Day of Light*. We know that God created light and that Jesus is the Light of the World. Because of Jesus we can see and know God's love.

Ask your family members if they know of other names for the Lord's Day.

Key Words

Sabbath (p. 320)

synagogue (p. 320)

holy day of obligation (p. 319)

Corporal Works of Mercy (p. 319)

Spiritual Works of Mercy (p. 320)

HACIENDO DISCIPULOS

Muestra lo que sabes

Usa las palabras del  para completar el crucigrama.

Vertical

1. Lugar donde el pueblo judío se reúne para adorar y aprender sobre Dios.

Horizontal

2. Obra de misericordia que satisface las necesidades físicas de otros.

3. Un día de _____ es el que se dedica para honrar la vida de Jesús, María o los santos

4. Obra de misericordia que satisface las necesidades espirituales de otros.

Celebra

¿Cuál es el próximo día de precepto en este año litúrgico?

_____

¿Cómo celebrará tu parroquia ese día?

_____

_____

PROJECT DISCIPLE

Show What you Know

Use the Key Words to complete the crossword puzzle.

Down

1. Gathering place where Jewish People pray and learn about God

2. Works of Mercy that care for the physical needs of others

Across

3. A holy day of _____ is set apart to celebrate a special event in the life of Jesus, Mary, or the saints.

4. Works of Mercy that care for the minds, hearts, and souls of others

Crossword:

1 Down: s y n a g o g u e
2 Down: C o r p o r a l
3 Across: o b l i g a t i o n
4 Across: s p i r i t u a l

Celebrate!

What is the next holy day of obligation in this liturgical year?

_____

What are the ways your parish will be celebrating this day?

_____

_____

_____

HACIENDO DISCIPULOS

Investiga

A los jóvenes se les alienta a participar en la misa como acólitos. A ellos se les entrena para ayudar al sacerdote en la celebración de la misa. Ellos dirigen a la asamblea en la procesión con la cruz y las velas encendidas. Los acólitos se comportan reverentemente.

↳ RETO PARA EL DISCIPULO

- Esta semana pon atención en las formas en que los acólitos participan en la misa.

- ¿Cuáles son algunas formas en que puedes participar en la misa esta semana?

_____

_____

Escritura

Jesús dijo: "Porque tuve hambre, y me dieron de comer; tuve sed, y me dieron de beber; era un extraño, y me hospedaron; estaba desnudo, y me vistieron; enfermo, y me visitaron; en la cárcel, y fueron a verme". (Mateo 25:35–36)

↳ RETO PARA EL DISCIPULO

- Jesús describió las cosas que debemos hacer para cuidar de las necesidades físicas de los demás. ¿Cómo llamamos a estas acciones?

_____

- ¿De qué formas vive tu parroquia las obras de misericordia?

_____

_____

Tarea

Una forma de mantener santo el día del Señor es llegando a tiempo a misa. Haz una lista de las tres cosas que te pueden ayudar a estar a tiempo.

_____

_____

_____

Conversa con tu familia sobre tus sugerencia y otras formas de llegar a la misa sin estar apurados.

Pray
Learn
Celebrate
Share
Choose
Live

PROJECT DISCIPLE

More to Explore

Young people are encouraged to participate at Mass as altar servers. They are trained to assist the priest at the celebration of the Mass. They often lead the assembly in procession with the cross, and lighted altar candles. Altar servers behave in a reverent way.

↳ DISCIPLE CHALLENGE

* This week, be aware of the ways the altar servers participate at Mass.

* What are some ways you will participate at Mass this week?

_____

_____

What's the Word?

Jesus said, "For I was hungry and you gave me food, I was thirsty and you gave me drink, a stranger and you welcomed me, naked and you clothed me, ill and you cared for me, in prison and you visited me" (Matthew 25:35–36).

↳ DISCIPLE CHALLENGE

* Jesus described things we should do to care for the physical needs of others. What do we call these actions?

_____

* What ways does your parish live out these Works of Mercy?

_____

_____

Take Home

One way to keep the Lord's Day holy is to be on time for Mass. List three things you can you do to help get yourself ready on time.

_____

_____

_____

Talk with your family about your suggestions and other ways to arrive for Mass without feeling rushed.

133

Fortalecidos por la Eucaristía

NOS CONGREGAMOS

✝ **Lector**: Lectura de la primera carta de San Pablo a los corintios.

(Leer 1 Corintios 11:23–26)

Palabra de Dios.

Todos: Te alabamos, Señor.

🎵 **Ven al Banquete/Come to the Feast**

Ven, ven al banquete.
Ven a la fiesta de Dios.
Los que tienen hambre y
sed serán saciados.
Ven a la cena de Cristo,
ven a la fiesta de Dios.

☀ ¿Cuáles son algunas cosas por las que estás agradecido? ¿De qué maneras muestras tu agradecimiento a los demás?

CREEMOS

Los Ritos Iniciales nos unen y preparan para la adoración.

Cuando participamos en la Eucaristía, damos gracias a Dios por la creación del mundo, por salvarnos del pecado y por hacernos un pueblo santo. La celebración de la Eucaristía es también llamada la **misa.** La misa tiene cuatro partes: los Ritos Iniciales, La Liturgia de la Palabra, la Liturgia de la Eucaristía y los Ritos de Conclusión.

Los Ritos Iniciales nos unen como cuerpo de Cristo. Ellos también nos preparan para escuchar la palabra de Dios y para celebrar la Eucaristía.

La Iglesia es el cuerpo de Cristo en la tierra. Jesús es la cabeza del cuerpo, y él está siempre con nosotros. Igual que el cuerpo humano, la Iglesia tiene muchas partes, o miembros. Cada miembro es importante. Los miembros tienen diferentes dones y talentos. Todos los miembros están unidos por el mismo amor y creencia en Jesucristo.

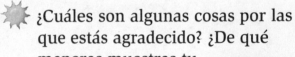

Strengthened by the Eucharist

WE GATHER

✝ **Reader:** A reading from the first Letter of Saint Paul to the Corinthians
(Read 1 Corinthians 11:23–26)

The word of the Lord.

All: Thanks be to God.

🎵 **Come to the Feast/Ven al Banquete**

Come, come to the banquet.
Come, come to the feast.

Here the hungry find plenty,
here the thirsty shall drink,
here at the supper of Jesus,
come to the feast.

☀ What are some things you are thankful for? In what ways do you show others your thanks?

WE BELIEVE

The Introductory Rites unite us and prepare us for worship.

When we participate in the Eucharist, we thank God for creating the world, for saving us from sin, and for making us a holy people. The celebration of the Eucharist is also called the **Mass**. The Mass has four parts: the Introductory Rites, the Liturgy of the Word, the Liturgy of the Eucharist, and the Concluding Rite.

The Introductory Rites unite us as the Body of Christ. They also prepare us to hear God's Word and to celebrate the Eucharist.

The Church is the Body of Christ on earth. Jesus is the head of the Body, and he is with us always. Like the human body, the Church has many parts, or members. Each member is important. Different members have different gifts and talents. All the members are united by the same love for and belief in Jesus Christ.

El cuerpo de Cristo se reúne para la celebración de la misa. Esta comunidad que se reúne para adorar en nombre de Jesucristo es llamada **asamblea**. Somos parte de la asamblea. La asamblea da gracias y alaba a Dios en la misa.

Eres parte del cuerpo de Cristo. ¿Qué dones y talentos compartirás con la Iglesia?

Durante la Liturgia de la Palabra escuchamos la palabra de Dios.

Después de los Ritos Iniciales, empieza la Liturgia de la Palabra. La **Liturgia de la Palabra** es la parte de la misa donde escuchamos y respondemos a la palabra de Dios. Crecemos en fe cuando escuchamos acerca del gran amor de Dios. Escuchamos como Dios está presente entre nosotros hoy.

Se hacen tres lecturas los domingos y los días de precepto. Las dos primeras lecturas son tomadas de un libro especial llamado el leccionario. La primera lectura es del Antiguo Testamento. Escuchamos sobre el amor y la misericordia de Dios por su pueblo. Después de la primera lectura nos sentamos en silencio. Rezamos o cantamos un salmo.

La segunda lectura es del Nuevo Testamento. Usualmente es una carta escrita por uno de los discípulos de Jesús. Se nos anima a vivir juntos como seguidores de Jesús.

Antes de la tercera lectura, nos ponemos de pie para mostrar que estamos listos para escuchar la buena nueva de Jesucristo. La tercera lectura es tomada siempre de uno de los cuatro evangelios en el Nuevo Testamento. El diácono o el sacerdote proclama esta lectura.

Escuchamos sobre las palabras y acciones de Jesús durante su ministerio. Escuchamos sobre las formas en que Jesús quiere que sus discípulos vivan.

Después el sacerdote o el diácono ofrece una **homilía**. La homilía es un sermón que nos ayuda a entender las lecturas y a crecer como fieles seguidores de Jesús.

En la misa decimos lo que creemos recitando el credo. Después recordamos las necesidades del pueblo de Dios rezando la oración de los fieles. Rezamos por la Iglesia y sus líderes por los líderes del mundo y por quienes los siguen. Rezamos por los necesitados, los enfermos y los que han muerto.

En grupo escojan una historia relacionada con el trabajo de Jesús. Dramatícenla.

¿Cómo se aplican a tu vida las palabras y acciones de Jesús en esta historia?

_____

_____

It is the Body of Christ that gathers for the celebration of the Mass. This community of people gathered to worship in the name of Jesus Christ is called the **assembly**. We are part of the assembly. The assembly offers thanks and praise to God throughout the Mass.

You are a part of the Body of Christ. What gifts and talents will you share with the Church?

During the Liturgy of the Word, we hear the Word of God.

After the Introductory Rites, the Liturgy of the Word begins. The **Liturgy of the Word** is the part of the Mass when we listen and respond to God's Word. We grow in faith as we hear about God's great love. We hear how God is present among us today.

On Sundays and holy days of obligation, there are three readings. The first two readings are from a special book called the Lectionary. The first reading is usually from the Old Testament. We hear about God's love and mercy for his people. After the first reading we sit in silence. Then we pray by singing a psalm. The second reading is from the New Testament. It is usually from a letter written by one of Jesus' first disciples. We are encouraged to live together as followers of Jesus.

Before the third reading, we stand to show that we are ready to listen to the Good News of Jesus Christ. The third reading, always from one of the four Gospels of the New Testament, is read from the *Book of the Gospels*. The deacon or priest proclaims this reading. We hear about the words and actions of Jesus during his ministry. We hear about the ways Jesus wants his disciples to live.

Then the priest or deacon gives a homily. The **homily** is a talk that helps us to understand the readings and to grow as faithful followers of Jesus.

At Mass we state what we believe by saying the Creed. We then remember the needs of all God's People by praying the Prayer of the Faithful. We pray for the Church and its leaders. We pray for those who are in need, those who are sick, and those who have died.

With a group act out one story about Jesus and his work.

Write one way this story applies to your life.

_____

_____

Durante la Liturgia de la Eucaristía ofrecemos nuestros regalos de pan y vino y recibimos el Cuerpo y la Sangre de Jesucristo.

En la Liturgia de la Palabra, somos alimentados al escuchar la palabra viva de Dios. En la **Liturgia de la Eucaristía**, somos alimentados por el Cuerpo y la Sangre de Cristo. La Liturgia de la Eucaristía es la parte de la misa en la que la muerte y resurrección de Cristo se hacen presentes nuevamente; nuestra ofrenda de pan y vino se convierten en el Cuerpo y la Sangre de Cristo, que recibimos en la comunión.

Esto es lo que sucede durante la Liturgia de la Eucaristía:

- Miembros de la asamblea llevan los regalos de pan y vino al sacerdote. Estos regalos representan todas las bendiciones que Dios nos ha dado. También se ofrece dinero y otras ofrendas. Esto muestra nuestra preocupación por nuestra parroquia y por los necesitados.

- El sacerdote hace la oración eucarística. La **oración eucarística** es la oración de alabanza y acción de gracias a Dios más importante.

- Rezamos el Padrenuestro. Pedimos a Dios Padre nos dé lo que necesitamos y que nos perdone. Como señal de nuestro amor y unidad, nos damos el saludo de la paz. El sacerdote parte la Hostia mientras rezamos el "Cordero de Dios".

- La asamblea se levanta para recibir la comunión. Cantamos para mostrar nuestro gozo y agradecimiento. Después que recibimos la comunión rezamos en silencio. La comunión fortalece la vida de Dios en nosotros. Nos fortalece para ser Cristo para los demás.

En la oración eucarística:

- Honramos a Dios por todo lo que ha hecho. Nos unimos a los ángeles para alabar a Dios.

- El sacerdote pide al Espíritu Santo que descienda sobre los regalos de pan y vino y los santifique. Después él dice y hace lo que Jesús hizo y dijo en la última cena. El sacerdote toma el pan y dice: "Esto es mi Cuerpo". Tomando la copa de vino el sacerdote dice: "Esta es mi Sangre". Esta parte de la oración eucarística es llamada **consagración**. Por el poder del Espíritu Santo y las palabras y acciones del sacerdote, el pan y el vino se convierten en el Cuerpo y la Sangre de Cristo, Jesús está verdaderamente presente en la Eucaristía. A esto lo llamamos *presencia real*.

During the Liturgy of the Eucharist, we offer gifts of bread and wine and receive the Body and Blood of Jesus Christ.

In the Liturgy of the Word, we are nourished as we listen to God's living Word. In the Liturgy of the Eucharist, we are nourished by the Body and Blood of Christ. The **Liturgy of the Eucharist** is the part of the Mass in which the Death and Resurrection of Christ are made present again; our gifts of bread and wine become the Body and Blood of Christ, which we receive in Holy Communion.

Here is what happens during the Liturgy of the Eucharist:

- Members of the assembly bring forward gifts of bread and wine. The gifts represent all the blessings God has given to us. Money and other offerings are also brought forward. This shows our concern for our parish and for those in need.

- The priest prays the Eucharistic Prayer in our name. The **Eucharistic Prayer** is the Church's greatest prayer of praise and thanksgiving to God.

- We pray the Lord's Prayer together. We call on God the Father to give us the things we need and to forgive us. As a sign of our love and unity, we offer one another a sign of peace. The priest then breaks the Host while we pray the "Lamb of God."

- The assembly comes forward to receive Holy Communion. We sing to show our joy and thankfulness. After we receive Holy Communion, we pray quietly. Holy Communion makes the life of God in us stronger. It strengthens us to be Christ to one another.

In the Eucharistic Prayer:

- We honor God for all he has done. We join with the angels to give God praise.

- The priest asks the Holy Spirit to come upon our gifts of bread and wine and make them holy. Then he says and does what Jesus said and did at the Last Supper. The priest takes the bread and says, "FOR THIS IS MY BODY." Taking the cup of wine, the priest says, "FOR THIS IS THE CHALICE OF MY BLOOD." This part of the Eucharistic Prayer is called the **Consecration**. By the power of the Holy Spirit and through the words and actions of the priest, the bread and wine become the Body and Blood of Christ. Jesus is truly present in the Eucharist. This is called the *Real Presence*.

- Proclamamos el misterio de fe recordando la muerte y resurrección, y la venida en gloria del Señor resucitado.

- Pedimos al Espíritu Santo unir la Iglesia en el cielo y en la tierra. La oración eucarística termina con nuestro gran Amén. Estamos diciendo "sí" a la oración que el sacerdote hizo en nuestro nombre.

¿Qué hacemos y vemos durante la Liturgia de la Eucaristía? ¿Por qué?

En el Rito de Conclusión somos enviados a vivir como discípulos de Jesús.

La parte final de la misa es el Rito de Conclusión. El sacerdote nos bendice en nombre de Dios. Contestamos: "Amén." Luego, el diácono o el sacerdote nos envia a compartir el amor de Dios con los demás. El dice: "Podéis ir en paz." Generalmente cantamos un himno final antes de salir de la iglesia.

Salimos de la misa llenos de gracia y paz. Fuimos alimentados con la palabra de Dios y con el Cuerpo y la Sangre de Cristo. Fuimos unidos a Cristo y a los demás. Hemos sido fortalecidos para hacer obras de misericordia. Tratamos de ser signos del amor y la presencia de Dios en el mundo.

Vivimos como discípulos de Jesús. Compartimos nuestros dones y talentos y nuestro tiempo con los demás. Trabajamos por la justicia y la paz en nuestros hogares, escuelas y vecindarios. Tratamos de hacer del mundo un mejor lugar para vivir.

RESPONDEMOS

Habla de una forma en que amarás y servirás a Dios esta semana.

Vocabulario

misa (pp 318)

asamblea (pp 317)

Liturgia de la Palabra (pp 318)

homilía (pp 317)

Liturgia de la Eucaristía (pp 317)

oración eucarística (pp 318)

consagración (pp 317)

Como católicos...

La Biblia es también llamada Sagrada Escritura. Dios, Espíritu Santo guió a los escritores humanos para escribir la Biblia. Ellos escribieron lo que Dios quería compartir con nosotros.

La Biblia, es la palabra de Dios viva. Es un récord de las formas en que Dios ha actuado en la vida de su pueblo. En ella se encuentran las formas en que somos llamados a vivir y a responder a Dios.

Saca tiempo para leer la Biblia con tu familia esta semana.

- We proclaim the mystery of faith by calling to mind the Death, Resurrection, and coming of the risen Lord in glory.

- We pray that the Holy Spirit will unite the Church in Heaven and on earth. The Eucharistic Prayer ends with our great Amen. We are saying yes to the prayer the priest has prayed in our name.

 What do we see and do during the Liturgy of the Eucharist? Why?

In the Concluding Rites we are sent to live as disciples of Jesus.

The final part of the Mass is the Concluding Rites. The priest blesses us in God's name. We answer, "Amen." Then the deacon or priest dismisses us. He may say, "Go and announce the Gospel of the Lord." We usually sing a final hymn before we leave the church.

We leave the Eucharist filled with grace and peace. We have been nourished by God's Word and by the Body and Blood of Christ. We have been united with Christ and with one another. We have been strengthened to perform Works of Mercy for others. We try to be signs of God's love and presence in the world.

We act as disciples of Jesus. We share our gifts, our talents, and our time with others. We work for peace and justice in our homes, our schools, and our neighborhoods.

WE RESPOND

Talk about ways you will love and serve God this week.

Key Words

Mass (p. 320)

assembly (p. 319)

Liturgy of the Word (p. 320)

homily (p. 319)

Liturgy of the Eucharist (p. 320)

Eucharistic Prayer (p. 319)

Consecration (p. 319)

As Catholics...

The Bible is the Word of God. It is also called Sacred Scripture. This is because God the Holy Spirit guided the human writers of the Bible. They wrote what God wanted to share with us.

God speaks to us through the words of the Bible. The Bible is God's living Word to us. It is a record of the ways God has acted in the lives of his people. It is also about the ways we are called to live and respond to God. The Bible helps us to know and understand that God is with us today.

Plan a time this week to read from the Bible with your family.

HACIENDO DISCÍPULOS

Muestra lo que sabes

Aparea las palabras del Vocabulario con sus definiciones.

1. asamblea

2. consagración

3. plegaria eucarística

4. homilía

5. Liturgia de la Eucaristía

6. Liturgia de La Palabra

7. misa

_____ parte de la misa donde escuchamos y respondemos a la palabra de Dios

_____ la oración de alabanza y acción de gracias más importante de la Iglesia

_____ la celebración de la Eucaristía

_____ Parte de la plegaria eucarística cuando el pan y el vino se convierten en el Cuerpo y la Sangre de Cristo

_____ palabras del sacerdote o el diácono que nos ayudan a entender las lecturas de la misa

_____ comunidad de personas que se reúne para adorar en nombre de Jesucristo

_____ la parte de la misa en la que la muerte y resurrección de Cristo se hacen presentes

Exprésalo

Dibújate junto a tu familia y amigos viviendo como discípulos de Jesús.

PROJECT DISCIPLE

Show What *you* Know

Match the **Key Words** with their definitions.

1. assembly

2. Consecration

3. Eucharistic Prayer

4. homily

5. Liturgy of the Eucharist

6. Liturgy of the Word

7. Mass

_____ the part of the Mass when we listen to God's Word

_____ the Church's greatest prayer of praise and thanksgiving to God

_____ the celebration of the Eucharist

_____ the part of the Eucharistic Prayer when the bread and wine become the Body and Blood of Christ

_____ talk given by the priest or deacon that helps us understand the readings

_____ community of people gathered to worship in the name of Jesus Christ

_____ the part of the Mass in which the Death and Resurrection of Christ are made present again

Picture This

Draw you and your friends living as disciples of Jesus.

Vidas de santos

Pascual Bailón trabajó como pastor en las montañas de España. Pascual entró a la comunidad religiosa de los Franciscanos y se hizo hermano. Pasaba el tiempo rezando en frente del Santísimo Sacramento. Escribió cartas motivando la devoción a la Eucaristía. El dijo: "Busca a Dios sobre todas las cosas". El es el patrón de los devotos de la Eucaristía. Su fiesta se celebra el 17 de mayo.

↳ RETO PARA EL DISCIPULO

- Encierra en un círculo de quien san Pascual Bailón es patrón.

- Subraya lo que él pide a la gente hacer.

Reza

Mi buen Jesús, gracias de todo corazón. Que bueno y bondadoso eres conmigo, dulce Jesús. Bendito sea Jesús en el Santísimo Sacramento. Recuérdame, oh Jesús. Mantenme siempre cerca de ti.

Datos

Una lámpara especial llamada *lámpara del santuario* está siempre encendida en la iglesia cerca del tabernáculo. Esta luz nos recuerda que Jesús está presente en el Santísimo Sacramento.

Tarea

Tu familia puede visitar el Santísimo Sacramento para mostrar su amor y devoción a Jesús. Habla con tu familia sobre tomar tiempo para visitar al Santísimo Sacramento en tu iglesia. Habla con Jesús de tu amor por él, tus necesidades, esperanzas y agradecimiento.

PROJECT DISCIPLE

Saint Stories

Paschal Baylon worked as a shepherd in the hills of Spain. Paschal entered the religious community of the Franciscans and became a brother. He spent time praying in front of the Most Blessed Sacrament. He wrote letters urging devotion to the Eucharist. He said, "Seek God above all things." He is the patron saint of those devoted to the Eucharist. His feast day is May 17.

↳ DISCIPLE CHALLENGE

• Circle the group for whom Paschal Baylon is the patron saint.

• Underline what he told people to do.

Pray Today

My good Jesus, I thank you with all my heart. How good, how kind you are to me, sweet Jesus! Blessed be Jesus in the most Holy Sacrament. Remain with me, O Lord. Always keep me close to you.

Fast Facts

A special light, called the *sanctuary lamp*, is always kept burning in the church near the tabernacle. This light reminds us that Jesus Christ is present there in the Most Blessed Sacrament.

Take Home

Your family can visit the Most Blessed Sacrament to show your love and devotion to Jesus. Talk with your family about taking time to make a visit to the Most Blessed Sacrament in your church. Tell Jesus of your love, needs, hopes, and thanks.

145

Adviento

Durante el Adviento nos preparamos para la venida de nuestro Señor.

NOS CONGREGAMOS

✝ *María, ayúdanos a preparar para la venida de Jesús.*

¿Cuáles son algunas cosas que esperas con ansiedad?

CREEMOS

El Tiempo de Adviento es tiempo de preparación. Es un tiempo de gozosa espera y esperanza. Durante cuatro semanas nos preparamos para la venida del Señor. De hecho, la palabra *adviento* significa "venida".

Durante el Adviento, esperamos la venida de Cristo en el futuro y nos preparamos siendo sus fieles seguidores. Celebramos que Jesús está con nosotros hoy y nos preparamos para celebrar su primera venida hace dos mil años.

Empezamos el Adviento rezando por la venida de Cristo al final de los tiempos. Sabemos que Jesús regresará porque él lo dijo. No sabemos exactamente cuando Cristo vendrá de nuevo. Como pueblo de fe confiamos en que vendrá. Sabemos que Jesús quiere que estemos listos. El quiere que nos preparemos viviendo una vida que muestre que somos sus discípulos. Cuando Jesús venga de nuevo, él confortará a su pueblo. "Secará todas las lágrimas de ellos". (Apocalipsis 21:4). El vendrá para llevarnos a su reino de paz, gozo y amor. Nos preparamos cumpliendo los mandamientos y las enseñanzas de Jesús.

"Ven Señor, a visitarnos con tu paz, para que nos alegremos delante de ti, de todo corazón".

Rito de comunión, lunes, primera semana de Adviento

Advent

Advent | Christmas | Ordinary Time | Lent | Triduum | Easter | Ordinary Time

In Advent we prepare for the coming of the Lord.

WE GATHER

✝ *Mary, help us to prepare for the coming of Jesus.*

What are some things you anticipate, or look forward to, with excitement?

WE BELIEVE

The season of Advent is a time of preparation. It is a season of joyful hope and anticipation. During the four weeks of Advent we prepare ourselves for the coming of the Lord. In fact, the word *Advent* means "coming."

During the season of Advent, we hope for Christ's coming in the future, and we prepare by being his faithful followers today. We celebrate that Jesus is with us today, and we prepare to celebrate that he first came to us over two thousand years ago in Bethlehem.

We begin Advent by praying for Jesus Christ to come again at the end of time. We know that Jesus will return because he told us that he would. We do not know exactly when Christ will come again. Yet as people of faith, we trust that he will. We do know that Jesus wants us to be ready. He wants us to prepare by living a life that shows that we are his disciples. When Jesus comes again, he will comfort his people: "He will wipe every tear from their eyes" (Revelation 21:4). He will come to bring us into his kingdom of peace, joy, and love. We get ready by following the commandments and following Jesus' teachings.

"Come to us, Lord, and bring us peace. We will rejoice in your presence and serve you with all our heart."

Communion Rite, Monday, First Week of Advent

En Adviento también celebramos su venida a nuestro mundo y su presencia en el mundo hoy. Cuando rezamos: "Ven Señor, Jesús" con la Iglesia durante el Adviento, rezamos sabiendo que Jesús siempre está con nosotros. Jesús nos dice: "Porque donde dos o tres se reúnen en mi nombre, allí estoy yo en medio de ellos" (Mateo 18:20). Jesús viene a nosotros todos los días en la celebración de la Eucaristía, en todos los sacramentos y en el amor que nos tenemos.

En nuestro mundo muchas personas pasan hambre o no tienen donde vivir. Muchas personas sufren debido a guerras o enfermedades. Cuando rezamos "Ven señor, Jesús", rezamos para que Jesús venga y para que podamos compartir su amor con los demás.

Al final del Adviento, nos centramos en nuestra espera y preparación para celebrar la llegada de Jesús. Nos preparamos como María se preparó para el nacimiento de su Hijo, nuestro Salvador.

Durante el Adviento, ¿en qué formas nos preparamos y celebramos la venida de Cristo?

Durante Adviento hay días de fiestas que nos ayudan a preparar para la venida de Cristo. Hay dos fiestas que están relacionadas, el 12 de diciembre celebramos la fiesta de Nuestra Señora de Guadalupe, patrona de América y el 9 de diciembre, celebramos el día de San Juan Diego a quien se le apareció la virgen de Guadalupe.

Juan Diego era un campesino que vivía cerca de lo que hoy es ciudad México. Caminaba quince millas todos los días para asistir a misa. En la mañana del 9 de diciembre del 1531, cuando pasaba por la loma de Tepeyac vio a una joven mujer vestida como una princesa azteca. Ella le habló a Juan Diego en su propio idioma y le dijo que ella era la virgen María. Ella le pidió que le construyera una iglesia en la loma.

Juan fue donde el obispo con la noticia. El obispo escuchó a Juan pero no le creyó. De nuevo, el 12 de diciembre, la virgen se apareció a Juan. Ella le pidió subir a la loma donde se conocieron. Cuando Juan Diego llegó, encontró flores en el helado suelo. Eran rosas que no crecían en México. El las puso en su capa

ABRIGOS PARA DONAR

In Advent we celebrate Jesus coming in our world and his presence in the world today. When we pray, "Come, Lord Jesus" with the Church during Advent, we pray knowing that Jesus is always with us. Jesus tells us, "For where two or three are gathered together in my name, there am I in the midst of them" (Matthew 18:20). Jesus comes to us every day in the celebration of the Mass, the sacraments, and in the love we have for one another.

In our world many people are hungry or homeless. Many people suffer from war and disease. When we pray, "Come, Lord Jesus," we pray that Jesus will come to us that we may share his love with others.

As Advent comes to an end, we focus our waiting and preparing on Jesus' first coming. We prepare as Mary prepared for the birth of her Son, our Savior.

Bishop kneels before Virgin Mary's image on Saint Juan Diego's cloak.

City. Every day he walked fifteen miles to participate in Mass. On his way to Mass the morning of December 9, 1531, Juan passed Tepeyac Hill, he saw a young woman dressed like an Aztec princess. She spoke to Juan in his own language and said that she was the Virgin Mary. She asked that a church be built on the hill.

🧍 During Advent in what ways do we prepare for and celebrate the coming of Christ?

During Advent we have feast days that help us prepare for Christ's coming. Two of these feasts are related. On December 12 we honor Mary as Our Lady of Guadalupe, the patroness of the Americas. On December 9 we remember Saint Juan Diego to whom Our Lady of Guadalupe appeared.

Juan Diego was a farm worker who lived outside of a city known today as Mexico

Juan went to the bishop with this news. The bishop kindly listened to Juan, but could not believe that this really happened. Then on December 12 the Virgin Mary appeared to Juan. She told him to climb the hill where they had met. When he did, Juan found flowers growing in the frozen soil. They were roses which did not even grow in Mexico. He gathered them in his cloak

y fue a ver el obispo. Cuando Juan Diego abrió su capa las flores cayeron al piso. Dentro de la capa había una imagen brillante de una señora. Ella se conoce como Nuestra Señora de Guadalupe.

Una iglesia fue construida en esa loma donde apareció nuestra Señora. Desde ese momento una devoción especial a María, como Nuestra Señora de Guadalupe, ha crecido y millones de mexicanos han sido bautizados.

RESPONDEMOS

Aprendemos de Nuestra Señora de Guadalupe que necesitamos apreciar la cultura de aquellos a quienes llevamos la buena nueva. También nosotros necesitamos entender a la gente para que podamos ayudarlas a entender y a conocer a Cristo. ¿Cuál es una forma en que puedes seguir el ejemplo de María esta semana?

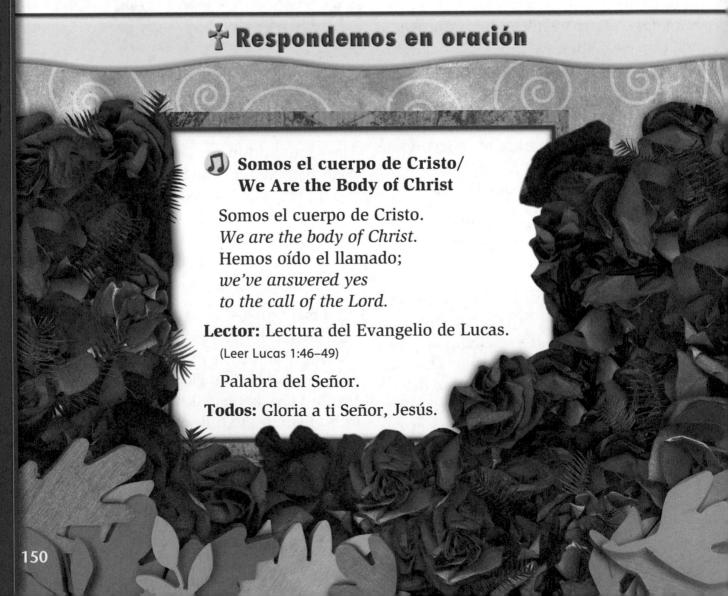

✝ Respondemos en oración

♪ Somos el cuerpo de Cristo/ We Are the Body of Christ

Somos el cuerpo de Cristo.
We are the body of Christ.
Hemos oído el llamado;
we've answered yes
to the call of the Lord.

Lector: Lectura del Evangelio de Lucas.

(Leer Lucas 1:46–49)

Palabra del Señor.

Todos: Gloria a ti Señor, Jesús.

and went at once to the bishop. When Juan opened his cloak the flowers fell to the ground. And in the inside of Juan's cloak was a glowing image of the Lady. She became known as Our Lady of Guadalupe.

Soon after, a church was built on this hill where our Lady had appeared. Since that time a special devotion to Mary as Our Lady of Guadalupe has grown and millions of Native Mexicans have been baptized.

WE RESPOND

We learn from Our Lady of Guadalupe that we need to appreciate the culture of those to whom we bring the Good News. We, too, need to understand people so that we can help them to understand and know Christ. What is one way you can follow Mary's example this week?

✟ We Respond in Prayer

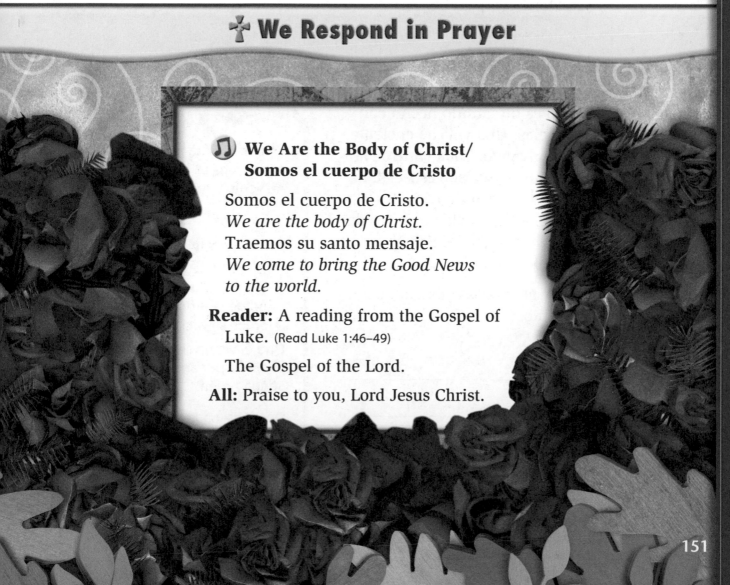

🎵 **We Are the Body of Christ/
Somos el cuerpo de Cristo**

Somos el cuerpo de Cristo.
We are the body of Christ.
Traemos su santo mensaje.
*We come to bring the Good News
to the world.*

Reader: A reading from the Gospel of Luke. (Read Luke 1:46–49)

The Gospel of the Lord.

All: Praise to you, Lord Jesus Christ.

HACIENDO DISCÍPULOS

Muestra *lo* que sabes

Escribe un párrafo hablando sobre el Adviento.

_____

_____

_____

_____

Investiga

Una corona de Adviento es un círculo hecho con hojas de pino y cuatro velas. Una vela se enciente durante cada semana de Adviento. Cada parte de la corona de Adviento tiene un significado especial: lo verde—vida; el círculo—eternidad de Dios; las cuatro velas—cuatro semanas de Adviento; la luz de la corona—la espera por la venida del Señor; la luz—Jesucristo, la luz del mundo.

↳ **RETO PARA EL DISCÍPULO** Escribe una oración para cada semana de Adviento.

Semana 1: _____

Semana 2: _____

Semana 3: _____

Semana 4: _____

Tarea

Prepárate para la venida del Señor con tu familia. Hagan una corona de Adviento y recen esta bendición:

Señor Dios,

bendícenos mientras encendemos las velas de esta corona.

Que esta corona y sus luces sean signo de la promesa de Cristo de traernos salvación.

Que él venga sin tardar. Te lo pedimos por Jesucristo nuestro Señor. Amén.

Después, cada semana de Adviento recen la oración que se escribió para esa semana.

Pray
Learn
Celebrate
Share
Choose
Live

PROJECT DISCIPLE

Show What *you* Know

Write a paragraph to tell others about Advent.

_____

_____

_____

_____

More *to* Explore

An Advent wreath is a circle of small evergreen branches with four candles. One candle is lighted during each of the four weeks of Advent. Each part of the Advent wreath has a special meaning: evergreen—life; wreath's circle—eternity of God; four candles—four weeks of Advent; lighting the wreath—waiting for the Lord's coming; light—Jesus Christ, the Light of the World.

↳ **DISCIPLE CHALLENGE** Write a prayer for each week of Advent.

Week 1: _____

Week 2: _____

Week 3: _____

Week 4: _____

Take Home

Prepare for the coming of the Lord with your family. Make an Advent wreath, and pray this Advent wreath blessing:

Lord God,

Let your blessing come upon us as we light the candles of this wreath.

May the wreath and its light be a sign of Christ's promise to bring us salvation.

May he come quickly and not delay. We ask this through Christ our Lord. Amen.

Then during each week of Advent, pray the prayer you wrote for that week.

Navidad

Durante el Tiempo de Navidad celebramos la venida del Hijo de Dios al mundo.

NOS CONGREGAMOS

✝ *Has venido para que tengamos vida plena.*

Nombra algunos países en diferentes partes del mundo. ¿Qué cosas tienen en común las personas en diferentes partes del mundo?

CREEMOS

Hace más de dos mil años que Jesús nació en Belén de Judea. Su misión fue más allá de ese pequeño pueblo. El Hijo de Dios vivió entre nosotros para que todos conociéramos el amor de su Padre. El vino para todos y vivió para todos. Jesucristo murió y resucitó a una nueva vida para todo el mundo.

Durante el tiempo de Navidad, celebramos el maravilloso evento de la encarnación: Dios Hijo, la segunda Persona de la Santísima Trinidad, se hizo hombre. Celebramos que Jesús vino a ser luz para todas las naciones.

Una fiesta durante el tiempo de Navidad, la fiesta de Epifanía, nos lo recuerda de manera especial. Celebramos la *Epifanía* de Jesús, o que Jesús se mostró a sí mismo a todo el mundo. Leemos sobre este evento en el Evangelio de Mateo.

"He aquí que viene tu Rey, el Santo, el Salvador del mundo".

Antífona de la comunión, misa de la aurora

Christmas

During the Christmas season we celebrate the Son of God's coming into the world.

WE GATHER

✝ *You came that we might have the fullness of life.*

Name some countries in different parts of the world. What are some things people in different parts of the world have in common?

WE BELIEVE

Over two thousand years ago Jesus was born in Bethlehem of Judea. But his mission went far beyond that small town in a small country. The Son of God lived among us so that the whole world could know his Father's love. He came for everyone, and he lived for everyone. Jesus Christ died and rose to new life for all people.

During the Christmas season, we celebrate the wonderful event of the Incarnation: that God the Son, the Second Person of the Blessed Trinity, became man. We celebrate that Jesus came to be the light for all nations.

One feast during the season of Christmas, the Feast of the Epiphany, reminds us of this in a special way. We celebrate Jesus' *Epiphany,* or Jesus' showing of himself to the whole world. We read about this event in the Gospel of Matthew.

"All the ends of the earth have seen the saving power of God."

Responsorial Psalm, Christmas Mass During the Day

 Mateo 2:1–5

Narrador: Cuando Jesús nació en Belén, unos magos, hombres sabios, viajaron desde el este hasta encontrarlo. Ellos llegaron a Jerusalén diciendo:

Mago: "¿Dónde esta el rey de los judíos que ha nacido? Pues vimos salir su estrella y hemos venido a adorarlo". (Mateo 2:2)

Narrador: Cuando el rey Herodes y otros en Jerusalén escucharon esto se preocuparon. El rey preguntó dónde había nacido el Mesías y los magos contestaron:

Mago: "En Belén de Judea; porque así lo escribió el profeta". (Mateo 2:5)

Durante el tiempo de Jesús, muchas personas creían que una nueva estrella aparecía en el cielo cuando nacía un nuevo gobernador. Los magos vieron esta estrella desde tierras lejanas y llegaron buscando al nuevo rey. Los magos no eran judíos, pero querían honrar a Jesús con regalos.

Esta Epifanía, o manifestación, de Jesús nos enseña que la venida de Jesús al mundo fue importante para todo el mundo. La buena nueva de Jesucristo es para todo el mundo. Celebramos el día de Navidad el 25 de diciembre y la fiesta de Epifanía el segundo domingo después de Navidad.

A través de los años la historia de la visita de los magos ha sido parte de nuestras celebraciones cristianas por siglos. El Evangelio de Mateo se refiere a los magos, conocidos como sabios, pero no incluye cuantos eran. Por años los magos han sido llamados los tres reyes.

Con el tiempo también se les pusieron nombres. En tu parroquia puede que se cante el himno "We three kings" durante el Tiempo de Navidad. Este himno es sobre los magos.

📖 Matthew 2:1–5

Narrator: When Jesus was born in Bethlehem, magi, or wise men, traveled from the east to find him. They arrived in Jerusalem, saying:

Magi: "Where is the newborn king of the Jews? We saw his star at its rising and have come to do him homage" (Matthew 2:2).

Narrator: When King Herod and the others in Jerusalem heard this, they were very troubled. King Herod asked the magi where the Messiah was born, and they answered:

Magi: "In Bethlehem of Judea, for thus it has been written through the prophet" (Matthew 2:5).

During the time of Jesus, many people believed that a new star appeared in the sky whenever a new ruler was born. The magi saw this star from lands far away and came in search of the new king. The magi themselves were not Jewish, yet they wanted to honor Jesus with gifts.

This Epiphany, or showing, of Jesus teaches us that Jesus' coming into the world was important to the whole world. The Good News of Jesus Christ is meant for everyone. We celebrate Christmas Day on December 25 and the Feast of the Epiphany on the second Sunday after that.

The story of the magi's visit has been a part of our Christmas celebrations for centuries. The Gospel of Matthew refers to magi, who were known to be wise men, but does not include how many traveled to honor Jesus. Yet, through the years, the magi have been called the three kings. And over time the kings were given names. Your parish may sing the hymn "We Three Kings" during the Christmas season. This song is actually about the magi.

Históricamente la gente también se ha interesado en los regalos que los magos ofrecieron. Oro, incienso y mirra. Se dice que:

- incienso, para honrar a Cristo que es divino, porque el incienso es usado en la liturgia y en otros tiempos de oración

- mirra, especie usada para embalsamar, para honrar la humanidad de Cristo porque Jesús moriría y sería enterrado como cualquier ser humano

- oro, signo de la realeza de Cristo, porque Jesús es el reino de Dios entre nosotros.

RESPONDEMOS

Muchas personas en países de habla hispana tienen procesiones para celebrar la Epifanía. Tres hombres se visten de reyes. Ellos ofrecen dulces y regalos a los niños, igual que los magos compartieron lo que tenían con Jesús.

Algunas personas celebran la Epifanía con un bizcocho especial. Este es horneado con una habichuela en el centro y el que la encuentre es rey o reina por un día.

¿Hay una manera especial de tú también celebrar? Celebra el cumpleaños de Jesús y su presencia en tu vida esta semana.

✝ Respondemos en oración

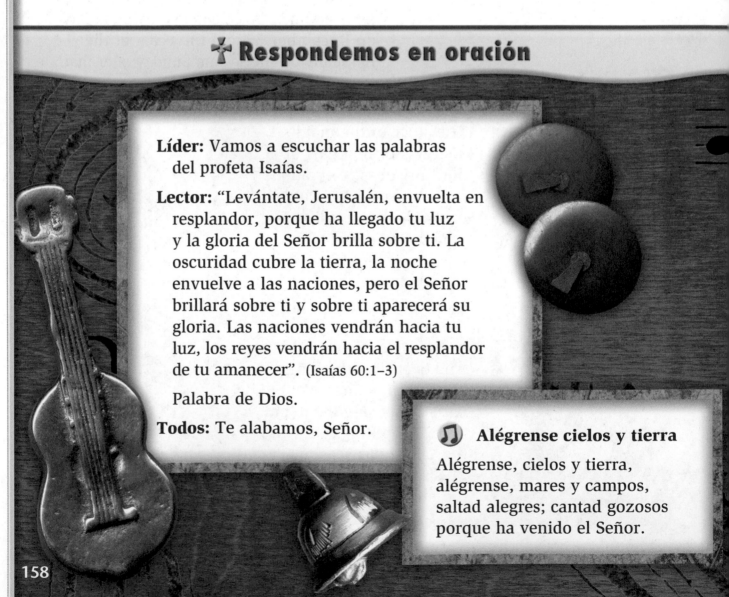

Líder: Vamos a escuchar las palabras del profeta Isaías.

Lector: "Levántate, Jerusalén, envuelta en resplandor, porque ha llegado tu luz y la gloria del Señor brilla sobre ti. La oscuridad cubre la tierra, la noche envuelve a las naciones, pero el Señor brillará sobre ti y sobre ti aparecerá su gloria. Las naciones vendrán hacia tu luz, los reyes vendrán hacia el resplandor de tu amanecer". (Isaías 60:1–3)

Palabra de Dios.

Todos: Te alabamos, Señor.

🎵 **Alégrense cielos y tierra**

Alégrense, cielos y tierra, alégrense, mares y campos, saltad alegres; cantad gozosos porque ha venido el Señor.

Throughout history people have also taken an interest in the treasure the magi offered: frankincense, myrrh and gold. It is said that the:

- frankincense was in honor of Christ being divine because incense is used at the liturgy and for other times of prayer.

- myrrh, a spice used in burials, was in honor of Christ's humanity, because Jesus would die and be buried like all human beings.

- gold was a sign of Christ's kingship because, in Jesus, God's Kingdom is with us.

WE RESPOND

Many people from Spanish-speaking countries have parades to celebrate the Epiphany. Three men dress as kings. They give candy and presents to the children, just as the magi shared what they had with Jesus.

Some people celebrate the Epiphany with a special cake. A bean is baked into it, and whoever finds the bean is king or queen for the day!

Is there a special way that you can celebrate, too? This week celebrate Jesus' birth and presence in your life!

✝ We Respond in Prayer

Leader: Let us listen to the words of the Prophet Isaiah.

Reader: "Rise up in splendor! Your light has come,
the glory of the Lord shines upon you.
See, darkness covers the earth, and thick clouds cover the peoples;
But upon you the LORD shines, and over you appears his glory.
Nations shall walk by your light, and kings by your shining radiance." (Isaiah 60:1–3)

The word of the Lord.

All: Thanks be to God.

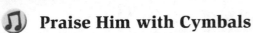 **Praise Him with Cymbals**

In a lowly manger on a dark winter's night,
a star arose in the sky,
and to the Earth it gave a great light,
a bright and glorious sign.

Refrain: O praise him with cymbals,
praise him with dancing,
praise him with glad tambourines.
And praise him with singing,
praise him with clapping,
Jesus is born, Christ the King.

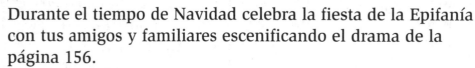

HACIENDO DISCIPULOS

Celebra

Durante el tiempo de Navidad celebra la fiesta de la Epifanía con tus amigos y familiares escenificando el drama de la página 156.

Realidad

¿Cuáles son algunas cosas que puedes hacer durante el tiempo de Navidad?

❏ cantar villancicos

❏ visitar amigos y familiares

❏ ir a misa

❏ visitar el nacimiento de la parroquia

❏ compartir regalos con los necesitados

❏ _____

Escritura

"Pero el ángel les dijo: No teman, pues les anuncio una gran alegría, que lo será para ustedes y para todo el pueblo. Les ha nacido hoy, en la ciudad de David, un Salvador, que es el Mesías, el Señor". (Lucas 2:10–11)

↳ **RETO PARA EL DISCIPULO**

• Subraya la frase que dice para quien es la buena nueva.

• Encierra en un círculo los títulos para el niño que nació en la ciudad de David.

Tarea

Los magos llevaron regalos de oro, incienso y mirra al niño Jesús. Conversa sobre los regalos que tu familia puede llevar al niño Jesús hoy.

Pray
Learn
Celebrate
Share
Choose
Live

PROJECT DISCIPLE

Celebrate!

During the Christmas season, celebrate the Feast of the Epiphany with your friends and family by acting out the play on page 157.

Reality Check

What are some things you do during the Christmas season?

❏ sing Christmas carols

❏ visit friends and family

❏ go to Mass

❏ visit the parish nativity scene

❏ share gifts with those in need

❏ _____

What's the Word?

"The angel said to them [the shepherds], 'Do not be afraid; for behold, I proclaim to you good news of great joy that will be for all the people. For today in the city of David a savior has been born for you who is Messiah and Lord." (Luke 2:10–11)

↳ **DISCIPLE CHALLENGE**

• Underline the phrase that tells who the Good News is for.

• Circle the three titles for the child born in the city of David.

Take Home

The magi brought gifts of gold, frankincense, and myrrh to the child Jesus. Talk about the "gifts" your family could offer Jesus today.

El cuarto mandamiento

NOS CONGREGAMOS

✝ **Líder:** En el Evangelio de Lucas leemos que Jesús, María y José fueron al Templo. Al regreso, María pensó que Jesús estaba con José. José pensó que Jesús estaba con María. Salieron de Jerusalén sin él. Por todo un día, no notaron su ausencia. Cuando no vieron a Jesús, regresaron a Jerusalén a buscarlo.

Lector: (Leer Lucas 2:46–52) Palabra del Señor.

Todos: Gloria a ti Señor, Jesús.

☀ ¿Cuáles son algunas formas en que muestras respeto por tu familia? ¿Por las personas en tu vecindario?

CREEMOS

Dios quiere que amemos y respetemos a los demás.

Los Diez Mandamientos nos recuerdan nuestra relación con Dios, Dios está siempre con nosotros. Respondemos a Dios en la forma en que cumplimos los mandamientos. Los Diez Mandamientos nos ayudan a saber como amar a Dios, a nosotros mismos y a los demás. Cumplir los Diez Mandamientos nos da la felicidad que viene de la relación con Dios. El vivir de acuerdo a los mandamientos nos ayuda a ser miembros activos de la comunidad de la Iglesia.

Cuando cumplimos los primeros tres mandamientos, mostramos nuestro amor por Dios. Cuando cumplimos los restantes, mostramos nuestro amor por los demás. Todos somos creados a semejanza de Dios. Siempre que respetamos y honramos a otros, honramos a Dios.

The Fourth Commandment

WE GATHER

✝ **Leader:** In the Gospel of Luke, we read about a journey that Jesus, Mary, and Joseph made to the Temple in Jerusalem. When it was time to leave, Mary thought Jesus was with Joseph. Joseph thought Jesus was with Mary. They left Jerusalem without him! For a whole day, they did not realize that he was not with the group. When they did, they went back to look for him. This is where we begin our reading.

Reader: (Read Luke 2:46–52)
The Gospel of the Lord.

All: Praise to you, Lord Jesus Christ.

☀ What are some ways you show love and respect for your family? for friends? for people in your neighborhood?

WE BELIEVE

God wants us to love and respect others.

The Ten Commandments remind us of our relationship with God. God is always with us. We respond to God by the ways we live out the commandments. The Ten Commandments help us to know how to love God, ourselves, and others. Following the Ten Commandments gives us the happiness that comes from a relationship with God. Living by the Ten Commandments also helps us to be active members of the Church community.

When we follow the first three commandments, we show our love for God. When we follow the Fourth through the Tenth Commandments, we show love for others. All people are made in God's image. Whenever we respect and honor one another, we honor God.

163

El cuarto mandamiento es: "Honra a tu padre y a tu madre" (Exodo 20:12). Nos enseña a apreciar y obedecer a nuestros padres, tutores y a todo el que nos dirige. Valoramos y escuchamos con respeto a nuestros padres, tutores, nuestros párrocos, obispos, el papa y a todos los que nos ayudan a ver cual es la voluntad de Dios. También obedecemos las leyes de nuestra ciudad, estado y país.

Jesús nos mostró como vivir el cuarto mandamiento. El fue obediente a su madre, María, y a su padre adoptivo, José. Jesús hizo las cosas que Dios su Padre quería. Jesús mostró respeto por los líderes religiosos, sacerdotes, maestros y líderes que ayudaban a la gente a acercarse al Padre.

Nombra una forma en que has cumplido el cuarto mandamiento.

En nuestras familias aprendemos a amar a Dios y a los demás.

Llamamos sagrada familia a la familia de Jesús, María y José. Ellos se respetaron y honraron. Compartieron los momentos felices y los tristes con amigos y parientes. Trabajaron y rezaron juntos. Honraron y amaron a Dios.

Una familia es una comunidad. Puede ser grande o pequeña. Puede incluir padres y abuelos, hermanos y hermanas, tíos y primos. Los parientes se quieren y pasan tiempo juntos. Tratan de vivir en paz ayudándose.

Las familias cristianas son llamadas a ser comunidades de fe, esperanza y caridad. Por el Bautismo los miembros de toda familia cristiana comparten la vida de Dios, Padre, Hijo y Espíritu Santo.

Como familias cristianas podemos rezar y adorar juntos. Tratamos de vivir de tal forma que todo el mundo vea que amamos a Dios. Ayudamos a los necesitados. Compartimos la fe en Dios y el amor que nos tenemos con los demás. De esa forma las familias cristianas predican el reino de Dios en la tierra.

Toda familia cristiana está llamada a ser la **iglesia doméstica**, o "iglesia en el hogar". Dentro de nuestras familia aprendemos sobre el trabajo, el perdón y la disciplina. Nuestra fe y habilidad de escoger lo bueno crecen. Aprendemos a participar en la comunidad de la Iglesia. Trabajamos con otras familias para ayudar a construir nuestros vecindarios, parroquias, naciones y un mundo mejor.

Ilustra una forma en que las familias pueden ser comunidades de fe.

The Fourth Commandment is "Honor your father and your mother" (Exodus 20:12). It teaches us to appreciate and obey our parents, our guardians, and all those who lead and serve us. We value and listen with respect to our parents, guardians, teachers, pastors, bishops, the pope, and all those who help us to see God's will for us. We also obey the laws of our city, state, and nation.

Jesus showed us how to live out the Fourth Commandment. He himself was obedient to his mother, Mary, and his foster father, Joseph. Jesus did the things that God his Father wanted. Jesus showed respect for religious leaders— priests, teachers, and leaders who helped to bring people closer to the Father.

Name one way you have followed the Fourth Commandment today.

In our families we learn to love God and others.

Jesus, Mary, and Joseph are called the Holy Family. They honored and respected one another. They shared both happy and sad times with their relatives and friends. They worked and prayed together. They honored and loved God.

A family is a community. It may be large or small. It may include parents and grandparents, brothers and sisters, aunts and uncles, and cousins. Family members share love and spend time together. They try to live in peace, helping one another.

Christian families are called to be communities of faith, hope, and love. Through Baptism the members of every Christian family share the very life of God—the Father, the Son, and the Holy Spirit. As Christian families we can pray and worship together. We try to live so that all people will know the love of God. We help people in need. We share our faith in God and love for one another with all those we meet. In these ways, Christian families spread God's Kingdom here on earth.

Every Christian family is called to be a **domestic Church**, or a "Church in the home." Within our families we learn about and experience work, forgiveness, and discipline. We grow in our faith and ability to choose what is good. We learn to take part in the Church community. We work with other families to help build neighborhoods, parishes, nations, and a better world.

Illustrate one way that families can be communities of faith.

En nuestras familias tenemos la responsabilidad de amarnos y respetarnos.

Los padres y tutores tienen muchas responsabilidades en sus familias. Ellos tratan de asegurarse de que los niños tengan lo que necesitan. Cuidan y protegen a sus hijos. Les enseñan sobre el mundo en que viven. Los ayudan a aprender a trabajar y a jugar con otros niños.

Los padres católicos tienen la responsabilidad especial de ayudar a los niños a alimentar la fe. Con la ayuda de la Iglesia ellos:

- comparten su amor y fe en Jesús y su Iglesia

- enseñan a los hijos sobre Dios Padre, Hijo y Espíritu Santo

- enseñan a los hijos a rezar y a alabar a Dios en la misa los domingos

- ayudan a sus hijos a aprender la diferencia entre lo bueno y lo malo

- muestran a sus hijos la importancia de compartir y cuidar de las necesidades de los demás.

Los niños también tienen responsabilidades con sus familias. Una manera de honrar a los padres o tutores es obedeciéndolos. La obediencia es hacer lo justo y bueno que ellos piden hacer. Cumplimos el cuarto mandamiento cuando obedecemos y respetamos a nuestros padres, cooperamos con ellos y los apreciamos.

Al crecer, las formas en que mostramos respeto y amor a nuestros padres cambia. Sin embargo, necesitamos honrar a nuestros padres siempre.

🏃 ¿De qué forma obedeces a tus padres? ¿Cómo tus padres muestran respeto por tus abuelos?

_____

_____

_____

Como católicos...

Jesús, María y José son llamados la Sagrada Familia. Cada año, el domingo después de Navidad, la Iglesia celebra la fiesta de la Sagrada Familia. En ese día recordamos el amor que Jesús compartió con María y José y otros parientes y amigos. Damos gracias a Dios por el regalo de nuestras familias. Pedimos a Dios que ayude a todas las familias.

¿Cómo puedes con tu familia mostrar amor a Dios y a los demás?

In our families we have the responsibility to love and respect one another.

Parents and guardians have many responsibilities in their families. They try to make sure that their children have the things they need. They care for and protect their children. They teach them about the world in which they live. They help them to learn to work and play with other children.

Catholic parents have a special responsibility to help their children grow in faith. With the Church's help they:

- share their love for and belief in Jesus and his Church

- teach their children about God the Father, Son, and Holy Spirit

- teach their children how to pray and worship with them at Sunday Mass

- help their children to learn the difference between good and evil

- show their children the importance of sharing and caring for the needs of others.

Children have responsibilities to their families, too. An important way to honor our parents and guardians is to obey them. Obedience is doing the just and good things that are asked of us. We keep the Fourth Commandment when we obey and respect our parents, cooperate with them, and appreciate them.

As we grow older, the ways that we show respect and love for our parents will change. However, the need to honor our parents and guardians will remain.

In what ways do you obey your parents and guardians? How do your parents show respect for their parents?

_____

_____

_____

As Catholics...

Jesus, Mary, and Joseph are called the Holy Family. Each year on the Sunday after Christmas, the Church celebrates the Feast of the Holy Family. On this day we recall the love that Jesus shared with Mary, Joseph, his other relatives, and his friends. We thank God for the gift of our own families. We ask God to help all families.

How can you and your family show love for God and one another?

167

Los ciudadanos y los líderes trabajan juntos por la paz.

El cuarto mandamiento nos pide respetar a los que son responsables de nosotros incluyendo maestros, líderes eclesiásticos y de gobierno. Esas personas tienen posición de autoridad. Los que tienen autoridad deben respetar la dignidad de todos. A ellos se les pide estar seguros de que todo el mundo sea tratado con justicia. Ellos trabajan por la paz. Las personas con autoridad no se deben obedecer cuando piden hacer algo injusto o malo.

Conocer y obedecer las leyes justas de nuestro país, estado, ciudad o pueblo es una forma importante de cumplir el cuarto mandamiento. Las leyes de nuestro país protegen a sus ciudadanos. Obedecemos esas leyes y respetamos a las personas que las hacen cumplir.

Queremos que nuestro gobierno sea justo y haga cosas buenas por la gente de nuestro país y del mundo. Así que podemos escribir y hablar con los que toman decisiones por nuestra comunidad. Podemos pedirles que trabajen por la justicia y la paz. Podemos rezar por nuestros líderes y legisladores y por los líderes de los gobiernos en el mundo.

Vocabulario
iglesia doméstica (pp 317)

RESPONDEMOS

Imagina que estás produciendo un video para enseñar a la gente sobre el cuarto mandamiento. En grupo planifiquen sobre lo que hablarás y mostrarás en el video.

Citizens and leaders work together for peace.

The Fourth Commandment requires us to respect those who have a responsibility for us, including teachers, Church leaders, and all government leaders. These people are in positions of authority. Those in authority are called to respect the dignity of all people. They are asked to make sure that all people are treated fairly. They are called to work for peace. The only time we should not obey people who are responsible for us is when they ask us to do something that is wrong or unjust.

Key Word

domestic Church (p. 319)

Learning about and obeying the just laws of our country, state, city, or town is an important way to keep the Fourth Commandment. The laws of our country protect its citizens. We obey these laws and respect the women and men who enforce them.

We want our government to be just and fair, and to do good for the people of our country and the world. So we can write and talk to people who make decisions for our community. We can ask them to work for justice and peace. We can also pray for our leaders and lawmakers, and for the leaders of governments throughout the world.

WE RESPOND

Imagine you are producing a video to teach people about the Fourth Commandment. In a group plan what you would talk about and show on the video. Then act it out.

Muestra *lo* que sabes

Lee cada clave. Usa la letra clave para ayudarte a completar las palabras.

1. Cada familia cristiana está llamada a ser

Letra clave: A, O, L, I, L, E, C, S, T

___ A ___ G ___ E ___ I ___ D ___ M ___ S ___ I ___ A

2. Honra a tu padre y a tu madre.

Letra clave: T, I, C, A, O, M, N

___ U ___ R ___ O ___ A N D A M ___ E ___ T ___

3. ¿Qué debemos mostrar a las personas que nos cuidan?

Letra clave: P, S, R, O

___ E ___ ___ E T ___

4. Jesús, María y José son la

Letra clave: S, R, D, A, L, I

___ A G ___ A ___ ___ F A M I ___ ___ A.

Escritura

"Hijos, obedezcan a sus padres como es justo que lo hagan los creyentes". (Efesios 6:1)

↳ **RETO PARA EL DISCÍPULO** Escribe el mensaje de Pablo para niños de cuarto curso hoy.

_____

_____

_____ **Compártelo.**

PROJECT DISCIPLE

Show What *you* Know

Read each clue. Use the letter key to help you to complete the words.

1. What every Christian family is called to be.

   Letter Key: H, H, M, C, C, C, S, R, T, D

   ___ O ___ E ___ ___ I ___   ___ ___ U ___ ___ ___

2. Honor your father and your mother.

   Letter Key: M, M, M, N, N, R, F, T, T, D, C, H

   ___ O U ___ ___ ___   ___ O ___ ___ A ___ ___ ___ E ___ ___

3. What we are called to show people who have responsibility for us.

   Letter Key: T, R, S, C, P

   ___ E ___ ___ E ___ ___

4. Jesus, Mary, and Joseph are called the

   Letter Key: L, L, M, Y, Y, H, F

   ___ O ___ ___   ___ A ___ I ___ ___.

What's *the* Word?

Saint Paul writes, "Children, obey your parents [in the Lord], for this is right" (Ephesians 6:1).

↳ **DISCIPLE CHALLENGE** In your own words, write Paul's message for today's fourth graders.

_____

_____

_____ **Now, pass it on!**

Orar
Conocer
Celebrar
Compartir
Expresar
Vivir

HACIENDO DISCIPULOS

Vidas de santos

En el 2008, Luis y Zelie Martín, los padres de Santa Teresa de Lisieux, fueron nombrados "beatos" de la Iglesia. Esta fue la primera vez que los padres de un santo fueron presentados para ser canonizados como pareja. Su familia fue una iglesia doméstica que sirve de modelo para todos. Ellos enseñaron a sus hijos a amar a Dios, a rezar todos los días y a cuidar de los pobres y de los demás.

↳ **RETO PARA EL DISCIPULO**

- Encierra en un círculo lo que describe la familia de Luis y Zelie Martín.

- Subraya la oración que dice lo que Luis y Zelie enseñaron a sus hijos.

¿Qué harás?

Estás jugando con tus amigos después de clase. Una anciana vecina llega y trata de hablar con ustedes. Tus amigos la ignoran y siguen jugando. Tú decides:

_____

_____

_____

_____

Tarea

Reza esta oración con tu familia.

Sagrada familia de Nazaret, haz de nuestra familia un hogar más y más como el tuyo, hasta que todos seamos una familia, feliz y en paz en un hogar verdaderamente cristiano. Amén.

Copia esta oración, decórala y ponla en tu casa.

Saint Stories

In 2008, Louis and Zélie Martin, the parents of Saint Thérèse of Lisieux, were named "Blessed" by the Church. This was the first time that parents of a saint were presented for sainthood as a couple. Their family was a domestic Church that serves as a model for all. They taught their children to love God, to pray daily, and to care for the poor and for one another.

↳ DISCIPLE CHALLENGE

- Circle the phrase that describes the family of Louis and Zélie Martin.
- Underline the sentence that tells what Louis and Zélie taught their children.

What Would *you* do?

You and your friends are playing a game after school. An elderly neighbor comes by and tries to start a conversation. Your friends ignore your neighbor and continue the game. You decide to

_____

_____

_____

_____

_____

Take Home

Pray this prayer with your family.

Holy Family of Nazareth, make our family and home more and more like yours, until we are all one family, happy and at peace in our true home with you. Amen.

Copy the prayer. Decorate it to display in your home.

El quinto mandamiento

NOS CONGREGAMOS

✝ **Líder**: Vamos a empezar escuchando la palabra de Dios.

Lector: Lectura del libro del profeta Jeremías

"Antes de darte la vida, ya te había yo escogido; antes de que nacieras, ya te había yo apartado; te había destinado a ser profeta de las naciones".
(Jeremías 1:5)

Palabra de Dios.

Todos: Te alabamos, Señor.

🎵 **Cerca está el Señor/ The Lord Is Near**

Cerca está el Señor de los que lo invocan.
Cerca está el Señor de los que lo invocan.

☀ ¿Quiénes son las personas en nuestros vecindarios y ciudades que trabajan para proteger la vida? ¿Qué hacen?

CREEMOS

La vida humana es sagrada.

Toda vida humana es un don de Dios. Dios comparte su vida con cada uno de nosotros. De toda la creación de Dios sólo nosotros podemos amar a Dios y relacionarnos con él.

El quinto mandamiento se basa en la creencia de que toda vida humana es sagrada, creada por Dios. El quinto mandamiento dice "No mates" (Exodo 20:13; Deuteronomio 5:17). Para cumplir este mandamiento debemos respetar y proteger la vida humana. Podemos valorar la vida con todo lo que hacemos y decimos.

Durante el Sermón de la Montaña, Jesús enseñó sobre el quinto mandamiento. El dijo: "Ustedes han oído que a sus antepasados se les dijo: 'No mates, pues el que mate será condenado'. Pero yo les digo que cualquiera que se enoje con su hermano, será condenado".
(Mateo 5:21–22)

The Fifth Commandment

WE GATHER

 Leader: Let us begin by listening to the Word of God.

Reader: A reading from the Book of the Prophet Jeremiah

"Before I formed you in the womb
   I knew you,
before you were born
   I dedicated you,
a prophet to the nations
   I appointed you."
(Jeremiah 1:5)

The word of the Lord.

All: Thanks be to God.

🏃 **The Lord Is Near/Cerca está el Señor**

The Lord is near to all, to all who call on him.
The Lord is near to all, to all who call on him.

☀ Who are the people in our neighborhoods and cities who work to protect life? What do they do?

WE BELIEVE
Human life is sacred.

All human life is a gift from God. God shares his life with each and every one of us. Of all God's creation, only we are made to love God and grow in his friendship.

The Fifth Commandment is based on the belief that all life is sacred, created by God. The Fifth Commandment states, "You shall not kill" (Exodus 20:13; Deuteronomy 5:17). To follow this commandment we must respect and protect human life. We must value life in all that we say and do.

During the Sermon on the Mount, Jesus taught about the Fifth Commandment. He said, "You have heard it was said to your ancestors, 'You shall not kill; and whoever kills will be liable to judgment.' But I say to you, whoever is angry with his brother will be liable to judgment" (Matthew 5:21–22).

Jesús nos pide tener paz en nuestros corazones, no enojo. El enojo puede llevar a la gente a decir y a hacer cosas que ofenden las vidas de los demás y sus propias vidas.

Cumplir el quinto mandamiento requiere respetar toda vida y la dignidad de toda persona. **Dignidad humana** es el valor que tiene cada persona por haber sido creada a imagen y semejanza de Dios. Este don nos da la habilidad de pensar, tomar decisiones y amar. La dignidad humana nos hace alguien, no algo. Nos hace a todos iguales.

Hablen sobre las formas en que las personas son iguales. ¿Qué podemos hacer para respetar a todos como seres creados a imagen y semejanza de Dios?

El derecho a la vida es el más básico de los derechos humanos.

El quinto mandamiento nos enseña sobre el derecho a la vida. Cada uno de nosotros tiene ese derecho desde el momento de la concepción hasta el momento de la muerte natural. Desafortunadamente no todo lo que la gente hace valora y protege la vida humana.

Por ejemplo, algunas veces la gente es violenta. Actúa en formas que destruyen las cosas o hieren a otros. La violencia en contra de la persona puede dirigirnos a despreciar la persona humana. Sin embargo, porque nuestra vida es sagrada, tenemos el derecho de protegernos y defendernos.

Matar deliberadamente a un inocente es un pecado serio. Quita la vida a una persona.

- Los no nacidos merecen protección y respeto como todo el mundo. Ellos también son personas. Ellos tienen derecho a vivir.

- Nuestras propias vidas son un don de Dios. Una persona no tiene el derecho a suicidarse o a quitarse la vida.

- Los enfermos, minusvalidos, ancianos o moribundos tienen el mismo derecho a la vida que todas las demás personas. Ellos merecen nuestro cuidado y protección.

Piensa en un programa de televisión que hayas visto o un juego de computadora que hayas jugado. Nombra algunas de las formas en que la vida humana ha sido protegida o herida.

Jesus asks us to have peace in our hearts, not anger. Anger can lead people to say and do things that hurt the lives of others, and their own lives.

Living out the Fifth Commandment requires us to respect all life and the dignity of all people. **Human dignity** is the value and worth each person has from being created in God's image and likeness. This gift gives us the ability to think, to make choices, and to love. Human dignity makes us someone, not something. It makes us all equal with one another.

Talk about ways people are equal. What can we do to respect all people as made in God's image?

The right to life is the most basic human right.

The Fifth Commandment teaches us about the right to life. Each of us has this right from the moment of conception to the moment of natural death. Unfortunately, not all the things that people do value and protect human life.

For example, people are sometimes violent. They act in ways that destroy things or injure others. Violence against people can lead to the disregard for human life. However, because our own life is sacred, we have the right to protect and defend ourselves.

The deliberate killing of an innocent person is a very serious sin. It takes away that person's life.

- Unborn children deserve protection and respect as all people do. They have the right to life.

- Our own lives are a gift from God. A person does not have the right to commit suicide, or to take one's own life.

- People who are sick, disabled, elderly, or dying have the same right to life as all people. They deserve our care and protection.

Think about the television shows you have seen or computer games you have played lately. Name some ways they showed human life being valued or being harmed.

Respetamos el don de la vida.

Dios creó a cada uno de nosotros. Confiamos en que él sigue dándonos lo que necesitamos para vivir. Jesús nos enseñó a pedir a Dios nuestro padre "nuestro pan de cada día". Cada vez que rezamos el Padrenuestro, pedimos a Dios que provea para todos.

Cuando cuidamos de nosotros mismos y de los necesitados, mostramos que estamos agradecidos del don de la vida. Mostramos respeto por la vida cuando damos de comer a los que tiene hambre y cuidamos de los enfermos. Cuando vivimos una vida saludable, mostramos respeto por la vida que se nos ha dado.

He aquí algunas formas en que podemos cumplir con el quinto mandamiento.

Cuidar adecuadamente de nuestros cuerpos:

- No usar drogas, fumar cigarrillos o tomar alcohol.

- Comer una dieta balanceada y hacer ejercicio.

- Evitar actividades peligrosas que puedan herirnos.

Cuidar de nuestras mentes, corazones y almas:

- Pasar tiempo estudiando y aprendiendo.

- Rezar y adorar a Dios.

Jesús nos dijo que no debíamos tener enojo en nuestros corazones. El enojo es un sentimiento que puede llevarnos a actuar mal. Sin embargo, algunas veces el enojo puede llevarnos a hablar en defensa de lo que está bien y ayudar a otros a cambiar situaciones injustas. Los sentimientos en sí mismos no son malos ni buenos. Sin embargo, la forma en que actuamos puede serlo.

Esta semana trata de pensar antes de actuar.

Con un compañero, nombren algunas cosas que pueden hacer para promover una vida saludable.

_____

_____

_____

_____

_____

We respect the gift of life.

God created each of us. We trust that he will continue to give us what we need for life. Jesus taught us to ask God our Father for "our daily bread" (Matthew 6:11). Each time we pray the Our Father, we ask God to provide for us and for others.

When we take care of ourselves and those in need, we show that we are grateful for the gift of life. We show respect for life when we give food to the hungry and care for those who are sick. When we live a healthy life, we show respect for the life we have been given.

Here are some ways we can live the Fifth Commandment.

Take proper care of our bodies:

- Do not take drugs, smoke cigarettes, or drink alcohol.

- Eat a balanced diet and exercise.

- Avoid dangerous activities that can harm us.

Take care of our minds, hearts, and souls:

- Spend time studying and learning.

- Pray and worship God.

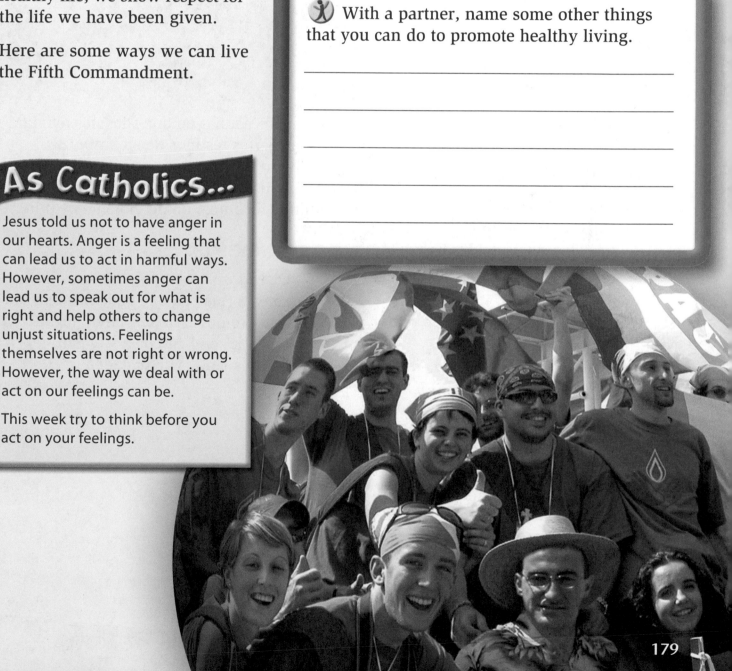

With a partner, name some other things that you can do to promote healthy living.

_____

_____

_____

_____

_____

As Catholics...

Jesus told us not to have anger in our hearts. Anger is a feeling that can lead us to act in harmful ways. However, sometimes anger can lead us to speak out for what is right and help others to change unjust situations. Feelings themselves are not right or wrong. However, the way we deal with or act on our feelings can be.

This week try to think before you act on your feelings.

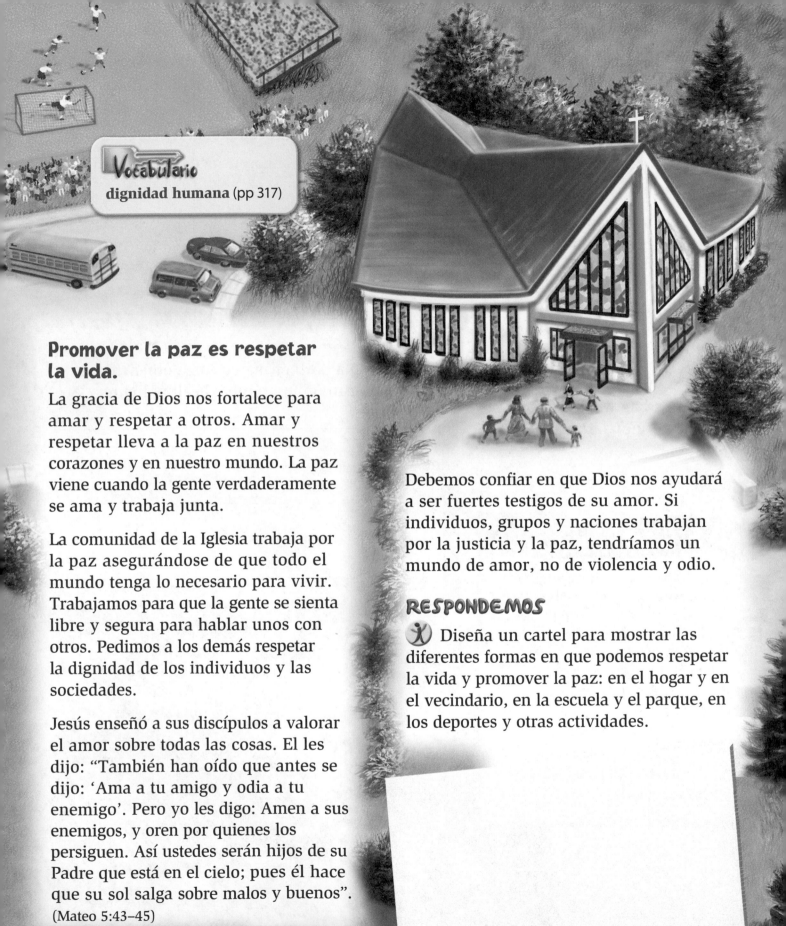

Vocabulario

dignidad humana (pp 317)

Promover la paz es respetar la vida.

La gracia de Dios nos fortalece para amar y respetar a otros. Amar y respetar lleva a la paz en nuestros corazones y en nuestro mundo. La paz viene cuando la gente verdaderamente se ama y trabaja junta.

La comunidad de la Iglesia trabaja por la paz asegurándose de que todo el mundo tenga lo necesario para vivir. Trabajamos para que la gente se sienta libre y segura para hablar unos con otros. Pedimos a los demás respetar la dignidad de los individuos y las sociedades.

Jesús enseñó a sus discípulos a valorar el amor sobre todas las cosas. El les dijo: "También han oído que antes se dijo: 'Ama a tu amigo y odia a tu enemigo'. Pero yo les digo: Amen a sus enemigos, y oren por quienes los persiguen. Así ustedes serán hijos de su Padre que está en el cielo; pues él hace que su sol salga sobre malos y buenos". (Mateo 5:43–45)

Debemos confiar en que Dios nos ayudará a ser fuertes testigos de su amor. Si individuos, grupos y naciones trabajan por la justicia y la paz, tendríamos un mundo de amor, no de violencia y odio.

RESPONDEMOS

Diseña un cartel para mostrar las diferentes formas en que podemos respetar la vida y promover la paz: en el hogar y en el vecindario, en la escuela y el parque, en los deportes y otras actividades.

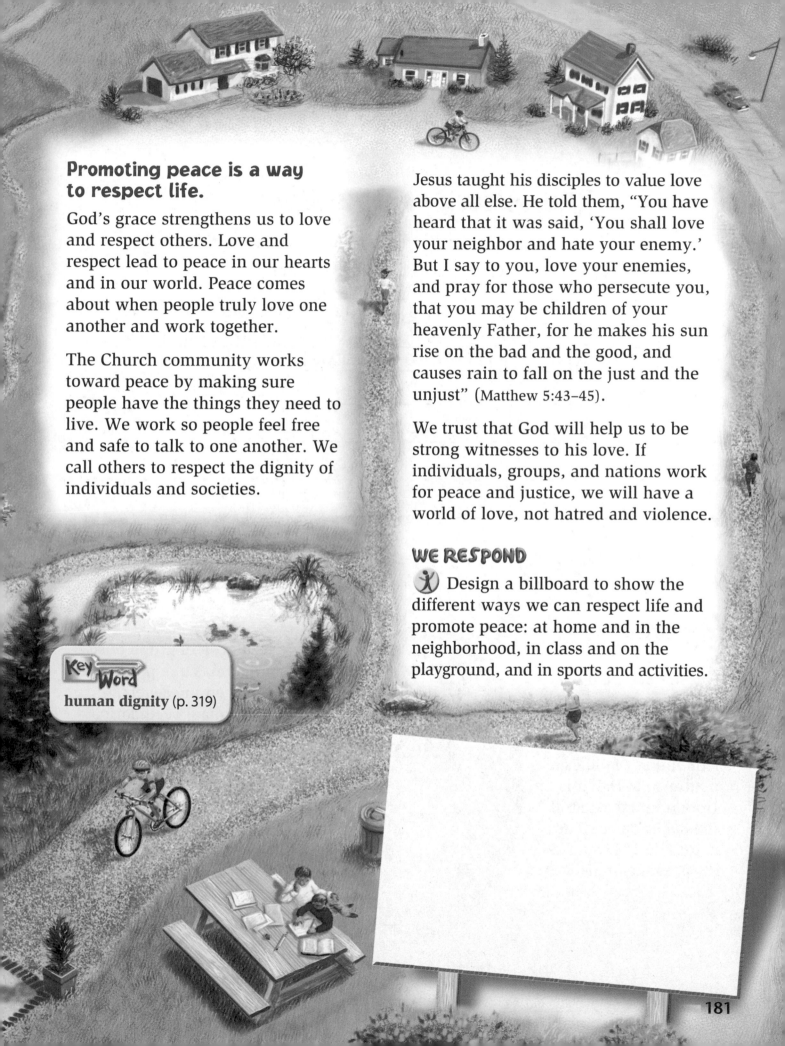

Promoting peace is a way to respect life.

God's grace strengthens us to love and respect others. Love and respect lead to peace in our hearts and in our world. Peace comes about when people truly love one another and work together.

The Church community works toward peace by making sure people have the things they need to live. We work so people feel free and safe to talk to one another. We call others to respect the dignity of individuals and societies.

Key Word

human dignity (p. 319)

Jesus taught his disciples to value love above all else. He told them, "You have heard that it was said, 'You shall love your neighbor and hate your enemy.' But I say to you, love your enemies, and pray for those who persecute you, that you may be children of your heavenly Father, for he makes his sun rise on the bad and the good, and causes rain to fall on the just and the unjust" (Matthew 5:43–45).

We trust that God will help us to be strong witnesses to his love. If individuals, groups, and nations work for peace and justice, we will have a world of love, not hatred and violence.

WE RESPOND

Design a billboard to show the different ways we can respect life and promote peace: at home and in the neighborhood, in class and on the playground, and in sports and activities.

HACIENDO DISCIPULOS

Muestra *lo* que sabes

Organiza los mosaicos para encontrar la definición de la palabra del Vocabulario. Algunos mosaicos han sido resueltos.

E	TIE	~~DAD HU~~	EL VAL	E DIOS	OR	QU	GEN	Y
NE	CA	~~MANA ES~~		IMA	SER CRE		~~DIGNI~~	DA PERS
ADA A	ONA POR	JANZA D		SEME				

DIGNI	DAD HU	MANA ES			

Datos

Nuestra Señora de la Paz es la patrona de Hawai. La Catedral de Nuestra Señora de la Paz en Honolulu es la Iglesia madre de la Diócesis de Honolulu. La catedral fue dedicada el 15 de agosto de 1843, la fiesta de la Asunción de María.

Haz *lo*

Junto con el grupo busca programas que promueven la paz en tu escuela, parroquia o vecindario. Decidan una forma práctica en que el grupo puede participar en uno de esos programas. Escríbanla aquí.

_____

_____

PROJECT DISCIPLE

Show What *you* Know

Unscramble the tiles to find the definition for the Key Word. Some tiles have been filled in.

TED	M BE	HAS	RSON		A	ND W
~~N DI~~	ORTH	IN	G	~~HUMA~~	VALUE	OD'S
IMA	H PE	~~Y IS~~	~~GE.~~		CREA	FRO
~~GNIT~~	EAC	ING		THE		

HUMA	N	DI	GNIT	Y	IS		
			G E.				

Fast Facts

Our Lady of Peace is the patron of Hawaii. The Cathedral of Our Lady of Peace in Honolulu is the mother Church of the Diocese of Honolulu. The cathedral was dedicated on August 15, 1843, on the Feast of the Assumption of Mary.

Make *it* Happen

With your class, find out about programs that promote peace in your school, parish, or neighborhood. Decide on a practical way your class can participate in one of these programs. Write it here.

_____

_____

HACIENDO DISCIPULOS

Investiga

Muchas parroquias tienen comités de respeto a la vida que trabajan para hacer que la gente tome conciencia del derecho a la vida de toda persona.

Todos los años, el 22 de enero se les pide a los católicos participar en la vigilia nacional de oración por la vida. Muchos católicos van a Washington, D.C. a rezar. Ellos prometen proteger y respetar toda vida humana, especialmente los que no han nacido. Muchas parroquias también tienen vigilias de oración ese día.

RETO PARA EL DISCIPULO

- Encierra en un círculo el lugar donde muchos católicos participan de la vigilia nacional de oración por la vida.

- Subraya la oración que dice lo que los católicos prometen durante la vigilia nacional de oración por la vida.

Realidad

¿Cómo muestras tu agradecimiento por el don de la vida? Añade tus propias respuestas.

❏ comer una dieta saludable y balanceada

❏ Hacer ejercicio responsablemente

❏ fumar

❏ rezar con regularidad

❏ maltratar a alguien

❏ dormir lo suficiente

❏ _____

❏ _____

Take Home

Pide a tu familia escribir en un pedazo de papel algo que hará este año para mostrar respeto por el don de la vida. Pídeles poner sus papeles en un sobre cerrado. Diles que escriban sus nombres en los sobres y ponlos en el lugar de oración. Al final del año escolar, invita a cada persona a reflexionar en silencio en lo que escribió.

More to Explore

Many parishes have Respect Life committees that work to make people more aware of the life issues and the dignity of all people.

Every year on January 22, Catholics are asked to participate in the National Prayer Vigil for Life. Many Catholics go to Washington, D.C. to pray together. They promise again to protect and respect all human life, especially unborn children. Many parish churches also hold prayer vigils on this day.

DISCIPLE CHALLENGE

- Circle the place where many Catholics go to participate in the National Prayer Vigil for Life.

- Underline the sentence that tells what Catholics promise during the National Prayer Vigil for Life.

Reality Check

How do you show you are grateful for the gift of life? Add your own.

- ❏ eat a balanced, healthy diet
- ❏ exercise in a responsible way
- ❏ smoke cigarettes
- ❏ pray regularly
- ❏ bully someone
- ❏ get enough sleep

- ❏ _____
- ❏ _____

Take Home

Ask each family member to privately write on a slip of paper, one thing they will do this year to show respect for the gift of life. Have them place their slips in individual sealed envelopes. Tell them to write their names on the envelope to be kept in the prayer corner. At the end of the school year, invite each person to silently reflect on what he or she wrote.

El sexto mandamiento

NOS CONGREGAMOS

Líder: Buen Dios de amor, nos creaste a tu imagen y semejanza. Gracias por compartir tu vida y amor con nosotros.

Lector: Lectura del libro del Génesis.

"Dios creó al hombre, lo creó parecido a Dios mismo; hombre y mujer los creó". (Génesis 1:27)

Palabra de Dios.

Todos: Te alabamos, Señor.

 Gracias Señor

Gracias, Señor, por nuestra vida,
gracias, Señor, por la ilusión,
gracias, Señor, por la esperanza,
gracias de todo corazón.

 ¿Cómo te describirías a un compañero o amigo? ¿Qué te hace ser quien eres?

CREEMOS

Dios crea a cada persona con la habilidad de mostrar y compartir amor.

La dignidad humana es un don de Dios que nos hace a todos iguales. Dios también creó a cada persona con sexualidad humana. La sexualidad humana es el don de ser capaz de sentir, pensar, escoger, amar y actuar como la persona creada por Dios que somos. La sexualidad humana nos hace femeninos o masculinos.

Los hombres y las mujeres son diferentes pero al mismo tiempo iguales. Dios nos ha dado nuestras diferencias. Ellas son buenas y hermosas y son parte importante de lo que somos.

The Sixth Commandment

WE GATHER

Leader: Good and loving God, you created each one of us in your image and likeness. Thank you for sharing your life and love with us.

Reader: Let us listen to a reading from the Book of Genesis.

"God created man in his image;
    in the divine image he created him;
    male and female he created them."
(Genesis 1:27)

The word of the Lord.

All: Thanks be to God.

🎵 I Am Special

God made me as I am, part of creation's plan.
No one else can ever be the part of God's plan
that's me.

 How would you describe yourself to a friend or classmate? What makes you who you are?

WE BELIEVE

God creates each person with the ability to show and share love.

Human dignity is a gift from God that makes us all equal. God also creates each person with human sexuality. Human sexuality is the gift of being able to feel, think, choose, love, and act as the person God created us to be. Human sexuality makes us female or male.

Males and females are different but equal. Our differences come from God. They are good and beautiful and are an important part of who we are.

El sexto mandamiento es sobre el amor y las formas de mostrar nuestro amor. El sexto mandamiento es "No cometas adulterio" (Exodo 20:14). Este mandamiento nos pide honrar el amor que los esposos se tienen y honrar la promesa de ser fiel. Aprendemos también de este mandamiento sobre:

- el amor que nos tenemos a nosotros mismos

- la necesidad de respetar y controlar nuestros cuerpos

- el amor que tenemos por nuestros amigos y familiares

- la forma adecuada de mostrar nuestros sentimientos.

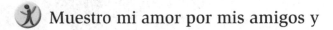 Muestro mi amor por mis amigos y

familiares _____

Somos llamados a ser castos.

El Espíritu Santo nos da la gracia de vivir como Dios nos pide. Mientras más escogemos seguir la ley de Dios, mejor es nuestra vida como hijos de Dios. Nos formamos el hábito de escoger actuar de manera tal que mostramos el amor a Dios, a nosotros mismos y a los demás. Una **virtud** es un buen hábito que nos ayuda a actuar conforme al amor que Dios nos tiene.

La **castidad** es la virtud que nos ayuda a usar nuestra sexualidad humana en forma responsable y fiel. La castidad nos ayuda a respetar todo nuestro cuerpo. Nos ayuda a crecer en aprecio y comprensión de nosotros mismos y nuestros cuerpos. Por nuestro Bautismo somos llamados a vivir la virtud de la castidad.

Miramos a Jesús como nuestro modelo de castidad. En sus actividades, amistades y relaciones familiares, Jesús mostró amor por Dios y por los demás. Jesús nos pide mostrar que Dios es amor a nuestros amigos y familiares.

 Haz una lista de un programa de televisión, un comercial, una revista que: alabe el amor entre esposos, muestre la importancia de respetar nuestros cuerpos con las cosas que hacemos y decimos o que anime a la gente a pensar bien del amor a sí mismos.

_____

_____

_____

The Sixth Commandment is about love and the ways to show our love. The Sixth Commandment is "You shall not commit adultery" (Exodus 20:14). This commandment asks us to honor the love a husband and wife have for one another and to honor their promise to be faithful. From this commandment we also learn about the:

- love we have for ourselves
- need to respect and be in control of our bodies
- love we have for family and friends
- proper way to show our feelings.

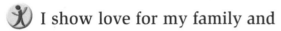 I show love for my family and

friends by _____

We are all called to chastity.

The Holy Spirit gives us the grace to live as God calls us to live. The more often we choose to follow God's law, the better we live as God's children. We get into a habit of choosing to act in ways that show love for God, ourselves, and others. A **virtue** is a good habit that helps us to act according to God's love for us.

Chastity is the virtue by which we use our human sexuality in a responsible and faithful way. Chastity helps us to respect our whole bodies. It helps us to grow in appreciation and understanding of ourselves and our bodies. Through our Baptism we are called to live by the virtue of chastity.

We look to Jesus as our model of chastity. In his activities, friendships, and family relationships Jesus showed love for God and others. Jesus asks us to show our friends and family that God is loving.

List an example of a television show, an advertisement, and a magazine that honors the love between a husband and wife, shows that it is important to respect our bodies by the things we do and say, or encourages people to think well of and love themselves.

_____

_____

_____

La amistad es una forma de crecer en amor.

La amistad es una parte muy importante en nuestro crecimiento y aprendizaje sobre el amor y la confianza. Dios nos pide ser amigos buenos y fieles. Las buenas amistades también nos preparan para ser los adultos que Dios quiere que seamos.

Aprendemos formas de mostrar nuestro amor a otros. Aprendemos a expresar nuestra amistad. Mostramos respeto por nuestros familiares y amigos con las formas de escucharlos o de hablar de ellos. Compartimos nuestro amor y aprecio por los demás sonriendo y dándonos las manos. Decimos palabras amables a alguien herido. Nos damos palmadas después de una buena jugada. Abrazamos y besamos a nuestros padres antes de acostarnos y a nuestros familiares cuando nos visitan.

Dios creó nuestros cuerpos para mostrar nuestro amor a él y a los demás. El sexto mandamiento nos pide expresar amor en todas nuestras relaciones en forma adecuada.

Durante la próxima semana, ¿qué harás para mostrar a tus familiares lo mucho que te preocupas por ellos?

Como católicos...

Dios primero compartió su amor y su bondad con nosotros cuando nos creó. En el sacramento del Bautismo Dios nos permite compartir su vida y santidad. En el transcurso de nuestras vidas Dios nos llama a la santidad. El nos pide crecer en amor por él y por los demás.

Dios también nos llama a amarle y a servirle de manera especial. Este llamado es una vocación. Puede que seamos llamados a la vida matrimonial, de soltero, al sacerdocio o a la vida religiosa. Todas estas vocaciones son importantes en la vida de la Iglesia.

¿Qué preguntas tienes sobre las diferentes vocaciones?

190

Friendships are one way we grow in love.

Friendship is a very important part of growing and learning about love and trust. God asks us to be good and faithful friends. Good friendships also prepare us to be the adults God calls us to be.

We learn ways to show our love for others. We learn to express our friendship. We show respect for our family and friends by the ways we listen to them and speak to them. We share our love and care for others by smiles and handshakes and hugs. We say a kind word when someone is hurt. We pat each other on the back after a good game. We kiss our parents good night and hug our relatives when they visit.

God made our bodies to show our love for him and for one another. The Sixth Commandment asks us to express love in all of our relationships in the proper way.

During the next week what will you do to show your family members how much you care about them?

El **amor entre esposos es muy especial.**

El amor entre esposos es un amor especial. Los esposos son mucho más que amigos. Ellos se comprometen a dedicar toda su vida uno al otro y a la familia que van a empezar. Ellos muestran su amor uno por el otro en una hermosa forma física que sólo pertenece a los casados. Los esposos deben compartir ese amor sólo entre ellos.

En el sacramento del matrimonio, los esposos se hacen un voto o promesa. Ellos se comprometen a amarse y honrarse, a ser fieles y tenerse confianza. Ellos se comprometen a ser fieles por el resto de sus vidas.

El sexto mandamiento protege el voto matrimonial contra el adulterio. Adulterio es ser infiel a su pareja.

La gracia del sacramento del Matrimonio fortalece a la pareja casada a vivir su matrimonio cristiano. La Iglesia reza para que los casados se mantengan fieles uno al otro.

RESPONDEMOS

Junto con un compañero diseñen una etiqueta sobre la bondad de la amistad y el amor. Después compartan su idea con el resto del curso.

Vocabulario
virtud (pp 318)
castidad (pp 317)

The love between a husband and wife is very special.

The love between a husband and wife is a unique love. A husband and wife are friends, but they are much more. They have committed their whole lives to each other and to the family that they may start. They show their love for each other in a beautiful, physical way that belongs only in marriage. A husband and wife are to share this love only with each other.

In the Sacrament of Matrimony, the husband and wife make a vow, or promise, to each other. They vow to love and honor each other, to be loyal, and to be trustworthy. They vow to be faithful, or true to each other, for the rest of their lives.

The Sixth Commandment protects the marriage vows against adultery. Adultery is being unfaithful to one's husband or wife.

The grace of the Sacrament of Matrimony strengthens the married couple to live out their Christian marriage. The Church prays that those who are married will remain faithful and true to one another.

WE RESPOND

With a partner design a bumper sticker about the goodness of friendship and love. Then share your bumper sticker with the class.

Key Words

virtue (p. 320)

chastity (p. 319)

Muestra *lo* que sabes

Escribe un párrafo sobre el sexto mandamiento.

Asegúrate de usar las palabras del **Vocabulario**.

_____

_____

_____

_____

_____

_____ **Compártelo.**

Datos

El don de la dignidad humana nos da la habilidad de pensar, escoger y amar. Algunos derechos y responsabilidades vienen con ese don. Todos tenemos el derecho de hacer cosas que necesitamos para vivir. Dentro de esos derechos está el derecho a practicar la fe. También todos tenemos la responsabilidad de respetar los derechos de los demás. Tenemos la reponsabidad de actuar para que se respeten los derechos de los demás.

Haz *lo*

La amistad es una parte muy importante del crecimiento y aprendizaje sobre el amor y la confianza. Necesitamos aprender a expresar nuestra amistad. Escribe algunas formas en que mostrarás amor y respeto por tus familiares y amigos.

_____

_____

_____

_____

↳ **RETO PARA EL DISCÍPULO** Pon tus palabras en acción.

PROJECT DISCIPLE

Show What *you* Know

Write a paragraph about the Sixth Commandment.
Be sure to use the Key Words.

_____

_____

_____

_____

_____

_____ **Now, pass it on!**

Fast Facts

The gift of human dignity gives us the ability to think, choose, and love. Certain rights and responsibilities come with this gift. We all have the right to the things we need for life. Among these rights is the right to live by and practice one's faith. We also all have the responsibility to respect and protect the rights of others. We have the responsibility to act so that the rights of others are being met.

Make *it* Happen

Friendship is a very important part of growing and learning about love and trust. We need to learn to express our friendship. Write some ways you will show love and respect for your family and friends.

_____

_____

_____

_____

↳ **DISCIPLE CHALLENGE** Put your words into action.

Consulta

Nuestros amigos tienen un importante lugar en nuestras vidas. ¿Cuáles son las cuatros cualidades más importantes de un buen amigo?

_____

_____

_____

Mira tu lista. ¿Te describes como un amigo?

Escritura

"¿O es que no saben que su cuerpo es templo del Espíritu Santo que han recibido de Dios y que habita en ustedes? . . .Den, pues, gloria a Dios con su cuerpo". (1 Corintios 6:19, 20)

↳ RETO PARA EL DISCIPULO ¿En qué forma puedes dar gloria a Dios hoy?

_____

Realidad

El don de la dignidad humana nos da la habilidad de pensar, escoger y amar. Con este don vienen ciertas responsabilidades. Pon un ✔ en una que vivirás hoy.

❏ respetar los derechos de los demás

❏ proteger los derechos de los demás

❏ actuar para que los derechos de los demás sean respetados

Tarea

Esta semana invita a tu familia a escoger un tiempo específico cada noche para evaluar los programas de la televisión. Hagan un cuadro. Escriban el día, nombre del programa y sus evaluaciones. Evalúen los programas según lo siguiente:

Excelente—promueve el sexto mandamiento

Bueno—algunos aspectos del sexto mandamiento son promovidos

Pobre—no promueve el sexto mandamiento

Hablen sobre los resultados.

PROJECT DISCIPLE

Question Corner

Our friendships have an important place in our lives. What would you list as the four top qualities of a good friend?

_____

_____

_____

Look at your list. Does it describe you as a friend?

What's the Word?

"Do you not know that your body is a temple of the holy Spirit within you, whom you have from God . . . Therefore glorify God in your body." (1 Corinthians, 6:19, 20)

↳ **DISCIPLE CHALLENGE** What is one way you can glorify God today?

_____

Reality Check

The gift of human dignity gives us the ability to think, choose, and love. With this gift comes certain responsibilities. Check the one you will live out today.

❏ respect the rights of others

❏ protect the rights of others

❏ act so that the rights of others are being honored

Take Home

This week, invite your family to choose a particular time each night to rate what is on TV. Make a chart. List the day, program titles, and your ratings. Rate each program as follows:

Excellent—promotes the Sixth Commandment

Good—some aspects of the Sixth Commandment are promoted

Poor—does not promote the Sixth Commandment

Talk about your results.

El séptimo mandamiento

NOS CONGREGAMOS

✝ **Líder:** Vamos a escuchar las palabras del profeta Isaías enseñando al pueblo sobre la justicia.

Lector: (Leer Isaías 58:5–7)

🎵 **Nueva Vida**

Una nueva vida.
Tu misma vida.
Una nueva familia.
Tu misma familia.
Hijos tuyos para siempre.

☀ ¿Cuándo es fácil para ti compartir algo? ¿Cuándo lo encuentras difícil?

CREEMOS

Somos llamados a ser justos.

El séptimo mandamiento es "No robes" (Exodo 20:15). Nos muestra las formas de tratar a los demás y sus pertenencias. Se basa en la justicia. Justicia quiere decir respetar los derechos de los demás y darles lo que por derecho les pertenece.

El séptimo mandamiento nos manda:

- proteger los dones de la creación
- cuidar de las cosas que nos pertenecen y respetar las de los demás
- no tomar lo que no es nuestro
- respetar los bienes y la propiedad ajena
- trabajar para ayudar a que todos disfruten de los dones de la tierra.

The Seventh Commandment

18

WE GATHER

✝ **Leader:** Let us listen to the words of the prophet Isaiah as he teaches the people about justice.

Reader: (Read Isaiah 58:5–7)

🎵 **New Heart and New Spirit**

New heart and new spirit
  give us, O God,
New heart and new spirit,
  to live in love.

☀ When do you find it easy to share something? When do you find sharing difficult?

WE BELIEVE

We are called to act with justice.

The Seventh Commandment is "You shall not steal" (Exodus 20:15). It is about the ways we treat other people and the things that belong to them. It is based on justice. Justice means respecting the rights of others and giving them what is rightfully theirs.

The Seventh Commandment calls us to:

• care for the gifts of creation
• care for the things that belong to us and respect what belongs to others
• not take things that are not ours
• show respect for the goods and property of others
• work to help all people share the gifts of the earth.

199

El séptimo mandamiento nos reta a vivir en amor con los demás. Somos parte de la familia humana. Necesitamos estar conscientes de como nuestras decisiones afectan a los demás. Lo que hacemos para ayudarnos muestra nuestro amor a Dios, quien nos creó a todos.

👤 Nombra algunas formas en que personas de tu edad pueden cumplir el séptimo mandamiento.

Respetamos la propiedad ajena.

Cuando cumplimos el séptimo mandamiento no tomamos cosas que pertenecen a otros. Robar es una acción que injustamente toma la propiedad o el derecho de los demás.

A veces algunas personas toman cosas de otros porque creen que el dueño no las necesita. Algunas personas pueden pensar que tomar poco no importa. Piensan que si toman prestado algo no tienen que devolverlo, o que pueden tomar cosas cuando andan de compras y no pagar por ellas. En todas esas situaciones las personas están tomando cosas que pertenecen a otros. Están robando.

Sin embargo, cumplir el séptimo mandamiento es más que no robar lo que les pertenece a otros. Por ejemplo, las personas no deben dañar la propiedad de su vecino a propósito. Otras engañan en los exámenes, copian las tareas, o usan las ideas de otros como propias. Esos actos también toman algo que pertenece a otro. Con frecuencia esos actos hieren mucho a otros, más que quitarles sus pertenencias.

Jesús vivió una vida justa. El pidió a sus discípulos hacer lo mismo. El quería que usaran lo que tenían para ayudar a otros.

En el Evangelio de Lucas también leemos que Jesús quería que el pueblo pagara sus deudas y cumpliera sus promesas.

Jesús alabó a Zaqueo después que este prometió que si había tomado algo ilícito iba a "devolveré cuatro veces más" (Lucas 19:8). El séptimo mandamiento exige devolver lo que se ha tomado injustamente de otro.

👤 Lee estas situaciones. Escribe la forma de pagar a cada persona lo perdido.

María puso el cepillo de cabeza de su hermana en su mochila. Ella se quedó con él.

_____

Juan hizo trampa cuando jugaba damas.

_____

Eva botó sus tenis a propósito para hacer que su padre le comprara un par nuevo.

_____

José tiró su pelota contra la ventana del vecino a propósito y la rompió.

_____

200

The Seventh Commandment challenges us to live with one another in love. We are all part of one human family. We need to be aware of the ways our decisions affect others. What we do to help one another shows our love for God, who created all of us.

 Name some ways people your age can live out the Seventh Commandment.

We respect the property of others.

When we follow the Seventh Commandment, we do not take things that belong to others. Stealing is any action that unjustly takes away the property or rights of others.

Sometimes people take things from others because they decide the owners do not need them. Some people may think that taking little things does not matter. Others may think that if they borrow things they do not have to give them back. Sometimes people may pick up things while shopping, and then not pay for these things. In all of these situations people are taking things from others. They are stealing.

However, following the Seventh Commandment is about more than not stealing the belongings of other people. For example, people should not damage a neighbor's property on purpose.

Sometimes people cheat on a test, copy homework, or use the ideas of others as their own. These kinds of acts also take something that belongs to another. Often these acts hurt others as much, or more, than taking their possessions.

Jesus lived a life of justice and fairness. He asked his disciples to do the same. He wanted them to use what they had to help others.

From the Gospel of Saint Luke we also learn that Jesus wanted people to repay debts and to live up to their promises. Jesus praised a man named Zacchaeus after Zacchaeus promised that if he had taken anything from anyone he would "repay it four times over" (Luke 19:8). The Seventh Commandment requires people to give back what they have unjustly taken from others.

Read these situations. Write a way to repay each person for their loss.

Tisha puts her sister's hair brush in her own backpack. She keeps it to use.

_____

Janis cheats at a game of checkers.

_____

Willa gets her father to buy her new sneakers after she loses her old ones on purpose.

_____

Ole hits a baseball into his neighbor's window on purpose. The window breaks.

_____

La creación de Dios es para todos.

Dios dio todo lo creado a los humanos para que tuviéramos todo lo que necesitamos. Dios nos pide ser mayordomos de su creación. **Mayordomos de la creación** son todos los que cuidan de todo lo que Dios les ha dado. El séptimo mandamiento nos enseña a usar de manera apropiada todo lo que Dios nos ha dado.

Juntos como mayordomos de la creación de Dios, debemos proteger nuestro ambiente. Todos los días usamos los dones de Dios para comer, trabajar, cobijarnos y también para relajarnos.

Las palabras del séptimo mandamiento, "No robes" (Exodo 20:15) nos recuerdan usar los dones en forma responsable. Las personas, las comunidades y las naciones no deben usar más recursos de lo necesario. Los bienes de la creación son para compartirse.

Como católicos...

Juan el Bautista preparó al pueblo para la venida de Jesús, el Mesías. Juan el Bautista era un profeta. El predicó sobre la justicia y como practicarla. El dijo a la gente: "El que tenga dos trajes, dele uno al que no tiene ninguno; y el que tenga comida, compártala con el que no la tiene" (Lucas 3:11).

La Iglesia honra a Juan el Bautista el 24 de junio. ¿Qué más sabes sobre Juan el Bautista?

Se nos pide cuidar del mundo. No es sólo un don de Dios para nosotros sino también para las generaciones futuras. Debemos trabajar juntos por el bien de la creación de Dios.

¿Qué harás esta semana para ser un mayordomo de la creación?

God's creation is meant for all people.

God gave humans everything he created so that we would have the things that we need to live. God asks us to be stewards of his creation. **Stewards of creation** are those who take care of everything that God has given them. The Seventh Commandment teaches us to use in the proper ways all that God has given us.

Together as stewards of God's creation, we must protect our environment. Every day we use some of God's gifts for our food, our shelter, our work, and even for our relaxation.

The words of the Seventh Commandment, "You shall not steal" (Exodus 20:15), are a reminder to use these gifts in a responsible way. People, communities, and nations should not use so much food, water, energy, and other gifts from God that there is not enough for others. The goods of creation are to be shared.

We are challenged to care for the world. It is not only God's gift to us but to the generations of people to come. We must work together for the good of all God's creation.

What will you do this week to be a steward of creation?

As Catholics...

John the Baptist prepared people for the coming of Jesus, the Messiah. John the Baptist was a prophet. John preached about justice and how to practice it. He told the crowd, "Whoever has two cloaks should share with the person who has none. And whoever has food should do likewise" (Luke 3:11).

The Church honors John the Baptist on his birthday, June 24. What else do you know about John the Baptist?

HEAL THE BAY! WE WERE HERE FIRST!

Heal the Bay.

Somos llamados a ayudar a los demás a satisfacer sus necesidades.

En las Bienaventuranzas Jesús nos llama a tener "hambre y sed de hacer lo que Dios exige" (Mateo 5:6). *Rectitud* es otra palabra para justicia. Trabajamos por la justicia cuando imitamos a Jesús. Jesús mostró cuidado y amor por los que sufrían. El mostró misericordia a la gente, especialmente a los pobres y débiles.

Jesús espera que sus discípulos compartan y sean generosos con los demás, especialmente los pobres. Rezamos por los pobres, también debemos responder a sus necesidades.

San Santiago aclaró este punto en su carta a algunos discípulos de Jesús. El dijo: "Supongamos que a un hermano o a una hermana les falta la ropa y la comida necesarias para el día; si uno de ustedes les dice: 'Que les vaya bien; abríguense y coman todo lo que quieran', pero no les da lo que su cuerpo necesita, ¿de qué les sirve? Así pasa con la fe: por sí sola, es decir, si no se demuestra con hechos, es una cosa muerta". (Santiago 2:15–17)

Vocabulario
mayordomos de la creación (pp 318)

La Iglesia nos llama a trabajar juntos para que todo el mundo sea tratado justamente. Necesitamos ser voceros de los que no tienen las cosas básicas en la vida. Las obras de misericordia son siempre formas de preocuparse de las necesidades físicas y espirituales de los necesitados. Nuestras obras de amor pueden ayudar a las personas a obtener sus necesidades básicas.

RESPONDEMOS

Trabaja con un compañero para diseñar una camiseta que muestre que puedes cumplir el séptimo mandamiento.

We are called to help all people meet their basic needs.

In the Beatitudes Jesus calls us to "hunger and thirst for righteousness" (Matthew 5:6). *Righteousness* is another word for justice. We work for justice when we imitate Jesus. Jesus showed care and love for those who were suffering. He showed mercy to people, especially those who were poor and powerless.

Jesus expects his disciples to share and to be generous toward others, especially the poor. We pray for the poor; we must also respond to their needs.

Saint James made this point very clear in his letter to some of the first disciples of Jesus. He said, "If a brother or sister has nothing to wear and has no food for the day, and one of you says to them, 'Go in peace, keep warm, and eat well,' but you do not give them the necessities of the body, what good is it? So also faith of itself, if it does not have works, is dead" (James 2:15–17).

The Church calls us to work together so that all people are treated justly. We need to stand up for those who do not have the things that are basic to life. By performing the Works of Mercy, we care for the needs of others. The Works of Mercy are ways that we care for the physical and spiritual needs of others. Our acts of love may help people meet their basic needs.

Key Word

stewards of creation (p. 320)

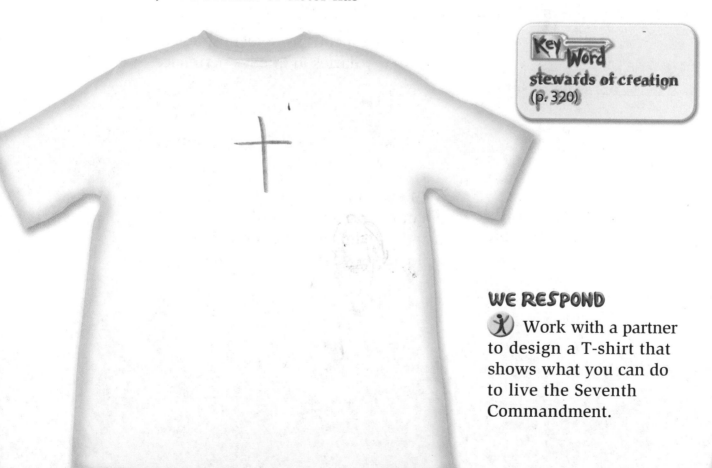

WE RESPOND

Work with a partner to design a T-shirt that shows what you can do to live the Seventh Commandment.

Muestra lo que sabes

Escribe en la raya la letra al lado de la definición del término.

1. _____ justicia

2. _____ rectitud

3. _____ séptimo mandamiento

4. _____ robar

5. _____ mayordomos de la creación

6. _____ obras de misericordia

a. acción de tomar la propiedad o el derecho de los demás injustamente

b. cosas que hacemos para cuidar de las necesidades físicas y espirituales de los demás

c. otra palabra para justicia

d. los que cuidan de todo lo que Dios les ha dado

e. respetar los derechos de los demás y darles lo que les pertenece

f. "No robar".

Exprésalo

Mira el dibujo. Encierra en un círculo donde el séptimo mandamiento se esté cumpliendo. Di lo que la gente está haciendo.

PROJECT DISCIPLE

Show What *you* Know

Write the letter that matches each term with its definition.

1. _e_ justice

2. _c_ righteousness

3. _f_ Seventh Commandment

4. _a_ stealing

5. _d_ stewards of creation

6. _b_ Works of Mercy

a. any action that unjustly takes away the property or rights of others

b. things that we do to care for the physical and spiritual needs of others

c. another word for justice

d. those who take care of everything that God has given them

e. respecting the rights of others and giving them what is rightfully theirs

f. "You shall not steal."

Picture This

Look at the picture. Circle where the Seventh Commandment is being lived out. Tell what the people are doing.

HOLY FAMILY CHURCH CLOTHING DRIVE

HACIENDO DISCIPULOS

Orar
Conocer
Celebrar
Compartir
Expresar
Vivir

Vidas de santos

Leemos en el *Catecismo de la Iglesia Católica*: "El séptimo mandamiento proscribe los actos o empresas que . . .conducen *a esclavizar seres humanos*" (*CIC*, 2414). San Pedro Claver pasó toda su vida cuidando a los esclavos en Sur América durante el siglo XVII. Lee más sobre él en *Vidas de santos* en **www.creemosweb.com**.

Investiga

Trabajar es importante. Con el trabajo ayudamos a cuidar de la creación de Dios. Todos los trabajadores deben ser tratados con respeto. Ellos tienen derechos, no importa cual sea su trabajo. Entre esos derechos está el derecho a una paga justa y el derecho a pertenecer a un sindicato. Seton Hall University, una escuela católica en Nueva Jersey, auspicia el Instituto del Trabajo. Este ayuda a trabajadores y empleadores a mejorar el lugar de trabajo y busca un balance entre el trabajo y las necesidades de la familia.

↳ RETO PARA EL DISCIPULO

- Subraya la oración que dice como nuestro trabajo ayuda a Dios.
- Encierra en un circulo la palabra que describe como se debe tratar a los trabajadores.

Datos

Green Catholic es una organización que trabaja mano a mano con la comunidad católica para proteger la tierra. Esta organización ofrece información y productos para animar a todos los católicos a ser administradores de la creación de Dios. Visita su sitio Web en: www.green-catholic.com.

Tarea

¿Qué de lo siguiente pueden tú y tu familia hacer para mostrar que son administradores de la creación?

- ❏ usar fundas reciclables para las compras en el supermercado
- ❏ apagar los artículos electrónicos cuando no estén en uso
- ❏ no desperdiciar comida
- ❏ participar en limpiezas comunitarias

- ❏ _____

Saint Stories

The *Catechism of the Catholic Church* states, "the seventh commandment forbids acts . . . that lead to the *enslavement of human beings*" (*CCC* 2414). Saint Peter Claver spent his whole life caring for the needs of the slaves of South America during the 17th century. Read more about him at *Lives of the Saints*, www.webelieveweb.com.

More to Explore

Work is important. Through work we help God to care for his creation. All workers should be treated with respect. They have rights, no matter what work they do. Among these are the right to be paid a fair wage and the right to join a union. Seton Hall University, a Catholic college in New Jersey, sponsors the Institute on Work. It helps employers and workers improve workplaces and find a balance between work and family needs.

↳ DISCIPLE CHALLENGE

- Underline the sentence that tells how our work helps God.
- Circle the word that describes how all workers should be treated.

Fast Facts

Green Catholic is an organization that works hand in hand with the Catholic community to promote earth-friendly living. Green Catholic offers information and products to encourage all Catholics to be stewards of God's creation. Visit their Web site at www.green-catholic.com.

 *GreenCatholic*™

Take Home

Which of the following can you and your family do to show that you are stewards of creation?

- ❑ use cloth bags at the grocery store
- ❑ turn off electronics when not in use
- ❑ do not waste food
- ❑ take part in community clean-ups

❑ _____

NOS CONGREGAMOS

✝ **Líder:** Vamos a rezar parte del Salmo 119.

Lado 1: "Señor, tu palabra es eterna; ¡afirmada está en el cielo!

Lado 2: Tu fidelidad permanece para siempre; tú afirmaste la tierra, y quedó en pie" (Salmo 119:89, 90).

Lado 1: Gloria al Padre, y al Hijo, y al Espíritu Santo.

Lado 2: Como era en el principio, ahora y siempre, por los siglos de los Siglos. Amén.

♫ **Sí, me levantaré**

Sí, me levantaré. Volveré junto a mi Padre. (estribillo)

A ti, Señor, elevo mi alma.
Tú eres mi Dios y mi Salvador.
Mira mi angustia, mira mi pena;
dame la gracia de tu perdón.

☼ Imagina que todo el mundo es fiel. ¿Cómo cambiaría eso el mundo?

CREEMOS

Dios nos enseña lo que es ser fiel.

Ser testigo significa tener un conocimiento y veracidad personal para decir lo que se sabe. El octavo mandamiento dice "No digas mentiras en perjuicio de tu prójimo" (Exodo 20:16). Dar falso testimonio puede dañar a otros y nuestra relación con Dios.

El Antiguo Testamento está lleno de historias que muestran que Dios es fiel y leal.

Dios prometió a Abraham que él sería el padre de una gran nación. Abraham creyó en Dios; él y su esposa, Sara, envejecieron sin niños. Pero Dios mantuvo su promesa y Sara dio a luz un hijo, Isaac. Por medio de Isaac, empezó el pueblo de Dios, Israel. La palabra de Dios se cumplió.

The Eighth Commandment

19

WE GATHER

✝ **Leader:** Let us pray Psalm 119.

Side 1: "Your word, LORD, stands forever;
it is firm as the heavens.

Side 2: Through all generations your truth
endures;
fixed to stand firm like the earth."
(Psalm 119:89, 90)

Side 1: Glory to the Father, and to the
Son, and to the Holy Spirit:

Side 2: As it was in the beginning, is now,
and will be for ever. Amen.

🎵 **Come, Follow Me**

Come, follow me, come, follow me.
I am the way, the truth, and the life.
Come, follow me, come, follow me.
I am the light of the world, follow me.

☀ Imagine that everyone was truthful.
How would this change the world?

WE BELIEVE
God teaches us what it means to be true.

To witness means to have personal
knowledge and to truthfully tell what
is known. The Eighth Commandment
states "You shall not bear false witness
against your neighbor" (Exodus 20:16).
To give false witness can harm others
and our relationship with God.

The Old Testament is full of stories
showing that God was faithful and true.

God promised Abraham that he would
become the father of a great nation.
Abraham believed God, yet Abraham
and his wife, Sarah, grew old and had
no children. But God kept his promise
and Sarah gave birth to a son, Isaac.
Through Isaac, God's people the
Israelites began. God's Word was true.

Muchos años más tarde Dios escuchó las oraciones de su pueblo pidiendo libertad de la esclavitud en Egipto. Dios envió a Moisés a dirigirlo hacia la libertad y luego hizo una alianza con ellos. Dios prometió ser su Dios. Los israelitas prometieron ser su pueblo y cumplir los Diez Mandamientos.

Porque Dios fue fiel a su pueblo, los israelitas aprendieron a ser fieles a Dios y a los demás. Al cumplir los Diez Mandamientos los israelitas dieron testimonio de la verdad del gran amor de Dios por ellos. El octavo mandamiento les recordó ser fieles y leales.

Escribe una forma en que mostrarás a tu familia que eres fiel y leal.

Abraham, Sara e Isaac

Moisés

Somos llamados a ser testigos de la verdad de nuestra fe.

Dios Padre envió a su Hijo a ayudarnos a vivir rectamente. Jesús nos dijo: "Yo nací y vine al mundo para decir lo que es la verdad. Y todos los que pertenecen a la verdad, me escuchan" (Juan 18:37). Vivimos en la verdad cuando escuchamos a Jesús y seguimos el ejemplo de su vida.

Los primeros discípulos conocieron a Jesús. Ellos fueron testigos de su vida, muerte y resurrección. Jesús prometió a sus discípulos que el Espíritu Santo vendría sobre ellos: "Recibirán poder y saldrán a dar testimonio de mí" (Hechos de los apóstoles 1:8).

En Pentecostés los discípulos recibieron el Espíritu Santo quien los llenó de valor. Todos hablaron a la multitud y la gente los entendió en sus propios idiomas.

El Espíritu Santo ayudó a los discípulos a mantenerse fieles a la verdad sobre el Cristo resucitado.

Many years later God heard the prayers of his people asking for freedom from their slavery in Egypt. God sent Moses to lead them to freedom and eventually made a covenant with them. God promised to be their God. The Israelites promised to be his people and to live by the Ten Commandments.

Because God was true to his people, they learned to be true to God and one another. By living out the Ten Commandments, the Israelites gave witness to the truth of God's great love for them. The Eighth Commandment reminded them to be true and truthful.

Name one way you will show your family members that you are trustworthy and truthful.

We are called to witness to the truth of our faith.

God the Father sent his Son to help us live in truth. Jesus told us, "For this I was born and for this I came into the world, to testify to the truth. Everyone who belongs to the truth listens to my voice" (John 18:37). We live in the truth when we listen to Jesus and follow the example of his life.

The first disciples knew Jesus. They witnessed his life, Death, and Resurrection. Jesus promised his disciples that the Holy Spirit would come to them: "You will receive power when the holy Spirit comes upon you, and you will be my witnesses" (Acts of the Apostles 1:8).

At Pentecost the disciples received the Holy Spirit and were filled with courage. At once they spoke to the crowds, and the people understood them in their own languages.

The Holy Spirit helped the disciples remain faithful to the truth about the risen Christ.

La fe en Jesús se propagó por todo el mundo. Sin embargo, en algunas áreas los cristianos enfrentaban la muerte si no adoraban a falsos dioses. Muchos cristianos murieron antes de negar su fe en Jesús resucitado. Ellos son llamados **mártires**.

La palabra *mártir* viene del griego que significa "testigo". Puede que nunca lleguemos a ser mártires, pero somos llamados a ser testigos de Jesús.

Testigos son personas que hablan y actúan basadas en lo que saben y creen sobre Jesús.

Igual que los discípulos, recibimos el don del Espíritu Santo. Recibimos al Espíritu Santo de manera especial en el sacramento de la Confirmación. Durante toda la vida, el Espíritu Santo nos ayuda a ser fuertes y a tener valor para testificar nuestra fe católica.

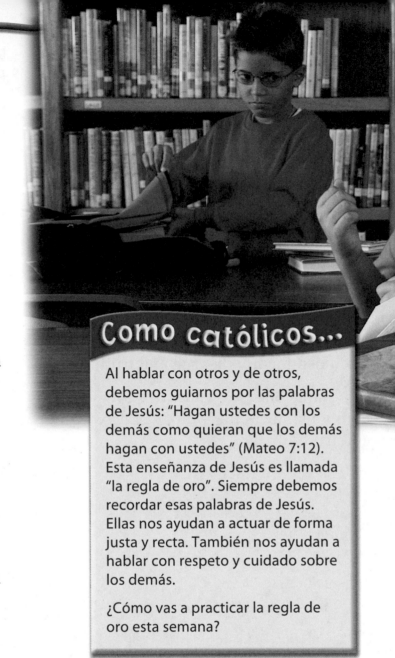

Junto con un compañero nombren situaciones en las que la gente puede ser testigo de la fe católica. Después escenifíquenla.

Somos responsables de decir la verdad.

El octavo mandamiento nos enseña a

- testificar la verdad de Jesús con lo que decimos y hacemos
- decir la verdad
- respetar los secretos de los demás
- honrar el buen nombre de los demás y evitar cosas que puedan dañar su reputación.

Como católicos...

Al hablar con otros y de otros, debemos guiarnos por las palabras de Jesús: "Hagan ustedes con los demás como quieran que los demás hagan con ustedes" (Mateo 7:12). Esta enseñanza de Jesús es llamada "la regla de oro". Siempre debemos recordar esas palabras de Jesús. Ellas nos ayudan a actuar de forma justa y recta. También nos ayudan a hablar con respeto y cuidado sobre los demás.

¿Cómo vas a practicar la regla de oro esta semana?

Mentir es deliberadamente hacer una afirmación falsa. La gente algunas veces miente para evitar la responsabilidad o para lucir bien. Sin embargo, mentir daña nuestro buen nombre y generalmente hiere a otras personas. Mentir nos hace perder el respeto por nosotros mismos.

Si mentimos, necesitamos admitir que hemos mentido. Después necesitamos decir la verdad. También debemos tratar de enmendar cualquier daño que nuestras mentiras hayan causado.

Faith in Jesus spread throughout the world. However, in some areas Christians faced death if they would not worship false gods. Many Christian women and men died rather than give up their belief in the risen Jesus. They are called **martyrs**.

The word *martyrs* comes from a Greek word that means "witnesses." We may never become martyrs, but we are called to be witnesses to Jesus. **Witnesses** are people who speak and act based upon what they know and believe about Jesus.

Like the first disciples, we receive the Gift of the Holy Spirit, too. We receive the Holy Spirit in a special way in the Sacrament of Confirmation. Throughout our lives, the Holy Spirit helps us to be strong and courageous witnesses to our Catholic faith.

With a partner list some situations in which people can be witnesses to the Catholic faith. Then role-play one.

We have a responsibility to tell the truth.

The Eighth Commandment teaches us to

- witness to the truth of Jesus by the things we say and do

- tell the truth

- respect the privacy of others

- honor the good name of others and to avoid anything that would harm their reputation.

To lie is to deliberately make a false statement. People sometimes lie to avoid responsibility or to make themselves look good. However, lies damage our own good name, and they usually hurt other people as well. Lies make us lose respect for ourselves.

If we lie, we need to admit that we have lied. Then we need to tell the truth. We also must try to make up for any harm our lies may have caused.

Otra manera de respetar la verdad es evitando los rumores y los chismes. Cuando la gente cuenta chismes está diseminando mentiras sobre otras personas. Los chismes nos llevan a los rumores. Un rumor es una información que escuchamos pero que no sabemos si es cierta. Contar rumores puede dañar la reputación de una persona.

El octavo mandamiento también nos presenta la necesidad de tratar a las personas en forma correcta. Si prometemos guardar un secreto, damos nuestra palabra a otra persona. Esa persona confía en nosotros. Si contamos el secreto, hemos faltamos a nuestra palabra. Rompemos la confianza de la persona.

Algunas veces la gente puede pedirnos mantener un secreto sobre algo que es dañino o peligroso para ellos o para otros. En esta situación debemos ayudar. Tenemos el deber de decir a alguien en quien confiamos: nuestros padres, un maestro, una enfermera o un sacerdote. Buscar ayuda para una persona que está en peligro no es "murmurar de la persona", es tener valor y es un acto de amistad.

 Algunas veces hay que tener valor de decir la verdad. Nombra una vez cuando fue fácil decir la verdad y una cuando fue difícil.

Tenemos la responsabilidad de respetar la verdad.

Por las experiencias que has tenido en la vida has aprendido que hay personas fieles a su palabra. En ellas se puede confiar. Cuando dicen algo lo dicen de verdad. Ellas honran el octavo mandamiento y viven la verdad en sus vidas.

Una vez, cuando Jesús estaba enseñando sobre el octavo mandamiento, él lo explicó muy simplemente. El dijo: "Si dicen sí, que sea sí; si dicen no, que sea no" (Mateo 5:37). Jesús espera que nuestras palabras sean verdaderas. Cuando seguimos las enseñanzas de Jesús, aprendemos a vivir la verdad.

RESPONDEMOS

¿Cómo vivirás la verdad en estas situaciones?

• Perdiste algo que te prestó un amigo.

_____

• Compraste unos dulces y la cajera te devolvió un dólar más.

_____

Vocabulario
mártires (pp 318)
testigos (pp 318)

216

Another way to respect the truth is to avoid gossip and rumors. When people gossip they often spread untruths about other people. Gossip leads to rumors. A rumor is information that we hear but we do not know if it is true. Spreading rumors can hurt a person's reputation.

The Eighth Commandment also addresses the need to handle promises in the correct way. If we promise to keep a secret, we give our word to another person. That person trusts us. If we tell the secret, we have gone back on our word. We have broken the person's trust.

Sometimes people may ask us to keep a secret about something that is harmful or dangerous to them or others. In this situation we must help them. We have the duty to tell someone we trust: a parent, a teacher, a school nurse, or a priest. To get help for people in danger is not "telling on them." It takes courage and is an act of great friendship.

 It sometimes takes courage to tell the truth. Name some times when it is easy to tell the truth. Name some times when it is difficult.

We have a responsibility to respect the truth.

From many experiences that you have had in life, you have learned that some people are true to their word. They can be trusted. When they say something, they mean it. These people are honoring the Eighth Commandment because they are being truthful. They are living out the truth in their lives.

Once, when Jesus was teaching about the Eighth Commandment, he explained it very simply. He said, "Let your 'Yes' mean 'Yes,' and your 'No,' mean 'No'" (Matthew 5:37). Jesus expects our words to be true. When we follow Jesus' teachings, we learn what is true and how to live out the truth.

WE RESPOND

 How could you live out the truth in these situations?

- You borrow something from a friend and lose it.

_____

- When you buy some candy, the clerk gives you an extra dollar in your change.

_____

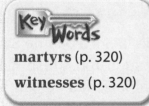

Key Words

martyrs (p. 320)
witnesses (p. 320)

HACIENDO DISCIPULOS

Muestra *lo* que sabes

Organiza las palabras que están dentro del cuadro.
Usalas para completar las oraciones.

RTASMIER	GTSIOSET	HMSCEI	NTRMEI	ORMUR
_____	_____	_____	_____	_____

1. Comentar mentiras sobre otras personas es un _____.

2. Hacer afirmaciones falsas deliberadamente es _____.

3. Personas que prefieren morir antes de negar su fe en Jesús son _____.

4. Información que escuchamos y que no sabemos si es cierta es un _____.

5. Personas que hablan y actúan basados en lo que saben y creen sobre

   Jesús son _____.

Investiga

La misión de la Sociedad de San Vicente de Paul afirma lo que hace su grupo. "Inspirados por los valores del evangelio, la Sociedad de San Vicente de Paul, una organización católica laica, dirige a hombres y mujeres a unirse para crecer espiritualmente ofreciendo servicio de persona a persona a los necesitados y los que sufren, en la tradición de su fundador Beato Frédéric Ozanam, y patrón, San Vicente de Paul".

↳ RETO PARA EL DISCIPULO

- Subraya la frase que dice a quien ayuda la Sociedad de San Vicente de Paul.

- Encierra en un círculo el nombre del fundador de la Sociedad.

- Sombrea el nombre del patrón de la Sociedad.

PROJECT DISCIPLE

Show What *you* Know

Unscramble the words in the box. Use these words to complete the sentences.

SRTRMAY	WISNSTEES	OISGPS	IEL	RMORU
_____	_____	_____	_____	_____

1. The spread of untruths about other people is _____.

2. To deliberately make a false statement is a _____.

3. People who die rather than give up their belief in the risen Jesus are _____.

4. Information that we hear yet we do not know if it is true is a _____.

5. People who speak and act based upon what they know and believe

   about Jesus are _____.

More *to* Explore

The mission statement of the Society of St. Vincent de Paul tells what this group does. "Inspired by Gospel values, the Society of St. Vincent de Paul, a Catholic lay organization, leads women and men to join together to grow spiritually by offering person-to-person service to those who are needy and suffering, in the tradition of its founder, Blessed Frédéric Ozanam, and patron, Saint Vincent de Paul."

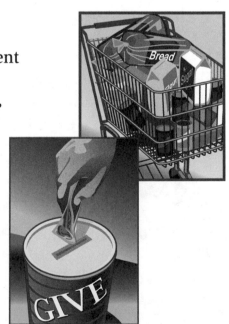

↳ DISCIPLE CHALLENGE

- Underline the phrase that tells who the Society of St. Vincent de Paul helps.

- Circle the name of the Society's founder.

- Highlight the name of the Society's patron.

HACIENDO DISCÍPULOS

Vidas de santos

El Beato Frédéric Ozanam fue el fundador de la Sociedad de San Vicente de Paul. Frederic fue un esposo y padre, profesor y servidor de los pobres. Cuando joven fundó la Sociedad junto con otros en París. Busca información sobre lo que la Sociedad hace en tu parroquia.

_____

_____

Consulta

Escoge por lo menos cuatro de tus compañeros y amigos. Pregúntales: ¿Cuáles asuntos para cumplir con el octavo mandamiento te preocupan más hoy?

❏ pasar rumores
❏ romper promesas
❏ mentir

❏ molestar por el Internet
❏ chismes

❏ otro _____

Asegúrate de hacer la encuesta.
Informa lo que descubras a tu grupo.

Reza

Jesús, quiero ser tu testigo en la vida hoy. Ayúdame

_____

_____

_____

 **Tarea**

Mira la pregunta en *Consulta*. Hazla, junto con los miembros de tu familia. Toma tiempo para reunir a tu familia para conversar sobre los resultados. Decide como tu familia puede evitar esos abusos.

Saint Stories

Blessed Frédéric Ozanam was the founder of the Society of St. Vincent de Paul. Frédéric was a husband and father, professor, and servant of the poor. As a young student, he founded the Society of St. Vincent de Paul with others in Paris. Find out what the Society of St. Vincent de Paul does in your parish or diocese.

_____

_____

Question Corner

Survey at least four of your classmates and friends.
Ask: "What issues in living out the Eighth Commandment are of most concern for you today?"

❏ spreading rumors   ❏ cyberbullying

❏ breaking promises   ❏ gossiping

❏ lying

❏ other _____

Be sure to take the survey yourself.
Report your findings to the class.

Pray Today

Jesus, I want to witness to your life today.
Help me

_____

_____

_____

Take Home

Look at the survey in *Question Corner*. Conduct the same survey with your family members. Make the time to gather your family together to discuss the findings of the survey. Decide on some ways your family can guard against these abuses.

Cuaresma

La Cuaresma es tiempo de preparación para la Pascua de Resurrección.

NOS CONGREGAMOS

✝ *Señor Jesús, ayúdanos a crecer.*

¿Qué necesitan las plantas y los animales para crecer? ¿Qué necesitas tú?

CREEMOS

La Cuaresma es tiempo de preparación. Los que van a celebrar los sacramentos de iniciación cristiana, Bautismo, Confirmación y Eucaristía, durante la Vigilia Pascual, se preparan para ser recibidos en la Iglesia. La Iglesia reza por ellos. Todos nos preparamos para renovar nuestro Bautismo durante la Pascua.

Durante la Cuaresma nos concentramos en lo que Jesús hizo por nosotros sufriendo, muriendo y resucitando. Damos gracia a Dios por su misericordia. Pensamos y rezamos por la nueva vida que Cristo comparte con nosotros en el Bautismo. Sabemos que vivimos ahora por la gracia, la vida de Dios en nosotros.

Podemos vivir eternamente con Dios porque Jesús murió y resucitó para darnos la vida de Dios.

La Cuaresma empieza el miércoles de ceniza y dura cuarenta días. El número cuarenta tiene un significado especial para nosotros.

Leemos en el Antiguo Testamento que el pueblo salió hacia la tierra prometida después que Dios lo liberó de Egipto. Al pueblo de Dios le tomó cuarenta años llegar allí. Estos fueron tiempos difíciles en el desierto pero Dios proveyó para su pueblo.

Después que Jesús fue bautizado fue al desierto donde estuvo cuarenta días. Durante ese tiempo Jesús rezó y ayunó. El Espíritu Santo estaba con Jesús mientras se preparaba para su trabajo. Durante los cuarenta días de Cuaresma vamos "al desierto" con Jesús. La Cuaresma es un tiempo en el desierto para toda la Iglesia, tiempo cuando nos preparamos para el agua del Bautismo en la Pascua.

"Porque hago brotar agua en el desierto, ríos en la tierra estéril, para dar de beber a mi pueblo elegido".

Isaías 43:20

Lent

Advent | Christmas | Ordinary Time | Lent | Triduum | Easter | Ordinary Time

Lent is the season of preparation for Easter.

WE GATHER

✝ *Lord Jesus, help us grow.*

What do plants and animals need to grow? What do you need to grow?

WE BELIEVE

Lent is a time of preparation. Those who will celebrate the Sacraments of Christian Initiation—Baptism, Confirmation, and Eucharist—at Easter are preparing for their reception into the Church. The Church prays for and encourages them. All of us get ready to renew our Baptism at Easter.

During Lent we focus on what Jesus did for us by his suffering, Death, and Resurrection. We thank God for his mercy. We think and pray about the new life Christ shares with us in Baptism. We know that we live now by grace, the life of God within us. We can live forever with God because Jesus died and rose to bring us God's life.

Lent, which begins on Ash Wednesday, lasts forty days. The number forty has special meaning for us.

We read in the Old Testament that after God led his people out of slavery in Egypt, they set out for the Promised Land. It took forty years for God's people to get there. These were difficult times in the desert, but God provided for his people.

After Jesus was baptized, he went into the desert for forty days. During his forty days in the desert, Jesus prayed and fasted from food. The Holy Spirit was with Jesus as he prepared for his work. During the forty days of Lent, we go "into the desert" with Jesus. Lent is a desert time for the whole Church, the time in which we prepare for the waters of Baptism at Easter.

"For I put water in the desert
and rivers in the wasteland
for my chosen people to drink."

Isaiah 43:20

La Cuaresma es un tiempo para vivir con sencillez. Nos esforzamos en rezar, hacer penitencia y buenas obras. Somos llamados a hacer esas cosas todo el año. Sin embargo, durante la Cuaresma tienen un significado especial, al prepararnos para renovar nuestro Bautismo.

¿Cómo vivirás con sencillez concentrado en Dios y en las necesidades de los demás esta Cuaresma?

Rezar

Durante la Cuaresma tratamos de dar más tiempo a Dios y la oración nos ayuda a ello. La oración es nuestra conversación con Dios. En la oración abrimos nuestros corazones y mentes a Dios. En la Cuaresma podemos dedicar tiempo extra a la oración diaria y a la alabanza. La liturgia de la Iglesia nos recuerda el gran amor y la misericordia de Dios para su pueblo a través de la historia. Nos recuerda que en su amor, Dios nos dio a su propio Hijo. Esto nos acerca más a Jesús y nos une a los demás. Muchas parroquias se reúnen para rezar el vía crucis y para celebraciones especiales del sacramento de la Reconciliación. Rezamos especialmente por los que se están preparando para los sacramentos de iniciación cristiana.

Hacer penitencia

La penitencia es parte importante del sacramento de la Reconciliación. Hacer penitencia es una forma de mostrar arrepentimiento. Nuestra penitencia repara nuestra amistad con Dios que fue destruida por nuestros pecados. Nos ayuda a enfocarnos de nuevo en Dios y en las cosas que son importantes en nuestras vidas como cristianos. Hacer penitencia puede ayudarnos a centrarnos en Cristo y su deseo de darse libremente. Esto nos ayuda a actuar como verdaderos discípulos de Cristo.

Durante la Cuaresma podemos hacer penitencia privándonos de cosas que nos gustan. Podemos sacrificarnos para hacer obras de misericordia o dar de nuestro tiempo en forma especial. Los católicos de cierta edad hacen penitencia ayunando o no comiendo carne durante algunos días de Cuaresma.

Hacer buenas obras

Durante la Cuaresma también mostramos especial interés en los necesitados. Seguimos el ejemplo de Jesús de proveer por los que tienen hambre y cuidar de los enfermos. Tratamos de ayudar para que la gente tenga lo que le pertenece de las bondades de la creación. Muchas parroquias recogen comida y ropa durante este tiempo del año. Algunas familias se ofrecen voluntariamente a servir en la cocina popular, a visitar a los enfermos y a hacer obras de misericordia.

Lent is a season of simple living. We make a special effort to pray, to do penance, and to do good works. We are called to do these things all year long. However, during Lent they take on special meaning as we prepare to renew our Baptism.

How can you live simply focused on God and the needs of others this Lent?

Pray

During Lent we try to give more time to God, and prayer helps us to do this. Prayer is our conversation with God. In prayer we open our hearts and minds to God. In Lent we may devote extra time to daily prayers and worship. The Church's liturgy reminds us of God's great love and mercy for his people throughout history. It reminds us that in his love God gave us his own Son. It draws us closer to Jesus and unites us with one another. Many parishes gather for the Stations of the Cross and have special celebrations of the Sacrament of Penance and Reconciliation. We pray especially for those who are preparing for the Sacraments of Christian Initiation.

Do Penance

Penance is an important part of the Sacrament of Penance and Reconciliation. Doing penance is a way to show that we are sorry. Our penance repairs our friendship with God that has been hurt by our sins. It also helps us to refocus on God and on the things that are important in our lives as Christians. Doing penance can help us focus on Christ and his willingness to give so freely of himself. This helps us to act as a true disciple of Christ.

During Lent we may do penance by giving up things we enjoy. We may go out of our way to practice a Work of Mercy or to give of our time in a special way. Catholics of a certain age do penance by fasting from food or not eating meat on specific days during Lent.

Do Good Works

During Lent we also show special concern for those in need. We follow Jesus' example of providing for the hungry and caring for the sick. We try to help other people get the things they need and make sure that people have use of the goods of creation that are rightfully theirs. Many parishes have food and clothing drives during this time of year. Families may volunteer at soup kitchens, visit those who are sick, and practice other Works of Mercy.

San José

En muchos países alrededor del mundo, los católicos tienen tradiciones y costumbres para celebrar la fiesta de San José, esposo de la virgen María. La fiesta de San José se celebra el 19 de marzo.

En la Biblia leemos que José, el padre adoptivo de Jesús, era un carpintero. José confió en Dios cuando se enteró de que María había sido escogida para ser la madre del Hijo de Dios. José le ofreció una casa a María y al niño Jesús, él los amó y los cuidó. José compartió su fe judía con Jesús y se aseguró de que la familia viajara a Jerusalén todos los años para celebrar la fiesta de Pascua. Todo eso nos ayuda a ver que José "era un hombre justo" (Mateo 1:19).

RESPONDEMOS

Hablen sobre una costumbre o tradición especial de Cuaresma que tu familia, tu parroquia o tu vecindario celebra. ¿Cuáles son algunas formas en que pueden honrar a San José esta Cuaresma?

✞ Respondemos en oración

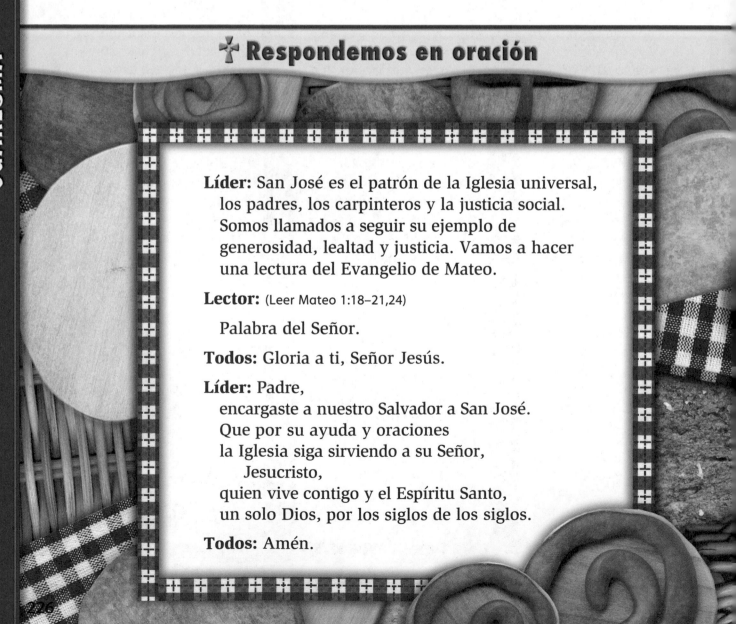

Líder: San José es el patrón de la Iglesia universal, los padres, los carpinteros y la justicia social. Somos llamados a seguir su ejemplo de generosidad, lealtad y justicia. Vamos a hacer una lectura del Evangelio de Mateo.

Lector: (Leer Mateo 1:18–21,24)

Palabra del Señor.

Todos: Gloria a ti, Señor Jesús.

Líder: Padre,
encargaste a nuestro Salvador a San José.
Que por su ayuda y oraciones
la Iglesia siga sirviendo a su Señor,
Jesucristo,
quien vive contigo y el Espíritu Santo,
un solo Dios, por los siglos de los siglos.

Todos: Amén.

Saint Joseph

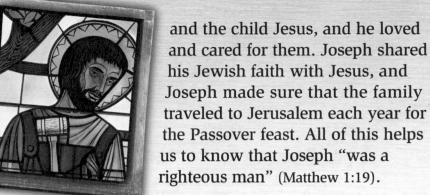

In many countries around the world, Catholics have traditions and customs for the Feast of St. Joseph, husband of the Blessed Virgin Mary. The Feast of Saint Joseph is celebrated on March 19.

We learn from the Gospels that Joseph, the foster father of Jesus, was a carpenter. Joseph trusted God when he learned that Mary was to be the Mother of the Son of God. Joseph provided a home for Mary and the child Jesus, and he loved and cared for them. Joseph shared his Jewish faith with Jesus, and Joseph made sure that the family traveled to Jerusalem each year for the Passover feast. All of this helps us to know that Joseph "was a righteous man" (Matthew 1:19).

WE RESPOND

Talk about some special Lenten customs or traditions in your family, parish, and neighborhood. What are some ways you would like to honor Saint Joseph this Lent?

✞ We Respond in Prayer

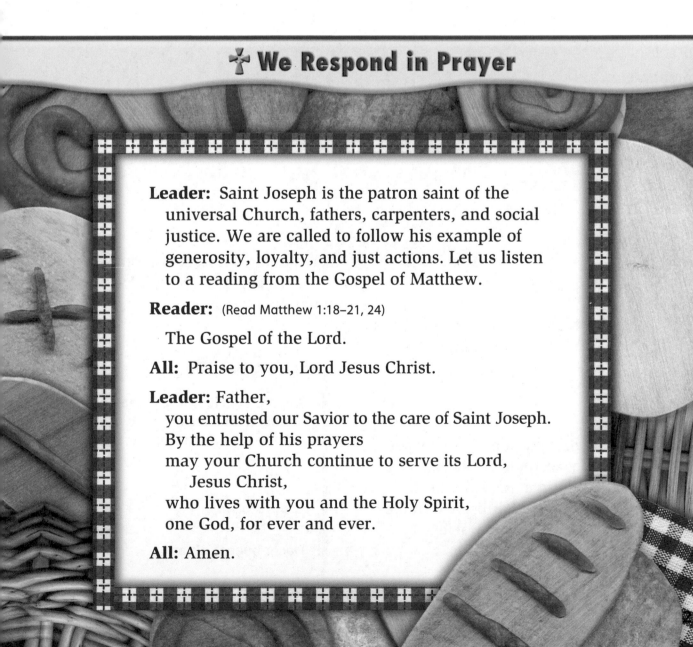

Leader: Saint Joseph is the patron saint of the universal Church, fathers, carpenters, and social justice. We are called to follow his example of generosity, loyalty, and just actions. Let us listen to a reading from the Gospel of Matthew.

Reader: (Read Matthew 1:18–21, 24)

The Gospel of the Lord.

All: Praise to you, Lord Jesus Christ.

Leader: Father,
you entrusted our Savior to the care of Saint Joseph.
By the help of his prayers
may your Church continue to serve its Lord,
    Jesus Christ,
who lives with you and the Holy Spirit,
one God, for ever and ever.

All: Amen.

HACIENDO DISCIPULOS

Orar
Conocer
Celebrar
Compartir
Expresar
Vivir

Muestra *lo* que sabes

Encuentra y encierra en un círculo las palabras sobre la Cuaresma que están en la sopa de letras.

Miércoles de Ceniza
cuarenta
buenas obras
misericordia
penitencia
oración
preparación
Reconciliación

```
R E C O N C I L I A C I O N L U I
T B U E N A S O B R A S K D I R N
O I A B H N I W R I P A M A S U T
G J R A U O E P E N I T E N C I A
T K E P W I P R E P A R A C I O N
W R N F Y C V U H K J R T A C I G
U C T V T A I D R O C I R E S I M
A Z A P I R K P O W Q O G I O N O
M I E R C O L E S D E C E N I Z A
```

Escribe una oración usando estos términos.

_____

Datos

El Miércoles de Ceniza se usa ceniza para bendecir nuestras frentes. Las cenizas se preparan quemando palmas que fueron bendecidas el Domingo de Ramos del año anterior.

Celebra

Cada tres años, la Iglesia se centra en el tema del Bautismo para las lecturas del evangelio de los domingos de Cuaresma. Reza por los que se están preparando para el Bautismo durante esta Cuaresma. Escribe aquí tu oración.

_____

Tarea

Junto con tu familia, escriban una actividad para cada una de estas prácticas de Cuaresma.

Rezar _____

Hacer penitencia _____

Hacer buenas obras _____

Pon estas actividades por fecha en el calendario de la familia. Añade otras actividades.

PROJECT DISCIPLE

Show What *you* Know

In the letter box find and circle these terms about Lent.

N	O	I	T	A	R	A	P	E	R	P	G	T	R
N	O	I	T	A	I	L	I	C	N	O	C	E	R
Q	R	M	O	V	S	M	R	B	O	R	N	C	F
S	M	E	R	C	Y	I	T	D	N	A	O	N	P
I	N	O	Y	R	S	J	W	E	H	Y	D	A	D
X	W	O	T	A	U	O	Y	T	R	O	F	N	M
U	Q	D	K	T	R	U	O	R	B	Y	V	E	G
X	K	O	Z	K	N	P	T	G	H	Q	X	P	E
M	D	A	S	H	W	E	D	N	E	S	D	A	Y

Ash Wednesday
forty
good works
mercy
penance
prayer
preparation
reconciliation

Write a sentence using some of these terms.

Lent is forty days

Fast Facts

Ashes are used to bless our foreheads on Ash Wednesday. The ashes are made by burning the palm branches that were blessed on Palm Sunday last year.

Celebrate!

Every third year, the Church focuses on the theme of Baptism for the Sunday Gospel during Lent. Make time to pray for those preparing for Baptism this Lenten season. Write your prayer here.

_____

Take Home

With your family, write one activity for each of these Lenten practices.

Pray _____ every day _____

Do Penance _____

Do Good Works _____

Put these activities by the dates on your family calendar. Add other activities.

Triduo

Durante el Triduo Pascual celebramos el gozo de la cruz.

NOS CONGREGAMOS

✝ *Jesús, por tu cruz nos traes nueva vida. Gloria a ti.*

¿Cuáles son algunas cosas que haces y que duran varios días?

CREEMOS

Triduo es una palabra en latín que significa "tres días". El Triduo Pascual es la mayor celebración del año. Durante esos tres días recordamos el paso de Jesús de la muerte a la nueva vida. Es maravilloso que el gozo venga de la muerte. Al morir y luego resucitar, el Hijo de Dios cambió nuestras vidas por siempre.

El Triduo Pascual empieza la tarde del Jueves Santo y termina la tarde del Domingo de Pascua. Pasamos esos tres días rezando y alabando. Los celebramos como el Triduo. Los celebramos como una liturgia especial.

Jueves Santo

La misa de la cena del Señor inicia el Triduo Pascual. Muchas cosas pasan en esta celebración. Recordamos lo que pasó en la última cena. En la última cena, Jesús nos dio el regalo de sí mismo en el sacramento de la Eucaristía. La Eucaristía es una promesa de que compartiremos la vida de Dios eternamente.

Recordamos las enseñanzas de Jesús de servir a los demás y el ejemplo de servicio que nos dio al lavar los pies de sus discípulos. "Se ató una toalla a la cintura. Luego echó agua en una palangana y se puso a lavar los pies de los discípulos y a secárselos con la toalla que llevaba a la cintura" (Juan 13:4–5). También hacemos una colecta especial para los necesitados.

Al terminar la ceremonia la comunidad parroquial no se despide con el usual: "Podéis ir en paz". Esto nos recuerda que el Jueves y el Viernes Santo están relacionados de manera especial.

"Tu cruz trajo gozo al mundo".

Viernes Santo, veneración de la cruz

Triduum

The Easter Triduum celebrates the joy of the cross.

WE GATHER

✝ *Jesus, by your Death you bring us new life. Glory to you!*

What are some things you do that last for several days?

WE BELIEVE

Triduum is a Latin word that means "three days." The Easter Triduum is the greatest celebration of the year. During these three great days we remember Jesus' passing from Death to new life. It is wonderful that joy can come from death. By dying, and then rising, the Son of God changed our lives forever.

The Easter Triduum begins on the evening of Holy Thursday and ends on the evening of Easter Sunday. We spend these three days in prayer and worship. Because we celebrate them as the Triduum, we celebrate them as one special liturgy.

Holy Thursday

The Evening Mass of the Lord's Supper begins the Easter Triduum. Many things happen at this celebration. We remember what happened at the Last Supper. At the Last Supper, Jesus gave the gift of himself in the Sacrament of the Eucharist. The Eucharist is a promise that we will share God's life forever.

We remember Jesus' teachings to serve others and the example of service he gave us by washing his disciples' feet. "He took a towel and tied it around his waist. Then he poured water into a basin and began to wash the disciples' feet and dry them with the towel around his waist." (John 13:4–5) We also have a special collection for those who are in need.

As the parish community leaves this celebration, they are not actually dismissed as usual. This reminds us that Holy Thursday and Good Friday are connected in a special way.

"Through the cross you brought joy to the world."

Good Friday, Veneration of the Cross

Viernes Santo

El Viernes Santo la Iglesia recuerda la muerte de Jesús en la cruz. La cruz es el signo del sufrimiento y muerte de Jesús. Pero es también el gran signo de su victoria de Pascua. Cuando Jesús murió en la cruz, él no fue vencido. El resucitó de la muerte y al hacer eso venció, por siempre, el pecado y la muerte.

En la iglesia, el altar está limpio, no hay manteles, ni velas, ni cruces. Honramos la cruz con una procesión durante la liturgia. Escuchamos lecturas de la Escritura sobre lo que padeció Jesús el día de su muerte. Recordamos que Jesús fue el fiel siervo de Dios que sufrió y murió para darnos nueva vida. También rezamos por todo el mundo en ese día, ya que Jesús murió y resucitó por todos. Igual que el Jueves Santo la liturgia del Viernes Santo no termina sino que se extiende hasta el sábado.

Sábado Santo

El Sábado Santo pasamos tiempo rezando y meditando. Recordamos que Jesús murió por nosotros y fue puesto en una tumba. Nos preparamos para celebrar la nueva vida de Jesús. Nos reunimos con nuestra parroquia en la noche para celebrar la Vigilia Pascual. Esta es la más hermosa y maravillosa noche del año.

El Viernes Santo vemos como la cruz es sacada de la iglesia. Ahora al esperar en la oscuridad en la Vigilia Pascual, vemos algo pasar en medio de nosotros. No es más la cruz de Cristo, sino una llama brillante de gozo y vida. Es el cirio pascual que se enciende en la Vigilia Pascual como símbolo de la resurrección de Jesús.

"La luz de Cristo", canta el diácono.

"Demos gracias", responde el pueblo.

En la Vigilia Pascual, escuchamos muchas lecturas bíblicas. Recordamos las grandes cosas que Dios ha hecho por nosotros. Cantamos aleluya con gozo para celebrar que Jesús resucitó de la muerte. Los que se preparan para ser miembros de la Iglesia celebran los sacramentos de iniciación cristiana y reciben la nueva vida de Cristo. Les damos la bienvenida y renovamos nuestro Bautismo.

Good Friday

On Good Friday, the Church remembers the Death of Jesus on the cross. The cross is the sign of Christ's suffering and Death. But it is also the great sign of his Easter victory. When Jesus died on the cross, he was not defeated. He rose from Death, and in doing so won over sin and death forever.

In church, the altar is bare, without cloths, candles, or even a cross. We honor the cross with a prayerful procession during the liturgy. We listen to the Scripture readings about what happened to Jesus on the day of his Death. We remember that Jesus was the faithful servant of God who suffered and died so that we might have new life. We also pray for the whole world on this day, since Jesus died and rose for the whole world. And, as with Holy Thursday's liturgy, the Good Friday liturgy does not actually end but extends into Saturday.

Holy Saturday

On Holy Saturday, we spend time thinking and praying. We remember that Jesus died for us and was laid in a tomb. We prepare to celebrate Jesus' new life. We gather with our parish at night for the Easter Vigil. This is the most beautiful and exciting night of the whole year!

On Good Friday, we watched as the cross was carried out of the church. Now, as we wait in darkness at the Easter Vigil, we turn to see something carried into our midst. It is no longer the cross of Christ, but a single bright flame of joy and life. It is the Paschal candle. It is lit at the Easter Vigil as a symbol of Jesus' Resurrection.

"Christ our light," the deacon sings.

"Thanks be to God," we sing in response.

At the Easter Vigil, we listen to many readings from the Bible. We remember all the great things God has done for us. We sing Alleluia with joy to celebrate that Jesus rose from the dead. And those preparing to become members of the Church celebrate the Sacraments of Christian Initiation and receive the new life of Christ. We welcome them and once again renew our own Baptism.

Domingo de Pascua

En este día proclamamos: "El Señor ha resucitado. Aleluya. A él la gloria y el poder por toda la eternidad". (Antífona de entrada para el Domingo de Resurrección)

Nos reunimos con nuestra parroquia y familia para celebrar el domingo más importante del año. Sabemos que Jesús está siempre con nosotros.

Toma nota de las formas en que puedes celebrar los días del Triduo.

Jueves Santo	Viernes Santo	Sábado Santo	Domingo de Pascua

RESPONDEMOS

Escribe una oración de acción de gracias a Jesús, nuestro Salvador. Rézala con frecuencia.

✝ Respondemos en oración

Líder: La cruz es señal de muerte y vida. Fuimos bautizados con la señal de la cruz. Es una señal especial de seguir a Cristo. El Viernes Santo veneramos y honramos la cruz porque Cristo murió en ella por amor a nosotros. El resucitó de la muerte convirtiendo la señal de la muerte en señal de vida.

Lector: Lectura del libro de Isaías "¿Quién va a creer lo que hemos oído? . . . por medio de él tendrán éxito los planes del Señor" (Isaías 53:1, 10)

Palabra de Dios.

Todos: Te alabamos, Señor.

Líder: Mirad el árbol de la Cruz donde estuvo clavado Cristo, el Salvador del mundo.

Todos: Venid y adoremos.

Líder: Tu Cruz adoramos, Señor, y tu santa resurrección alabamos y glorificamos,

Todos: Pues del árbol de la Cruz ha venido la alegría al mundo entero.

Líder: Santo Dios. Santo, fuerte. Santo, inmortal.

Todos: Ten piedad de nosotros.

Veneración de la cruz el Viernes Santo

Easter Sunday

On this day we proclaim, "The Lord has indeed risen, alleluia. Glory and kingship be his for ever and ever." *(Entrance Antiphon, Easter Sunday)* We gather with our parishes and families to celebrate this most important Sunday of the year. We know that Jesus is with us always.

Holy Thursday	Good Friday	Holy Saturday	Easter Sunday

Make notes about the ways you can celebrate the days of the Easter Triduum.

WE RESPOND

Make up your own prayer of praise and thanksgiving for Jesus our risen Savior. Pray it often.

✝ We Respond in Prayer

Leader: The cross is a sign of both death and life. We were baptized with the Sign of the Cross. It is the special sign of the followers of Christ. On Good Friday, we venerate, or honor, the cross because Christ died on a cross out of love for us. His rising from the dead made a sign of death into a sign of life.

Reader: A reading from the Book of Isaiah
"Who would believe what we have heard? . . .
the will of the LORD shall be accomplished through him."
(Isaiah 53:1, 10)

The word of the Lord.

All: Thanks be to God.

Leader: This is the wood of the cross, on which hung the Savior of the world.

All: Come, let us worship.

Leader: We worship you, Lord. We venerate your cross, we praise your resurrection.

All: Through the cross you brought joy to the world.

Leader: Holy is God! Holy and strong! Holy immortal One,

All: Have mercy on us!

Good Friday, Veneration of the Cross

HACIENDO DISCIPULOS

 **Celebra** Completa el cuadro sobre el Triduo.

	Jueves Santo	Viernes Santo	Sábado Santo
Lo que recordamos			

Escritura

"Pilato insistió: Entonces, ¿eres rey? Jesús le respondió: Soy rey, como tú dices, y mi misión consiste en dar testimonio de la verdad. Precisamente para eso he nacido y para eso he venido al mundo. Todo el que pertenece a la verdad escucha mi voz". (Juan 18:37)

- Subraya la frase que dice para qué vino Jesús al mundo.
- Encierra en un círculo lo que hace la gente que "pertenece a la verdad".

 ## Realidad

¿Cómo observarás los días del Triduo?

❏ Celebrando las liturgias especiales de la parroquia.

❏ Recordando la última cena el Jueves Santo.

❏ Recordando la pasión y muerte de Jesús el Viernes Santo.

❏ Escogiendo una hora para estar en silencio en casa el Viernes Santo.

❏ Ayudando en las preparaciones del Sábado Santo.

❏ Regocijándome y celebrando la Vigilia Pascual o el Domingo de Resurrección.

Tarea

Celebra los tres días del Triduo. Haz una tarjeta electrónica o diseña un mensaje electrónico para enviarlo a diferentes miembros de la familia y amigos.

Celebrate! Complete this Triduum chart.

	Holy Thursday	Good Friday	Holy Saturday
What We Remember			

What's *the* Word?

Pilate said to Jesus, "'Then you are a king?' Jesus answered, 'You say I am a king. For this I was born and for this I came into the world, to testify to the truth. Everyone who belongs to the truth listens to my voice'" (John 18:37).

- Underline the phrase that tells why Jesus came into the world.
- Circle what people do who "belong to the truth."

Reality Check

How will you observe the days of the Triduum?

❏ Celebrate the special liturgies at your parish.

❏ Remember the Last Supper on Holy Thursday.

❏ Remember Jesus' Passion and Death on Good Friday.

❏ Choose one hour for a time of silence in your house on Good Friday.

❏ Help get ready for Easter on Holy Saturday.

❏ Rejoice together and celebrate Easter at the Vigil or on Easter Sunday!

Take Home

Celebrate the three days of the Triduum. Make an e-card or design an electronic message to send to distant family members and friends.

El noveno mandamiento

NOS CONGREGAMOS

✝ **Líder:** Vamos a pedir a Dios que mire en nuestros corazones y los llene con su bondad y amor.

Lector: Lectura del libro del Profeta Ezequiel

"Pondré en ustedes un corazón nuevo y un espíritu nuevo. Quitaré de ustedes ese corazón duro como la piedra y les pondré un corazón dócil. Pondré en ustedes mi espíritu, y haré que cumplan mis leyes y decretos; vivirán en el país que di a sus padres, y serán mi pueblo y yo seré su Dios". (Ezequiel 36:26–28)

Palabra de Dios.

Todos: Te alabamos, Señor.

🎵 **Somos todos el pueblo de Dios/ We Are All the People of God**

Todos unidos en un solo amor,
somos todos el pueblo de Dios.
Y alabamos tu nombre, Señor.
Somos todos el pueblo de Dios.

☀ ¿Qué diferencia hay en tu vida ahora y cuando estabas en primer curso?

CREEMOS

Los sentimientos son dones de Dios.

Al crecer empezamos a entender más nuestros pensamientos y sentimientos. Los sentimientos son naturales. Ellos son regalos de Dios. Desde temprana edad tenemos sentimientos. Amor, enojo, gozo, miedo y tristeza son algunos de los sentimientos que tenemos. Es importante entender que las personas pueden tener diferentes sentimientos sobre la misma cosa. Por ejemplo, subir a una montaña rusa puede hacer a una persona muy feliz y asustar a otra.

The Ninth Commandment

WE GATHER

✝ **Leader:** Let us ask God to look into our hearts and fill them with his goodness and love.

Reader: A reading from the Book of the Prophet Ezekiel

"I will give you a new heart and place a new spirit within you, taking from your bodies your stony hearts and giving you natural hearts. I will put my spirit within you and make you live by my statutes, careful to observe my decrees. You shall live in the land I gave your fathers; you shall be my people, and I will be your God."

(Ezekiel 36:26–28)

The word of the Lord.

All: Thanks be to God.

🎵 We Are All the People of God/ Somos todos el pueblo de Dios

We are united in God who is love, we are all the people of God. Lord, we sing praise to your holy name. We are all the people of God.

☀ How is your life different now than when you were in first grade?

WE BELIEVE
Feelings are a gift from God.

As we grow older we begin to understand more about the ways we think and feel. Feelings are natural. They are a gift from God. We all have feelings from the youngest age. Love, anger, joy, fear, and sadness are some of the feelings we may have. It is important to understand that people can have different feelings about the same thing. For example, a ride on a roller coaster may make one person happy and another person afraid.

Al crecer, las cosas que nos hacían sentir de cierta manera pueden cambiar. Las formas en que expresamos nuestros sentimientos cambian también. Los sentimientos en sí mismos no son buenos ni malos, pero la forma en que los expresamos o actuamos puede ser buena o mala.

La forma en que expresamos nuestros sentimientos puede o no mostrar amor y respeto a Dios y a los demás. No debemos expresar nuestros sentimientos de manera irrespetuosa.

Podemos llamar al Espíritu Santo para que nos fortalezca y nos guíe para tomar buenas decisiones en nuestra forma de actuar. El don de la conciencia, la habilidad de saber la diferencia entre el mal y el bien, nos ayuda a escoger las acciones que muestran amor a Dios, a nosotros mismos y a los demás. Podemos también pedir a personas en quienes confiamos que nos ayuden a tomar buenas decisiones.

Jesús también tuvo sentimientos. Mira estos dibujos. ¿Cómo crees que se sintió Jesús en cada situación?

Dios nos creó para compartir amor.

Parte del crecer es estar más consciente del don de la sexualidad humana que Dios nos ha dado. Dios nos creó hombre o mujer. El nos dio el don de la sexualidad humana para que podamos mostrar amor y afecto a otros.

El sexto mandamiento nos enseña la forma adecuada de mostrar amor y afecto. Nos enseña a respetar y a estar en control de nuestros cuerpos.

El noveno mandamiento también es sobre amor y afecto. El noveno mandamiento es "no codicies su mujer" (Exodo 20:17). **Codiciar** es desear algo que le pertenece a otro. Cuando deseamos, o queremos algo irracionalmente, nuestros pensamientos y sentimientos pueden dirigirnos a hacer cosas que no debemos. Los esposos están llamados a ser fieles uno al otro. Se les pide ser leales uno al otro.

We can call on the Holy Spirit to strengthen us and guide us to make good choices about the ways we act. The gift of conscience, the ability to know the difference between good and evil, helps us to choose actions that show love for God, ourselves, and others. We can also call on people we trust to help us to make good decisions.

Jesus had feelings, too. Look at these pictures. How do you think Jesus felt in each situation? Why?

God created us to share love.

Part of growing up is becoming more aware of the gift of human sexuality that God has given us. God creates each of us male or female. He gave us this gift of human sexuality so we can show others love and affection.

The Sixth Commandment teaches us the proper ways to show love and affection. It teaches us to respect and be in control of our bodies.

As we grow the things that cause us to feel certain ways may change. And the ways we express our feelings change, too. Feelings themselves are not good or evil, but the way we deal with or act on our feelings can be good or evil.

The way we express a feeling either shows love and respect for God and others, or does not show love and respect. We should not express feelings that might lead us to act in unloving or disrespectful ways.

The Ninth Commandment is also about love and affection. The Ninth Commandment is "You shall not covet your neighbor's wife" (Exodus 20:17). To **covet** means to wrongly desire something that is someone else's. When we desire, or want, something unreasonably, our thoughts and feelings can lead us to do things we should not do. Husbands and wives are called to be faithful to one another. They are asked to be loyal to each other.

El noveno mandamiento pide respetar el amor entre los esposos. Esto nos ayuda a todos a conocer las formas adecuadas de pensar y sentir sobre amar a otros.

 Nombra tu canción favorita.

_____

¿Por qué te gusta esa canción?

_____

¿Respeta esa canción al hombre y a la mujer? ¿Cómo te hace sentir sobre ti mismo?

_____

Dios nos llama a ser puros de corazón.

Con sus palabras y obras, Jesús nos enseñó como poner nuestro corazón en Dios. En las Bienaventuranzas Jesús nos promete la felicidad si amamos a Dios y confiamos en él. Una de las bienaventuranzas es: "Dichosos los de corazón limpio, pues ellos verán a Dios" (Mateo 5:8).

Cumplir el noveno mandamiento quiere decir tener un corazón limpio, puro. Cuando somos puros de corazón, vivimos como Dios nos pide. Amamos a los demás y creemos en el amor de Dios por nosotros. Nuestros pensamientos y sentimientos nos dirigen a confiar en Dios y valorar nuestra sexualidad humana.

¿Cómo podemos purificar nuestros corazones? Dios primero nos dio un corazón puro en el Bautismo. Por medio de nuestras vidas trabajamos para purificar nuestros corazones:

• practicando la virtud de la castidad, que nos ayuda a mostrar amor a otros en forma fiel y honesta

• tratando de conocer y cumplir la voluntad de Dios

• evitando pensamientos y sentimientos que nos alejen de cumplir los mandamientos de Dios

• rezando, celebrando los sacramentos y manteniendo nuestros corazones centrados en Dios.

En todas estas formas la gracia de Dios nos fortalece para tener un corazón puro.

 Escribe tu propia receta para un corazón puro.

RECETA

_____

_____

_____

_____

The Ninth Commandment calls all people to respect the love between a husband and a wife. It helps all of us to know the proper ways to feel and think about loving others.

 Name your favorite song.

_____

Why do you like this song?

_____

Does this song respect both women and men? How does it make you feel about yourself?

_____

God calls us to be pure of heart.

By his words and actions, Jesus taught us how to focus our hearts on God. In the Beatitudes Jesus promises us happiness if we love God and trust in God. One of the Beatitudes is:

"Blessed are the clean of heart,
for they will see God" (Matthew 5:8).

Living by the Ninth Commandment means being clean of heart, or pure of heart. When we are pure of heart, we live as God calls us to live. We love others and believe in God's love for us. Our thoughts and feelings lead us to trust in God's ways and to value our human sexuality.

How can our hearts be made pure? God first gives us a pure heart in Baptism. Throughout our lives we work to make our hearts pure by:

- practicing the virtue of chastity, which helps us to show love for others in an honest and faithful way

- trying to know and follow God's will
- avoiding thoughts and feelings that lead us away from following God's commandments
- praying, celebrating the sacraments, and keeping our hearts focused on God.

In all these ways, God's grace strengthens us to be pure of heart.

 On the recipe card, write your own recipe for a pure heart.

RECIPE

_____

_____

_____

_____

_____

La virtud de la modestia nos ayuda a ser puros de corazón.

Ser puro de corazón requiere modestia. **Modestia** es la virtud por la que pensamos, hablamos, actuamos y nos vestimos en forma tal que muestre respeto por nosotros y los demás.

Ser modesto es parte importante de vivir el noveno mandamiento. Modestia es honrar nuestra dignidad y la dignidad de los demás. Cuando somos modestos protegemos nuestros cuerpos. La modestia guía como nos mostramos a otros y como nos comportamos frente a ellos.

En grupo conversen en como creen que la modestia puede practicarse en cada situación.

Beto recibió la nota de un examen difícil. Está muy contento porque salió muy bien. Su mejor amigo no hizo tan buen trabajo.

Yana va a una fiesta de cumpleaños. Su madre le deja escoger un vestido nuevo para la fiesta.

RESPONDEMOS

¿Cómo explicarías el noveno mandamiento a alguien que nunca ha escuchado hablar de él?

Pide a Dios que te de el valor de siempre respetarte y respetar a los demás.

Vocabulario
codiciar (pp 317)
modestia (pp 318)

Como católicos...

María tuvo un corazón puro. Ella vivió como Dios le pidió vivir. Ella estaba lista para hacer lo que Dios le pidiera. María dijo sí cuando Dios le pidió ser la madre de su Hijo, porque su corazón estaba dispuesto a la llamada de Dios.

María nos muestra como hablar y obrar con un corazón puro. Ella fue una amante esposa. Ella fue una amante madre.

Como católicos creemos también que María es nuestra madre. María quiere que vivamos como devotos hijos de Dios.

Esta semana pide ayuda a María.

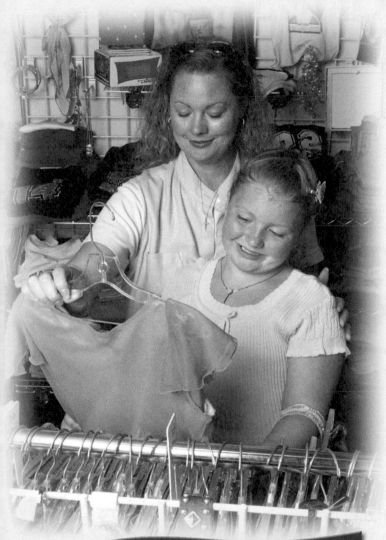

The virtue of modesty helps us to be pure of heart.

Being pure of heart requires modesty. **Modesty** is the virtue by which we think, speak, act, and dress in ways that show respect for ourselves and others.

Being modest is an important part of living out the Ninth Commandment. Modesty is about honoring our own dignity and the dignity of others. When we are modest we protect our bodies. Modesty guides how we look at others and behave toward them.

In a group discuss how you think the virtue of modesty could be practiced in each situation.

Barry has just received his grade on a very difficult test. He is very happy because he did very well. His best friend did not do as well.

Yana is going to a birthday party. Her mother lets her pick out a new outfit for the party.

WE RESPOND

How would you explain the Ninth Commandment to someone who has never heard about it?

Ask God for the courage to respect yourself and others always.

Key Words

covet (p. 319)

modesty (p. 320)

As Catholics...

Mary was pure of heart. She lived as God wanted her to live. She was ready to do what God asked. Mary said yes when God asked her to be the Mother of his Son because her heart was open to God's call.

Mary shows us how to speak and act with a pure heart. She was a loving wife to Joseph. She was a loving mother to Jesus.

As Catholics we believe that Mary is our mother, too. Mary wants us to live as devoted children of God.

This week ask Mary to help you.

HACIENDO DISCÍPULOS

Muestra *lo* que sabes

Completa la red de palabras escribiendo frases que expliquen formas de cumplir el noveno mandamiento.

Noveno mandamiento

¿Qué *harás*?

En el aire

Imagina que estás a cargo de una red de televisión. ¿Qué harás para promover cumplir con el noveno mandamiento?

_____

_____

_____

Vidas de santos

La familia de Katharine Drexel era rica. Ella contestó el llamado de Dios de educar y ayudar a los niños, especialmente los de descendencia africana y los nativos en Estados Unidos.

↳ **RETO PARA EL DISCÍPULO** ¿De qué forma puede un niño de cuarto curso ayudar a otros niños en el mundo?

PROJECT DISCIPLE

Show What *you* Know

Complete the word web by writing phrases that explain ways of following the Ninth Commandment.

not cheat

not cheat onuy girl

Ninth Commandment

not brag

not be mad at sum cause Iam got wha they got

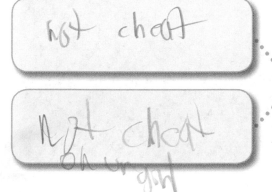

ON AIR

What Would *you* do?

Imagine that you have been put in charge of a TV network. What would you do to promote living out the Ninth Commandment?

_____

_____

_____

Saint Stories

Born to a wealthy family, Katharine Drexel answered God's call to educate and help children, especially African-American and Native-American children.

↳ **DISCIPLE CHALLENGE** What ways can fourth graders help children throughout the world?

Investiga

CARITAS ayuda a personas necesitadas. En tiempo de inundaciones, hambrunas, terremotos, guerra, CARITAS está ahí para asistir. Ayuda a los que tienen hambre y a los que tienen que exilarse debido a guerras. Este grupo da la oportunidad a los católicos de trabajar para poner fin a la pobreza en el mundo. La Conferencia de Obispos Católicos de los Estados Unidos patrocina esta organización.

↳ RETO PARA EL DISCIPULO

- Encierra en un círculo como CARITAS ayuda.
- Para más información visita www.crs.org.

Exprésalo

Hay personas que hacen buenas obras para que las vean. Ellos no aman a Dios ni a los demás. Jesús dijo:

"¡Hipócritas!, bien profetizó de ustedes Isaías cuando dijo:
Este pueblo me honra con los labios,
*   pero su corazón está lejos de mi".* (Mateo 15:7–8)

Escoge una foto de las páginas 242–245. Di como muestra a alguien cuyo corazón está lleno de amor por Dios y los demás.

Realidad

Pon un ✔ en una forma en que cumplirás con el noveno mandamiento.

❏ practicando la virtud de la castidad

❏ tratando de cumplir la voluntad de Dios

❏ evitando pensamientos que van contra los mandamientos de Dios

❏ rezando, celebrando los sacramentos y manteniendome centrado en Dios.

❏ otro _____

Tarea

Con tu familia, miren la lista de las películas que se exhiben localmente. Juntos investiguen las historias. Basándose en lo que has aprendido sobre cumplir los mandamientos decidan si una de las películas sería buena para ver.

Pray
Learn
Celebrate
Share
Choose
Live

PROJECT DISCIPLE

More to Explore

Catholic Relief Services (CRS) helps people around the world who are in need. In times of flood, famine, earthquake, or war, CRS is there to help. They help the hungry and those who have to move because of war. This group gives Catholics the chance to work for laws that end poverty around the world. The U.S. Conference of Catholic Bishops sponsors Catholic Relief Services.

↳ DISCIPLE CHALLENGE

- Circle ways that CRS helps people in need.
- Visit Catholic Relief Services at www.crs.org.

Picture This

Sometimes people do good deeds just to show off. Their hearts are not filled with love for God and others. This is what Jesus has to say:

"Hypocrites, well did Isaiah prophesy about you when he said: 'This people honors me with their lips, but their hearts are far from me' " (Matthew 15:7–8).

Choose a photo on pages 242–245. Tell the way it shows someone whose heart is filled with love for God and others.

Reality Check

Check one way you will live out the Ninth Commandment.

❏ practice the virtue of chastity

❏ try to know and follow God's will

❏ avoid thoughts that go against God's commandments

❏ pray, celebrate the sacraments, and stay focused on God

❏ other _____

Take Home

With your family, check your local movie listings. Together, investigate the various story lines. Decide if any movie would be a good one to see based on what you have learned about living out the commandments.

249

El décimo mandamiento

NOS CONGREGAMOS

✝ **Líder:** Vamos a escuchar las palabras de Jesús cuando nos enseña sobre la importancia de las cosas.

Lector: Lectura del santo Evangelio según San Lucas

Todos: Gloria a ti, Señor.

Lector: "Después dijo Jesús a sus discípulos: 'Esto les digo: No se preocupen por lo que han de comer para vivir, ni por la ropa que han de ponerse. La vida vale más que la comida, y el cuerpo más que la ropa. Fíjense en los cuervos; ni siembran ni cosechan, ni tienen granero ni troje; sin embargo, Dios les da de comer. ¡Cuánto más valen ustedes que las aves!'" (Lucas 12:22–24) Palabra del Señor.

Todos: Gloria a ti, Señor Jesús.

Gloria a Ti, Señor

 Pescador de hombres/ Lord, You Have Come

Tú has venido a la orilla,
no has buscado ni a sabios ni a ricos;
tan sólo quieres que yo te siga.

Señor, me has mirado a los ojos,
sonriendo has dicho mi nombre,
en la arena he dejado mi barca,
junto a ti buscaré otro mar.

☀ Nombra algunas personas generosas en tu vida.

CREEMOS

Somos llamados a ser generosos de corazón.

El décimo mandamiento es "No codiciar los bienes ajenos". Como el noveno, este mandamiento nos enseña a mirar en nuestros corazones para examinar nuestros pensamientos y sentimientos. Tratamos de entender nuestros sentimientos hacia las cosas de los demás.

El décimo mandamiento también se relaciona con el séptimo mandamiento. Ambos tienen que ver con la propiedad de los demás. No tomamos las cosas que no nos pertenecen. Tampoco deseamos las cosas de los demás. Cuando cumplimos el décimo mandamiento no codiciamos, o deseamos los bienes y propiedades de otros.

The Tenth Commandment

WE GATHER

✝ **Leader:** Let us listen to the words of Jesus as he teaches us about important things in life.

Reader: A reading from the holy Gospel according to Luke

All: Glory to you, Lord.

Reader: Jesus said, "Therefore I tell you, do not worry about your life and what you will eat, or about your body and what you will wear. For life is more than food and the body more than clothing. Notice the ravens: they do not sow or reap; they have neither storehouse nor barn, yet God feeds them. How much more important are you than birds!" (Luke 12:22–24).

The Gospel of the Lord.

All: Praise to you, Lord Jesus Christ!

♫ **Lord, You Have Come/ Pescador de hombres**

Lord, you have come to the seashore, neither searching for the rich nor the wise, desiring only that I should follow.

O Lord, with your eyes set upon me, gently smiling, you have spoken my name; all I longed for I have found by the water, at your side, I will seek other shores.

☀ Name some people in your life who are generous.

WE BELIEVE

We are called to have generous hearts.

The Tenth Commandment is "You shall not covet your neighbor's goods." Like the Ninth Commandment, the Tenth Commandment teaches us to look into our hearts and to examine our thoughts and feelings. We try to understand our feelings toward the things that others have.

The Tenth Commandment also relates to the Seventh Commandment. Both of these commandments deal with the property of others. We do not take things that do not belong to us. We also do not wrongly desire those things. When we live out the Tenth Commandment, we do not covet, or wrongly desire, the goods and property of others.

Glory to You, Lord

Cumplir el décimo mandamiento nos aleja de pasar mucho tiempo deseando las cosas que no tenemos, en vez de dar gracias por lo que tenemos. Debemos trabajar por lo que necesitamos y ayudar a otros a tener lo que necesitan.

¿Nos alegramos de que la gente tenga lo que necesita? ¿Nos alegramos de que la gente tenga todas las cosas que quieren? La **envidia** es un sentimiento de tristeza porque alguien tiene cosas que queremos para nosotros. La envidia lleva a tomar lo que pertenece a otro.

Cuando la gente depende de Dios y agradece los muchos dones que él le ha dado, la envidia no es parte de su vida. La gente que piensa en otros y los ama desarrolla un corazón generoso, no envidia a nadie.

 Lee cada una de estas situaciones. Escenifícalas para mostrar como los niños pueden cumplir el décimo mandamiento.

- Darryl ayudó a su padre todo el verano. Su padre le dio una nueva bicicleta por su trabajo. Vinny ve la bicicleta y piensa: "quiero esa bicicleta".

- Roberta y Carlos fueron finalistas en el concurso de deletrear. Carlos falló en deletrear una palabra que Roberta deletreó correctamente. Roberta ganó.

Jesús nos enseñó a confiar en Dios sobre todas las cosas.

"No codicies la casa de tu prójimo . . . ni nada que le pertenezca" (Exodo 20:17), nos recuerda no dejarnos atrapar en querer cosas. Todos necesitamos ciertas cosas para tener una vida sana y feliz. Dios espera que tengamos esas cosas. El nos llama a ayudar a otros a tener las cosas que necesitan. Sin embargo, cuando las personas son avaras quieren más y más cosas, por ejemplo: dinero o ropa. **Avaricia** es un deseo excesivo de tener cosas.

Living out the Tenth Commandment keeps us from spending too much time wishing for the things we do not have. Instead, we should be thankful for what we have. We should work for what we need and work to help others to have what they need.

Are we happy that people have what they need? Are we happy that people have many things that they want? **Envy** is a feeling of sadness when someone else has the things we want for ourselves. Envy can lead to taking what belongs to someone else.

When people rely on God and are grateful for the many gifts he has given them, envy does not become a part of their lives. People who think of others in a loving and giving way develop a generous heart, not an envious one.

Jesus taught us to trust in God above all things.

"You shall not covet your neighbor's house . . . nor anything else that belongs to him" (Exodus 20:17) reminds us not to get caught up in wanting things. We all need certain things to have a happy and healthy life. God hopes that we have those things. He calls us to help others have the things they need, too. However, when people are greedy they want more and more of something—for example, money or clothing. **Greed** is an excessive desire to have or own things.

Read each situation. Act it out to show how the boys and girls can follow the Tenth Commandment.

- Darryl helped his father all summer. His father gave him a new bike for his hard work. Vinny sees the new bike and thinks, "I want that bike."

- Roberta and Carlos were finalists in the school spelling bee. Carlos misspelled a word that Roberta spelled correctly. Roberta won.

Piensa en estas palabras de Jesús: "Cuídense ustedes de toda avaricia; porque la vida no depende del poseer muchas cosas". (Lucas 12:15)

Cuando las personas son avaras quieren tanto las cosas, que se olvidan de las cosas importantes en la vida. Se olvidan de la felicidad que viene de amar a Dios y a los demás. Se olvidan de vivir de la manera que Jesús nos enseñó. Jesús nos enseñó que confiar en Dios es más importante que pensar en el dinero y el éxito.

Describe lo que es importante para ti en la vida. ¿Por qué es eso importante? ¿Te ayuda a amar a Dios y a los demás?

Depender de Dios trae felicidad.

Jesús nos dice que la verdadera felicidad viene de amar a Dios y vivir como Jesús vivió. Jesús dijo:

"Dichosos los que reconocen su necesidad espiritual, pues el reino de Dios les pertenece". (Mateo 5:3)

Somos **pobres de espíritu** cuando dependemos totalmente de Dios. Para ser pobres de espíritu debemos confiar en Dios y estar dispuestos a hacer su voluntad. Necesitamos estar contentos con lo que tenemos y encontrar gozo en las cosas simples de la vida.

Los que cumplen el décimo mandamiento ponen su confianza en Dios. Siguen el ejemplo de Jesús. Jesús siempre confió en su Padre. Jesús dio a los necesitados, cuidó de los enfermos y de los que no tenían a nadie. Jesús pide a todos sus discípulos hacer lo mismo. La Iglesia muestra que es pobre de espíritu cuando ayuda a los necesitados.

San Pablo fue uno de los discípulos de Jesús. El trató de ayudar a la gente a creer en Jesús y vivir como el vivió:

"No he querido para mí mismo ni el dinero ni la ropa de nadie; al contrario, bien saben ustedes que trabajé con mis propias manos para conseguir lo necesario para mí y para los que estaban conmigo. Siempre les he enseñado que así se debe trabajar y ayudar a los que están en necesidad, recordando aquellas palabras del Señor Jesús: "Hay más dicha en dar que en recibir". (Hechos de los apóstoles 20:33–35)

San Pablo no perdió tiempo deseando tener el dinero que otros tenían. El ayudó a los necesitados. También nosotros somos llamados a seguir las palabras de Jesús y vivir el décimo mandamiento.

¿Cómo el dar y recibir es señal de confianza en Dios y en las personas?

Think about these words of Jesus: "Take care to guard against all greed, for though one may be rich, one's life does not consist of possessions" (Luke 12:15).

When people are greedy they want things so much that they can forget the things that are important in life. They forget about the happiness that comes from loving God and others. They forget about living the way that Jesus taught us to live. Jesus taught us that trusting in God is more important than thinking about money and success.

Describe what is important to you in your life. Why is it important? Does it help you to love God and others?

Depending upon God brings happiness.

Jesus tells us that true happiness comes from loving God and living as Jesus did. Jesus said,

"Blessed are the poor in spirit,
  for theirs is the kingdom of heaven" (Matthew 5:3).

We are **poor in spirit** when we depend on God completely. To be poor in spirit we must be trusting and open to God's will. We need to be content with what we have and find joy in the simple things of life.

People who live by the Tenth Commandment place their trust in God. They follow the example of Jesus. Jesus always placed his trust in his Father. Jesus gave to those who were in need and cared for people who were sick or alone. Jesus asks all of his disciples to do the same. The Church shows that it is poor in spirit when it helps people who are in need.

Saint Paul was one of Jesus' disciples. He tried to help people believe in Jesus and live as Jesus did:

"I have never wanted anyone's silver or gold or clothing. You know well that these very hands have served my needs and my companions. In every way I have shown you that by hard work of that sort we must help the weak, and keep in mind the words of the Lord Jesus who himself said, 'It is more blessed to give than to receive'" (Acts of the Apostles 20:33–35).

Saint Paul did not waste time wishing that he had the money that some other people had. Instead, he helped those in need. We, too, are called to follow the words of Jesus and live by the Tenth Commandment.

How can both giving and receiving be a sign of trust in others? in God?

Algunas personas se hacen religiosas, hermanos religiosos o sacerdotes.

Como miembros de comunidades religiosas ellos hacen votos de castidad, pobreza y obediencia. En sus comunidades religiosas comparten todo por el bien común. Su forma de vivir les da gran libertad para servir a Dios y su prójimo. No están distraídos por el deseo de cosas materiales, poder o fama.

Con tu familia busca una comunidad religiosa que sirva cerca de tu casa. ¿Hay alguna forma en que puedan ayudarle con su trabajo?

Vocabulario

envidia (pp 317)

avaricia (pp 317)

pobre de espíritu (pp 318)

Jesús nos enseña que la ley de Dios es amor.

Jesús dijo una vez: "No crean ustedes que yo he venido a poner fin a la ley ni a las enseñanzas de los profetas; no he venido a ponerles fin, sino a darles su verdadero significado". (Mateo 5:17) Jesús cumplió la ley viviéndola con amor a Dios y a los demás. El mostró que cumplir los mandamientos da la felicidad que ofrece la amistad con Dios. Cuando cumplimos los mandamientos, lo hacemos con amor a Dios, a nosotros mismos y a los demás.

Jesús mostró el amor de Dios. Su vida fue santa, de total amor al Padre y de servicio a los demás. La vida de Jesús mostró que el Espíritu Santo estaba trabajando activamente en el mundo.

Jesús aceptó a todo el mundo y los ayudó a sentir el amor de Dios. Jesús llamó a todos a mirar en sus corazones y pensar en las necesidades de los demás. Su vida y obras nos mostraron que debemos amar a Dios sobre todas las cosas y a nuestro prójimo como a nosotros mismos. Como escribió San Pablo: "en el amor se cumple perfectamente la ley". (Romanos 13:10)

RESPONDEMOS

Con un compañero compongan una canción que describa formas en que la gente vive los Diez Mandamientos.

¿Qué harás esta semana para dar ejemplo a otros?

_____

_____

_____

Jesus teaches us that God's law is love.

Jesus once said, "Do not think that I have come to abolish the law or the prophets. I have come not to abolish but to fulfill" (Matthew 5:17). Jesus fulfilled the law by living it with complete love for God and others. He showed that following the Ten Commandments brings the happiness that comes from friendship with God. When we follow the commandments, we do so with love for God, ourselves, and others.

Jesus showed God's love. His life was one of holiness, complete love of his Father and service to others. Jesus' life showed that the Holy Spirit was active and working in the world.

Jesus accepted all people and helped them to feel God's love. Jesus called all people to look into their hearts and think of the needs of others. His life and his words showed us that we must love God above all things and our neighbor as ourselves. As Saint Paul wrote, "Love is the fulfillment of the law" (Romans 13:10).

WE RESPOND

With a partner, make up a song to describe ways that people live out the Ten Commandments.

What will you do this week to be an example to others?

_____

_____

_____

_____

As Catholics...

Some women and men become religious sisters, brothers, or priests. As members of religious communities, they make vows, or promises, to God. These vows are chastity, poverty, and obedience. In their religious communities they share everything for the common good. Their way of life gives them great freedom to serve God and their neighbors. They are not distracted by the desire for material things, power, or fame.

With your family find out which religious communities are serving in or near your town or city. Is there any way that you can help in their work?

Key Words

envy (p. 319)

greed (p. 319)

poor in spirit (p. 320)

HELP THE MISSIONS

HACIENDO DISCÍPULOS

Muestra *lo* que sabes

Encuentra las palabras del  que contestan las claves escribiendo la letra que está ANTES o DESPUÉS de la letra dada en el alfabeto.

A B C D E F G H I J K L M N O P Q R S T U V W X Y Z

1. Entristecerse porque alguien tiene cosas que queremos para nosotros

___ ___ ___ ___ ___ ___ ___
F   O   W   H   E   J   B

2. Deseo excesivo de tener cosas

___ ___ ___ ___ ___ ___ ___
B   U   B   S   J   D   H   B

3. Los que dependen totalmente de Dios

___ ___ ___ ___ ___ ___ ___ ___ ___ ___ ___ ___ ___ ___
Q   P   A   Q   D   T   C   F   D   R   O   J   Q   H   S   V

Investiga

Piensa en tu libro, programa de TV o película favorita en la que uno o más personajes es envidioso o avaro. ¿Cuáles fueron los efectos de la envidia o la avaricia en la historia? Escríbelos aquí.

_____

_____

Reza

Dios de amor, quiero ser verdaderamente feliz confiando en ti y dependiendo de ti. Quiero ser pobre de espíritu. Ayúdame a

_____

PROJECT DISCIPLE

Show What *you* Know

Find the Key Words that answer the clues by writing the letter that comes BEFORE or AFTER the given letter in the alphabet.

A B C D E F G H I J K L M N O P Q R S T U V W X Y Z

1. Feeling of sadness when someone else has the things we want for ourselves

___ ___ ___ ___
 F   O   W   Z

2. An excessive desire to have or own things

___ ___ ___ ___ ___
 F   Q   D   D   C

3. Those who depend on God completely

___ ___ ___ ___ ___ ___ ___ ___ ___ ___ ___
 Q   P   P   S   J   O   R   O   H   Q   H   S

More *to* Explore

Think of a favorite book, TV show, or movie in which one or more characters are envious and/or greedy. What were the effects of envy and/or greed on the story? Write them here.

_____

_____

 ## Pray Today

Dear God, I want to be truly happy by trusting you and depending on you. I want to be poor in spirit. Help me to

_____

Vidas de santos

Como discípulos de Jesús debemos tratar toda la creación con respeto: personas, animales, plantas, tierra, agua y aire. San Isidro y santa María fueron una pareja de agricultores casados que vivieron en España. Ellos cuidaron respetuosamente de los animales. Ellos ayudaron al pobre. San Isidro y santa María son los patronos de los agricultores.

↳ RETO PARA EL DISCÍPULO

- Encierra en un círculo la palabra que explica como debemos tratar a la creación de Dios.

- San Isidro y santa María son los patronos de

  los _____.

- Visita *Vidas de santos* en **www.creemosweb.com**.

Realidad

Las personas que piensan en otras con amor y con deseo de dar desarrollan un corazón generoso.

¿A quién nominarías para un premio "Corazón generoso"? Di cuales son tus razones.

_____

_____

_____

_____

_____

Corazón generoso

Tarea

Con tu familia, escriban los Diez Mandamientos (ver página 90). Después decidan una forma en que van a cumplir cada uno de los mandamientos en los meses siguientes.

Saint Stories

As disciples, we are to treat every part of creation with respect: people, animals, plants, land, water, and air. Saint Isidore and Saint Maria were a married couple who were farmers in Spain. They cared respectfully for animals. They helped the poor. Saint Isidore and Saint Maria are the patron saints of farmers.

↳ **DISCIPLE CHALLENGE**

- Circle the word that says how we are to treat all of God's creation.

- Saint Isidore and Saint Maria are the patron

  saints of _____.

- Visit *Lives of the Saints* at **www.webelieveweb.com**.

Reality Check

People who think of others in a loving and giving way develop a generous heart.

Who would you nominate for a "Generous Heart" award? Tell the reasons for your choice.

_____

_____

_____

_____

_____

Take Home

With your family, write out the Ten Commandments (page 91). Then decide as a family one way to live out each commandment in the coming months.

NOS CONGREGAMOS

✝ **Lector:** Ven, Espíritu Santo, llena los corazones de tus fieles.

Todos: Y enciende en ellos el fuego de tu amor.

Lector: Envía tu Espíritu, Señor, y serán creados.

Todos: Y renovarás la faz de la tierra.

🎵 **Juntos**

Dios ha llamado hoy a formar un pueblo
fiel, un pueblo que le sirva sólo a El:
que alabe su nombre,
que proclame su poder.
Juntos, llenaremos la tierra
de alabanza a nuestro Dios.

☀ ¿A quién miras con respeto? ¿Cómo esa persona es un ejemplo para ti?

CREEMOS

Jesús es nuestro modelo de santidad.

Dios es todo bondad y santidad. El quiere que también nosotros seamos santos. Dios Padre envió a su Hijo al mundo para compartir su vida divina con nosotros. Con su vida, muerte y resurrección, Jesús nos libera del pecado y comparte la vida y la santidad de Dios con nosotros.

Santidad es compartir la bondad de Dios y responder al amor de Dios con la forma en que vivimos. Ser santo quiere decir ser como Dios. Nuestra santidad viene de la gracia, el don de la vida de Dios que recibimos en el Bautismo. Como miembros de la Iglesia, somos llamados a crecer en santidad. Crecemos en santidad cuando: creemos en Jesús, vivimos como Jesús vivió, trabajando por la justicia y la paz, rezamos y celebramos los sacramentos y respondemos al regalo de Dios mismo.

Jesucristo es el modelo perfecto o ejemplo, de santidad porque él es el Hijo de Dios. Jesús puso a Dios, su Padre, antes que todo. Las cosas que Jesús hizo y la forma como trató a los demás mostraron lo importante que Dios era para él. Jesús confió en su Padre completamente y le rezó con frecuencia. Jesús cumplió los mandamientos, amó a los demás y ayudó a los necesitados.

Con sus palabras y obras Jesús nos enseña a ser santos. El nos enseña a amar a Dios y a los demás, a ayudar a los necesitados y a trabajar por la justicia y la paz. Si seguimos a Jesús, él nos llevará a la santidad. Creceremos en el amor de Dios.

🏃 Nombra a alguien a quien consideras santo. Di por qué.

_____

_____

We Grow in Holiness

WE GATHER

✝ **Reader:** Come, Holy Spirit, fill the hearts of your faithful.

All: And kindle in them the fire of your love.

Reader: Send forth your Spirit and they shall be created.

All: And you will renew the face of the earth.

🎵 **You Call Us to Live**

You call us to live close to you.
The signs that you give come from you.
At times when we need help from you,
    you are there with us.

☀ Whom do you look up to and respect? How is he or she a role model for you?

WE BELIEVE
Jesus is our model of holiness.

God is all good and holy. He wants us to be holy, too. So God the Father sent his Son into the world to share his divine life with us. By his life, Death, and Resurrection, Jesus frees us from sin and shares God's life and holiness with us.

Holiness is sharing in God's goodness and responding to God's love by the way we live. Being holy means being like God. Our holiness comes from grace, the gift of God's life that we first receive in Baptism.

As members of the Church, we are called to grow in holiness. We grow in holiness when we: believe in Jesus, live as Jesus did working for justice and peace, pray, and celebrate the sacraments and respond to God's gift of himself.

Jesus Christ is the perfect model, or example, of holiness because he is the Son of God. Jesus put God his Father first in his life. The things Jesus did and the ways he treated others showed how important God was to him. Jesus trusted his Father completely and prayed to him often. Jesus lived by the commandments, loved others, and helped all those in need.

By his words and actions Jesus teaches us to be holy. He teaches us to love God and others, help those in need, and work for justice and peace. If we follow Jesus, he will lead us to holiness. We will grow in God's love.

🏃 Name someone you consider holy. Tell why.

_____

_____

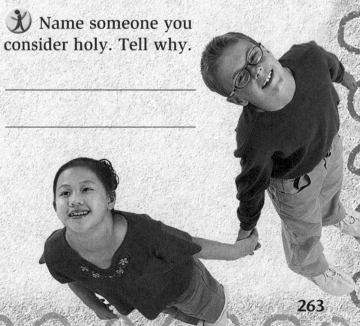

263

Abrimos nuestros corazones y mentes en oración.

Orar es una forma de comunicarnos con Dios y él con nosotros. Rezamos a Dios escuchándolo y hablando con él en nuestras mentes y corazones. Cuando abrimos nuestras mentes y corazones a Dios, respondemos a la invitación de amar a Dios. Acogemos a Dios en nuestras vidas.

La oración es parte importante de nuestra llamada a la santidad. La oración nos ayuda a tener más confianza. Nos ayuda a confiar en Dios y a saber lo que Dios quiere que hagamos en nuestras vidas. Dios, el Espíritu Santo, nos ayuda a rezar y a estar abiertos a la voluntad de Dios. Rezar nos fortalece para seguir el ejemplo de Jesús. Nos ayuda a vivir nuestra fe.

Durante su vida en la tierra Jesús rezó con frecuencia. En su familia aprendió las oraciones de la fe judía. Jesús con frecuencia rezó los salmos y fue a la sinagoga a rezar.

Los discípulos de Jesús querían rezar como él. Así que Jesús les enseñó el Padrenuestro. El Padrenuestro es también llamada la Oración del Señor. El Padrenuestro resume las enseñanzas de Jesús. Cuando rezamos el Padrenuestro recordamos que Dios es un Padre amoroso. Vamos a Dios con confianza y esperanza. Llamamos a Dios, Padre, porque Jesús, su Hijo, así lo hizo.

El Padrenuestro es la oración perfecta y es una parte importante de nuestra liturgia. Cada vez que rezamos "hágase tu voluntad", estamos prometiendo seguir la voluntad de Dios en nuestra vida diaria como lo hizo Jesús.

 Mira las palabras del Padrenuestro en la página 306. ¿Que significa la oración para ti?

Los sacramentos nos acercan a Dios.

La comunidad de la iglesia se reúne a rezar en nombre de Jesús. La **liturgia** es la oración pública y oficial de la Iglesia. En la liturgia celebramos la vida, muerte, resurrección y ascensión de Cristo. La liturgia incluye la celebración de la misa, los sacramentos y la Liturgia de las Horas.

264

We open our hearts and minds in prayer.

Prayer is a way that we communicate with God and God communicates with us. We pray to God by listening and talking to him with our minds and hearts. When we open our minds and hearts to God, we respond to God's invitation to love him. We welcome God into our lives.

Prayer is an important part of our call to holiness. Prayer helps us to be more trusting. It helps us to rely on God and to know what God wants us to do in our lives. God the Holy Spirit helps us to pray and to be open to God's will for us. Praying strengthens us to follow Jesus' example. It helps us to live out our faith.

During his life on earth Jesus prayed often. In his family he learned the prayers of his Jewish faith. Jesus often prayed the psalms, and went to the synagogue to pray.

Jesus' disciples wanted to pray as he did. So Jesus taught them the Lord's Prayer. The Lord's Prayer is also called the Our Father. The Lord's Prayer sums up Jesus' teachings. When we pray the Lord's Prayer, we are reminded that God is a loving Father. We turn to God in trust and hope. We call on God the Father because Jesus his Son did.

The Lord's Prayer is the most perfect prayer. And it is an important part of all of our liturgy. Every time we pray "thy will be done," we are promising to follow God's will in our daily lives just as Jesus did.

Look at the words of the Our Father on page 307. What does this prayer mean to you?

The sacraments draw us closer to God.

The Church community gathers together in Jesus' name to pray. The **liturgy** is the official public prayer of the Church. In the liturgy we celebrate the life, Death, Resurrection, and Ascension of Christ. The liturgy includes the celebration of the Mass, the sacraments, and the Liturgy of the Hours.

Cristo prometió a sus primeros discípulos: "Donde dos o tres se reúnen en mi nombre, allí estoy yo en medio de ellos". (Mateo 18:20) Cuando nos reunimos en nombre de Cristo, el Espíritu Santo está también con nosotros. El Espíritu Santo prepara nuestros corazones para escuchar y entender como Cristo está viendo y actuando en nosotros. El Espíritu Santo nos dirige y nos une como Cuerpo de Cristo.

Cristo vive y obra en la Iglesia especialmente por medio de los siete sacramentos. Un **sacramento** es un signo especial dado por Jesús por medio del cual compartimos la vida de Dios.

Por medio de los sacramentos Dios comparte su vida con nosotros y crecemos en santidad. En cada sacramento celebramos el amor de Dios en nosotros.

La gracia que recibimos en los sacramentos nos ayuda a crecer en santidad. Con el crecimiento del amor y la santidad de Dios en nosotros nos parecemos más a Jesús. Somos capaces de predicar el mensaje del amor de Dios y de cumplir los mandamientos.

¿Cuándo te reúnes con tu parroquia a celebrar la liturgia? ¿Qué es lo que más te gusta de celebrar juntos?

Los sacramentos de iniciación cristiana nos dan la bienvenida a la Iglesia, nos fortalecen para ser seguidores de Jesús y alimentan nuestra fe.

**Bautismo
Confirmación
Eucaristía**

Los sacramentos de sanación nos ofrecen el perdón, la paz y el toque sanador de Dios. Nos fortalecen y nos dan valor.

**Reconciliación
Unción de los enfermos**

Los sacramentos de servicio celebran formas específicas de servir a Dios y a la Iglesia. Ellos fortalecen a quienes los reciben para ser fieles.

**Orden Sagrado
Matrimonio**

Christ promised his first disciples: "Where two or three are gathered together in my name, there am I in the midst of them" (Matthew 18:20). When we come together in Christ's name, the Holy Spirit is with us, too. The Holy Spirit prepares our hearts to hear and understand how Christ is living and acting among us. The Holy Spirit draws us together and unites us as the Body of Christ.

Christ lives and acts in the Church, especially through the Seven Sacraments. A **sacrament** is a special sign given to us by Jesus through which we share in God's life.

Through each sacrament God shares his life with us, and we grow in holiness. In each sacrament we celebrate God's love for us.

The grace we receive in the sacraments helps us to grow in holiness. As God's goodness and holiness in us grows, we become more like Jesus. We are able to spread the message of God's love and live by the commandments.

When do you gather with your parish for liturgy? What do you enjoy most about celebrating together?

The Sacraments of Christian Initiation welcome us into the Church, strengthen us to be followers of Jesus, and nourish our faith.

Baptism
Confirmation
Eucharist

The Sacraments of Healing offer us God's forgiveness, peace, and healing touch. They strengthen and encourage us.

Penance
Anointing of the Sick

The Sacraments of Service celebrate particular ways of serving God and the Church. They strengthen those who receive them to be faithful.

Holy Orders
Matrimony

El Espíritu Santo comparte con nosotros dones especiales.

Respondemos al llamado de Dios a la santidad, como comunidad de creyentes y seguidores de Cristo. Dios, el Espíritu Santo, ayuda a toda la Iglesia a crecer. Juntos tratamos de seguir el ejemplo de Jesús y vivir vidas santas. El Espíritu Santo nos ayuda y protege.

El Espíritu Santo está con nosotros siempre. El Espíritu Santo nos ayuda a escuchar nuestra conciencia y a tomar buenas decisiones. Los siete **dones del Espíritu Santo** nos ayudan a cumplir la ley de Dios y a vivir como Jesús vivió. Recibimos esos dones de forma especial en el sacramento de la Confirmación.

Dones del Espíritu Santo	Lo que produce en nosotros
sabiduría	ver y cumplir la voluntad de Dios en nuestras vidas
entendimiento	amor y aprecio por los demás
consejo	tomar buenas decisiones y cumplir los Diez Mandamientos
fortaleza	ser fuerte en nuestra fe, ser testigo de Jesús y defender lo que es justo
ciencia	saber más sobre Dios y su amor por nosotros
piedad	mostrar amor y respeto por Dios
temor de Dios	ver la presencia de Dios en nuestras vidas y en el mundo.

Los **frutos del Espíritu Santo** son las buenas cosas que las personas pueden ver en nosotros cuando respondemos a los dones del Espíritu Santo.

San Pablo entendió que los dones del Espíritu Santo pueden cambiar a la gente. El escribió: "En cambio, lo que el Espíritu produce es amor, alegría, paz, paciencia, amabilidad, bondad, fidelidad, humildad y dominio propio". (Gálatas 5:22–23)

RESPONDEMOS

Reza para tener la mente y el corazón abiertos a Dios Espíritu Santo.

Con tu grupo planifiquen un drama corto que muestre los frutos del Espíritu Santo en acción.

Vocabulario

liturgia (pp 317)

sacramento (pp 318)

dones del Espíritu Santo (pp 317)

frutos del Espíritu Santo (pp 317)

The Holy Spirit shares special gifts with us.

We answer God's call to holiness together, as a community of people who believe in and follow Jesus. God the Holy Spirit helps the whole Church to grow. Together we try to follow Jesus' example and lead lives of holiness. The Holy Spirit helps and supports us.

The Holy Spirit is with us always. The Holy Spirit helps us to listen to our conscience and to make good choices. The seven **gifts of the Holy Spirit** help us to follow God's law and live as Jesus did. We receive these gifts in a special way in the Sacrament of Confirmation.

As Catholics...

At different times during the day the People of God gather to pray the Liturgy of the Hours. During these prayers, psalms are sung, Scripture readings are read, and God is praised for his creation and his mercy. Priests and many religious communities pray the Liturgy of the Hours. Some parishes pray Morning and Evening Prayer, which are the two most important prayers of the Liturgy of the Hours.

When is your favorite time to pray?

Gifts of the Holy Spirit	This gift helps us to
wisdom	see and follow God's will in our lives
understanding	love and appreciate others
counsel	make good decisions and follow the Ten Commandments
fortitude	be strong in our faith and witness to Jesus; stand up for what is right
knowledge	know more about God and his love for us
piety	show love and respect for God
fear of the Lord	see God's presence in our lives and in the world.

The **fruits of the Holy Spirit** are the good things people can see in us when we respond to the gifts of the Holy Spirit.

Saint Paul understood that the gifts of the Holy Spirit can change people. He wrote that "the fruit of the Spirit is love, joy, peace, patience, kindness, generosity, faithfulness, gentleness, self-control" (Galatians 5:22–23).

WE RESPOND

 Pray that you will keep an open mind and hear God the Holy Spirit.

With a group plan a short play that shows the fruits of the Holy Spirit in action.

Key Words

liturgy (p. 319)

sacrament (p. 320)

gifts of the Holy Spirit (p. 319)

fruits of the Holy Spirit (p. 319)

HACIENDO DISCÍPULOS

Muestra lo que sabes

Aparea los números con las letras para encontrar las palabras del **Vocabulario**. Después lee cada definición.

A	C	D	E	F	G	I	L	M	N	O	P	R	S	T	U
1	2	3	4	5	6	7	8	9	10	11	12	13	7	15	16

1. Los __ __ __ __ __ __ __ __ __ __ __ __ __ __ __ __
   3 11 10 4 14   3 4 8   4 14 12 7 13 7 15 16

__ __ __ __ __ nos ayudan a cumplir la ley de Dios y a vivir como Jesús vivió.
14 1 10 15 11

2. __ __ __ __ __ __ __ __ es la oración pública y oficial de la Iglesia.
   8 7 15 16 13 6 7 1

3. Un __ __ __ __ __ __ __ __ __ __ es un signo especial dado por Jesús.
   14 1 2 13 1 9 4 10 15 11

4. __ __ __ __ __ __ __ __ __ __ __ __ __ __ __ __
   5 13 16 15 11 14   3 4 8   4 14 12 7 13 7 15 16

__ __ __ __ __ son buenas cosas que las personas pueden ver en nosotros
14 1 10 15 11

cuando respondemos a los dones del Espíritu Santo.

Celebra

"Porque donde están dos o tres reunidos en mi nombre, allí estoy yo en medio de ellos".
(Mateo 18:20)

¿Cuándo se reúnen tú, tu familia, amigos y vecinos en nombre de Jesús?

_____

_____

PROJECT DISCIPLE

Show What *you* Know

Match the numbers with the letters to find the **Key Words**.
Then read each definition.

A	C	E	F	G	H	I	L	M	N	O	P	R	S	T	U	Y
1	2	3	4	5	6	7	8	9	10	11	12	13	14	15	16	17

1. __ __ __ __ __ __ __ __ __ __ __ __ __ __
   5 7 4 15 14   11 4   15 6 3   6 11 8 17

  __ __ __ __ __ __ help us to follow God's law and live as Jesus did.
  14 12 7 13 7 15

2. __ __ __ __ __ __ __ is the official public prayer of the Church.
  8 7 15 16 13 5 17

3. A __ __ __ __ __ __ __ __ __ is a special sign given to us by Jesus.
    14 1 2 13 1 9 3 10 15

4. __ __ __ __ __ __ __ __ __ __ __ __ __ __ __
   4 13 16 7 15 14   11 4   15 6 3   6 11 8 17

  __ __ __ __ __ __ are the good things people can see in us when we
  14 12 7 13 7 15

respond to the gifts of the Holy Spirit.

Celebrate!

Jesus promised, "For where two or three are gathered together in my name, there am I in the midst of them" (Matthew 18:20).

When do you, your family, friends, or neighbors gather in Jesus' name?

_____

_____

Orar
Conocer
Celebrar
Compartir
Expresar
Vivir

HACIENDO DISCIPULOS

Vidas de santos

Desde muy temprana edad, Teresa de los Andes trató de vivir cada día de su vida como seguidora de Jesús. Dedicó toda su vida a Dios y a la edad de 19 años entró al monasterio. El beato papa Juan Pablo II la canonizó en 1993. Ella es la primera santa de Chile. Aprende más sobre santa Teresa de los Andes y otros santos en *Vidas de santos* en **www.creemosweb.com**.

↳ **RETO PARA EL DISCIPULO** ¿Qué puede hacer un estudiante de cuarto curso para mostrar que sigue a Jesucristo?

Investiga

Los sacramentales son bendiciones, acciones y objetos que la Iglesia usa para prepararnos para las gracias de los sacramentos. Algunos sacramentales son: rosarios, estatuas, medallas, velas y crucifijos. Los sacramentales nos recuerdan rezar a Dios. También nos recuerdan a Jesús y a los santos y nos ayudan a rezar.

↳ **RETO PARA EL DISCIPULO**
- Subraya la frase que dice para que la Iglesia usa los sacramentales.
- Nombra los sacramentales que hay en tu casa.

Datos

Bendecirnos con agua bendita es un ejemplo de un sacramental. El agua bendita y la señal de la cruz nos ayudan a recordar nuestro bautismo.

Tarea

En familia visiten *Reunidos en mi nombre* en **www.creemosweb.com**. Compartan la "Pregunta de la semana" para las lecturas del domingo.

Compártelo.

PROJECT DISCIPLE

Saint Stories

From her earliest years, Teresa de los Andes tried to live every day of her life as a follower of Jesus. She devoted her entire life to God, and at the age of 19 she entered a monastery. Blessed Pope John Paul II canonized her in 1993. She is the first saint from Chile. To learn more about Saint Teresa de los Andes and other saints, visit *Lives of the Saints* at **www.webelieveweb.com**.

↳ **DISCIPLE CHALLENGE** What can fourth graders do today to show that they follow Jesus Christ?

More to Explore

Sacramentals are blessings, actions, and objects that the Church uses to prepare us for the graces of the sacraments. Some objects that are sacramentals are statues, rosaries, medals, candles, and crucifixes. Sacramentals remind us to praise God. They remind us of Jesus and the saints, and they help us to pray.

↳ **DISCIPLE CHALLENGE**

• Underline the phrase that tells how the Church uses sacramentals.

• Name some sacramentals that you have in your home.

Fast Facts

Blessing ourselves with holy water is an example of a sacramental. The holy water and the Sign of the Cross help us to remember Baptism.

Take Home

As a family, visit *Gather In My Name* at **www.webelieveweb.com**. Share the "Question of the Week" for this Sunday's readings.

Now, pass it on!

273

Somos la Iglesia

NOS CONGREGAMOS

✝ **Líder:** Vamos a pensar en las personas que conocemos y que cuidan de nosotros.

Dios de amor, gracias por los dones de la amistad, la familia y la comunidad.

Somos una Iglesia

Un solo Señor,
un solo Señor.
Un mismo Espíritu,
un mismo Espíritu.
Somos una Iglesia.

Vivamos nuestro llamado siendo humildes, siendo amables y pacientes.

 Conversen sobre lo que significa pertenecer a un grupo, un club, una organización. ¿Quién más sabe que eres un miembro?

CREEMOS

La Iglesia es una comunidad mundial.

Todos los católicos del mundo comparten la misma fe en Jesús y su Iglesia. Celebramos los mismos siete sacramentos y cumplimos los mandamientos. Tenemos diferentes idiomas y costumbres pero estamos unidos por nuestro bautismo y nuestra llamada a amar a Dios y a otros.

Una **parroquia** es una comunidad de creyentes que adoran y trabajan juntos. Los católicos que viven en el mismo vecindario, generalmente pertenecen a la misma parroquia. Los miembros de la parroquia se reúnen para la misa los domingos y para los sacramentos. Rezan, estudian y trabajan juntos por la justicia y la paz. Sirven a la parroquia en diferentes ministerios. Tienen responsabilidades en la educación religiosa, organizaciones de jóvenes, programas sociales y en la liturgia.

WE GATHER

✝ **Leader:** Let us sit quietly and think about all of those we know and care for.

Loving Father, thank you for the gifts of friendship, family, and community.

🎵 **Though We Are Many/ Make Us a Sign**

Though we are many, we are one fam'ly.
We are one body in your love.

Make us your people, people of Jesus.
Make us your people, called by love.

 Discuss what it is like to belong to a group, club, or organization. How do others know you are a member?

WE BELIEVE
The Church is a worldwide community.

All Catholics in the world share the same beliefs in Jesus and the Church. We celebrate the same Seven Sacraments and follow the commandments. We have different languages and customs, but we are united by our Baptism and our call to love God and others.

A **parish** is a community of believers who worship and work together. Catholics in nearby neighborhoods usually belong to the same parish. Parish members gather for Sunday Mass and the sacraments. They pray, study, and work together for justice and peace. People serve their parishes through different ministries. They have responsibilities in religious education, youth organizations, social outreach programs, and in the liturgy.

Un **párroco** es el sacerdote que dirige una parroquia en adoración, oración y enseñanza. Un diácono sirve a la parroquia predicando, bautizando y ayudando al párroco. Todos los miembros de la parroquia trabajan juntos para continuar el trabajo de Jesús.

Cada parroquia es parte de una **diócesis**, área local de la Iglesia dirigida por un obispo. Los **obispos** son líderes de la Iglesia que continúan el trabajo de los apóstoles. Los obispos son los sucesores de los apóstoles. La autoridad de los apóstoles ha sido dada a los obispos de generación en generación. Los obispos continúan el trabajo de Jesús que fue dado primero a los apóstoles. Ellos actúan en nombre de Jesús. Los obispos enseñan, gobiernan o dirigen, y santifican, hacen santa, a la Iglesia.

El **papa** es el obispo de la diócesis de Roma en Italia. El continúa el liderazgo de San Pedro y los obispos trabajan con el papa como su líder. Junto con los obispos el dirige y guía a toda la Iglesia.

✦ Haz una lista de las formas en que mostrarás que eres parte de la comunidad parroquial.

Como miembros de la Iglesia tenemos responsabilidades.

Jesús ayudó a Pedro y a los apóstoles a guiar la Iglesia. En la última cena Jesús dijo a los apóstoles: "El Espíritu Santo, el Defensor que el Padre va a enviar en mi nombre, les enseñará todas las cosas y les recordará todo lo que les he dicho". (Juan 14:26)

Igual que los apóstoles, el papa y los obispos son fortalecidos y guiados por el Espíritu Santo. Ellos nos ayudan a entender lo que significa vivir como seguidores de Jesús en el mundo hoy.

El Espíritu Santo está con todos nosotros, ayudándonos a ser discípulos de Jesús. El papa y los obispos han establecido algunas leyes para ayudarnos a conocer y cumplir nuestras responsabilidades como miembros de la Iglesia. Estas leyes son llamadas **preceptos de la Iglesia**.

Los preceptos de la Iglesia nos recuerdan que crecer en santidad y servir a la Iglesia son responsabilidades importantes. Nos ayudan a entender que amar a Dios y a los demás está relacionado con nuestra vida de oración, adoración y servicio. Los preceptos nos enseñan a obrar como miembros de la Iglesia. Ellos también aseguran que la Iglesia tiene lo que necesita para servir a sus miembros y para crecer.

✦ Explica a un amigo por qué los preceptos de la Iglesia son importantes.

276

The pope and bishops in St. Peter's Square, Vatican City

A **pastor** is the priest who leads the parish in worship, prayer, and teaching. A deacon serves the parish by preaching, baptizing, and assisting the pastor. All the members of the parish work together to continue Jesus' work.

Each parish is part of a **diocese**, a local area of the Church led by a bishop. The **bishops** are leaders of the Church who continue the work of the Apostles. The bishops are the successors of the Apostles. The authority of the Apostles has been handed down to the bishops of each generation. The bishops continue the work of Jesus that was first given to the Apostles. They act in Jesus' name. The bishops teach, govern, or lead, and sanctify, or make holy.

The **pope** is the bishop of the diocese of Rome in Italy. He continues the leadership of Saint Peter, and the bishops work with the pope as their leader. Together with all the bishops, he leads and guides the whole Church.

List some ways you will show that you are part of the parish community.

We have responsibilities as members of the Church.

Jesus gave Peter and the Apostles help in guiding the Church. At the Last Supper Jesus told the Apostles, "The holy Spirit that the Father will send in my name—he will teach you everything and remind you of all that [I] told you" (John 14:26).

Like the Apostles, the pope and bishops are strengthened and guided by the Holy Spirit. They help us to understand what it means to live as followers of Jesus in today's world.

The Holy Spirit is with all of us, helping us to be Jesus' disciples.

The pope and bishops have established some laws to help us know and fulfill our responsibilities as members of the Church. These laws are called the **precepts of the Church**.

The precepts of the Church remind us that growing in holiness and serving the Church are important responsibilities. They help us to see that loving God and others is connected to our life of prayer, worship, and service. The precepts teach us to act as members of the Church. They also make sure that the Church has what it needs to serve its members and to grow.

Explain to a friend why the precepts of the Church are important.

Celebramos los sacramentos.

El Bautismo es la puerta al resto de los sacramentos. Nos da la bienvenida a la Iglesia y a celebrar los demás sacramentos.

Los sacramentos nos cambian. Como católicos adoramos y celebramos juntos con otros miembros de la Iglesia. Por medio de los sacramentos la vida de Cristo crece en cada uno de nosotros y también crece la Iglesia. Aprender nuestra fe es una parte importante en la preparación para los sacramentos. Cuando leemos la Biblia y aprendemos más sobre Jesús, tenemos una mejor comprensión de la Iglesia y de nuestra fe. Podemos descubrir como vivir como Cristo nos pide, construyendo la comunidad de fe.

El primer precepto de la Iglesia nos recuerda recibir la comunión y asistir al sacramento de la Eucaristía los domingos y los días de precepto.

Las dos preceptos siguientes nos recuerdan la necesidad de recibir la comunión y el sacramento de la Reconciliación. La segunda ley nos recuerda celebrar el sacramento de la Reconciliación por los menos una vez al año. El tercer precepto nos pide recibir la Eucaristía por lo menos una vez durante el Tiempo de Pascua. Sin embargo, se nos pide celebrar en estos dos sacramentos frecuentemente.

Recibir la comunión y el perdón de Dios en la Reconciliación son formas importantes de alimentar y sanar la vida de Cristo en nosotros. Celebrar los sacramentos fortalece a la Iglesia y une a sus miembros.

Trabaja con un compañero. Nombren formas en que pueden cumplir estos tres preceptos.

We celebrate the sacraments.

Baptism is like a door to the rest of the sacraments. It welcomes us to the Church and to celebrate the other sacraments.

The sacraments change us. As Catholics we worship and celebrate with other members of the Church. Through the sacraments the life of Christ grows in each of us and the Church grows, too. An important part of preparing for the sacraments is learning about our faith. When we read the Bible and learn more about Jesus, we have a better understanding of the Church and our faith. We can discover how to live as Christ calls us to live, building up the community of faith.

The first precept or law of the Church reminds us to participate in the Sacrament of the Eucharist on Sundays and holy days of obligation.

The next two precepts remind us of the need to receive Holy Communion and the Sacrament of Penance. The second precept requires that we celebrate the Sacrament of Penance at least once a year. The third precept requires that we receive the Eucharist at least once during the Easter season. However, we are called to regular and frequent participation in these two sacraments.

Receiving Holy Communion and God's forgiveness in Penance are important ways of nourishing and healing the life of Christ in us. Celebrating the sacraments strengthens the Church and unites its members.

Work with a partner. Name ways you can follow the first three precepts.

As Catholics...

Each time we gather as a parish for the celebration of the Mass we profess our faith by saying the Nicene Creed or the Apostles' Creed. In the Nicene Creed we state, "I believe in one, holy, catholic and apostolic Church." Our belief in the Church is also a description of it. One, holy, catholic (universal), and apostolic are the four marks of the Church. These marks, or features, identify the Church.

Remember what you believe about the Church as you pray the Creed at Mass this week.

Tenemos un papel activo en la comunidad de la Iglesia.

Somos parte importante de la comunidad de la Iglesia. Por ser miembros de la Iglesia tenemos ciertas responsabilidades unos con otros. La cuarta ley de la Iglesia tiene que ver con la importancia de hacer penitencia. Hacer penitencia nos ayuda a centrarnos en Dios y en la importancia de vivir como cristianos. Hacer penitencia también muestra arrepentimiento de nuestros pecados. Es por eso que es una parte importante del sacramento de la Reconciliación. Hay días durante el año litúrgico en que los católicos hacen penitencia ayunando y no comen carne. Esos días son: el Miércoles de Ceniza, el Viernes Santo y todos los viernes de Cuaresma.

La quinta ley de la Iglesia tiene que ver con ayudar a la Iglesia y a los demás. Como miembros de la Iglesia contribuimos a su manutención en muchas formas. Ofrecemos dinero, tiempo y nuestros talentos. Así como cuesta dinero mantener nuestras familias, el dinero ayuda a las parroquias y a las diócesis en su trabajo. Esta es una razón por la que se hace la colecta en las misas.

Nuestra diócesis ayuda a la gente ofreciendo alojamiento, comida, servicios médicos, educación y otras necesidades. También trabajamos para compartir la buena nueva de Jesús en la escuela, nuestro vecindario y con todos los que conocemos. Este trabajo misionero es nuestra responsabilidad como miembros de la Iglesia.

RESPONDEMOS

Los preceptos nos ayudan a crecer en santidad como comunidad de creyentes. Si tienes que añadir otro precepto, ¿Cuál sería y por qué?

Vocabulario

parroquia (pp 318)

párroco (pp 318)

diócesis (pp 317)

obispos (pp 318)

papa (pp 318)

preceptos de la Iglesia (pp 318)

We have an active role in the Church community.

We are an important part of the Church community. Being a member of the Church gives us certain responsibilities to one another. The fourth precept of the Church deals with the importance of doing penance. Doing penance helps us to focus on God and what is important in our lives as Christians. Doing penance is also a way to show we are sorry for our sins. That is why it is an important part of the Sacrament of Penance. There are days during the Church year when Catholics do penance by fasting from food or not eating meat. Ash Wednesday, Good Friday, and the Fridays of Lent are some of these days.

The fifth precept of the Church deals with helping the Church help others. As Church members we contribute to the support of the Church in many ways. We offer money, time, and our talents. Just as it takes money to care for our families, money keeps our parish and diocese strong and active. That is one reason that there is a collection at Mass.

Our diocese helps people with housing, food, medical care, education, and many other needs. We also work to share the Good News of Jesus at school, in our neighborhoods, and with all those we meet. This missionary work is our responsibility as members of the Church.

WE RESPOND

 The precepts help us to grow in holiness as a community of believers. If you could add one more precept, what would it be and why?

Key Words

parish (p. 320)

pastor (p. 320)

bishops (p. 319)

diocese (p. 319)

pope (p. 320)

precepts of the Church (p. 320)

HACIENDO DISCÍPULOS

Muestra *lo* que sabes

Lee las claves. Después lee las tres palabras en el cuadro. Tacha las palabras que no contestan la clave. Te quedará el  .

1. obispo de Roma, quien dirige a toda la Iglesia Católica	sacerdote	papa	obispo
2. área local de la Iglesia dirigida por un obispo	parroquia	liturgia	diócesis
3. sacerdote que dirige una parroquia en adoración, oración y enseñanza	párroco	liturgia	diócesis
4. líderes de la Iglesia que continúan el trabajo de los apóstoles	obispos	sacerdotes	párrocos
5. comunidad de creyentes que adoran y trabajan juntos	parroquia	papa	diáconos
6. leyes que nos ayudan a conocer y cumplir con nuestra responsabilidad como miembros de la Iglesia	Bienaventuranzas	preceptos de la Iglesia	sacramentales

Realidad

Pon un ✔ en las formas en que tomarás un papel activo en la comunidad de la Iglesia. Añade la tuya.

❏ dar limosna en la misa

❏ compartir la buena nueva de Jesús con compañeros y vecinos

❏ ayudar con los proyectos de la parroquia y la diócesis

❏ celebrar los sacramentos de la Eucaristía y la Reconciliación con mi parroquia

❏ _____

Pray Learn Celebrate Share Choose Live

PROJECT DISCIPLE

Show What *you* Know

Read the clues. Then read the three words in the box. Cross out the words that <u>do not</u> answer the clue. You are left with the **Key Word**.

1. Bishop of Rome who leads the whole Catholic Church	priest	pope	bishop
2. local area of the Church led by a bishop	parish	liturgy	diocese
3. priest who leads the parish in worship, prayer, and teaching	pastor	liturgy	diocese
4. leaders of the Church who continue the work of the Apostles	bishops	priests	pastors
5. community of believers who worship and work together	parish	pope	deacons
6. laws to help us know and fulfill our responsibilities as members of the Church	Beatitudes	precepts of the Church	sacraments

Reality Check

Check the ways you take an active role in the Church community. Add your own.

❏ give to the collection at Mass

❏ share the Good News of Jesus with classmates and neighbors

❏ help with parish/diocesan projects

❏ celebrate the Sacraments of the Eucharist and Penance with the parish

❏ _____

Orar
Conocer
Celebrar
Compartir
Expresar
Vivir

HACIENDO DISCIPULOS

Vidas de santos

Santa Mónica era una mujer casada que vivía al norte de Africa durante el siglo IV. Ella estaba preocupada por su hijo Agustín cuya vida iba en la dirección equivocada. Mónica rezó por su hijo. Después de muchos años, Agustín se dio cuenta de que sólo Dios podía hacer que su vida tuviera significado. El se bautizó. Agustín fue un gran maestro de la fe católica, se hizo sacerdote y llegó a ser obispo. El fue canonizado santo. La fiesta de san Agustín se celebra el 28 de agosto. Santa Mónica también fue canonizada y es la patrona de las mujeres casadas. Su fiesta se celebra el 27 de agosto.

↳ RETO PARA EL DISCIPULO

- Subraya la oración que dice por qué Mónica estaba preocupada por su hijo.

- Subraya la frase que dice de lo que se dio cuenta Agustín.

Investiga

Josefina Bakhita fue secuestrada de Africa y vendida como esclava, antes de ganar su libertad. Empezó a abogar por los misioneros católicos en el mundo. Fue canonizada en el 2000.

Busca en la Internet o en la biblioteca órdenes y organizaciones que apoyen a los misioneros católicos. ¿Cómo pueden tú y tu parroquia apoyarlos?

Tarea

Con tu familia aprendan sobre santos y personas santas visitando *Vidas de santos* en

www.creemosweb.com.

Compártelo.

PROJECT DISCIPLE

Saint Stories

Saint Monica was a married woman who lived in northern Africa in the fourth century. She worried about her son Augustine. His life was going in the wrong direction. Monica prayed for her son. After many years, Augustine realized that only God could make his life meaningful. He was baptized. Augustine was a great teacher of the Catholic faith, and became a priest and a bishop. He was canonized a saint. Saint Augustine's feast day is August 28. Also canonized, Saint Monica, is the patroness of married women. Her feast day is August 27.

↳ DISCIPLE CHALLENGE

- Underline the sentence that tells why Monica was worried about her son.

- Underline the phrase that tells what Augustine realized.

More to Explore

Kidnapped from Africa and sold into slavery, Josephine Bakhita later won her freedom. She began to speak out for Catholic missionaries throughout the world. She was canonized a saint in 2000.

Search the internet or your library for orders and organizations that support Catholic missionaries. How can you and your parish support them?

Take Home

With your family, learn more about saints and holy people by visiting *Lives of the Saints* at www.webelieveweb.com.

Now, pass it on!

NOS CONGREGAMOS

✝ **Líder:** Los apóstoles se unieron a Jesús para compartir la última cena antes de Jesús morir. Mientras se preparaban para comer, Jesús se levantó, se quitó su capa y empezó a lavarles los pies. Los apóstoles se sorprendieron. Esto no tenía sentido. Sólo los esclavos lavan los pies. Pedro hizo la pregunta que los demás no se atrevieron a hacer. Leamos sobre esto en Juan 13:6–17.

Todos: Jesús, ayúdanos a entender como seguir tu ejemplo.

☀ ¿Cuáles son algunos buenos hábitos que la gente puede tener?

CREEMOS

Las virtudes de fe, esperanza y caridad nos acercan a Dios.

Una virtud es un buen hábito que nos ayuda a actuar de acuerdo al amor de Dios por nosotros. Fe, esperanza y caridad son las **virtudes teologales**. Son llamadas teologales porque son dones de Dios. Nos acercan a Dios y nos ayudan a desear estar siempre con Dios.

El don de la fe nos permite creer en Dios, el Padre, el Hijo y el Espíritu Santo. La fe nos ayuda a creer todo lo que Dios ha dicho y hecho. La fe es un don que nos ayuda a creer que Dios está con nosotros y está actuando en nuestras vidas. Sin embargo, la fe es también una decisión que tomamos. Porque Dios nos creó con libre albedrío, podemos escoger creer. Dentro de la comunidad de la Iglesia respondemos a su don de la fe. Por la oración, los sacramentos y el cumplimiento de los mandamientos, nuestra fe crece.

Como discípulos de Cristo debemos no sólo tener fe y vivirla sino que debemos también mostrar a otros nuestra fe en Dios. Somos llamados a ser testigos de nuestra fe.

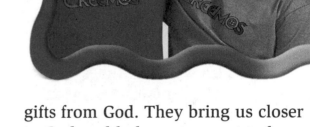

WE GATHER

✝ **Leader:** The Apostles joined Jesus to share a last supper before he died. While they were getting ready to eat, Jesus got up, took off his outer garment, and prepared to wash their feet. The Apostles were shocked. This made no sense to them. Only slaves washed feet! Peter asked a question that was on everyone's mind. Let us read about it in John 13:6–17.

All: Jesus, help us to understand how to follow your example.

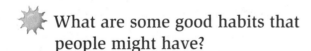 What are some good habits that people might have?

WE BELIEVE

The virtues of faith, hope, and love bring us closer to God.

A virtue is a good habit that helps us to act according to God's love for us. Faith, hope, and love are the **theological virtues**. They are called theological virtues because they are gifts from God. They bring us closer to God and help us to want to be with God forever.

The gift of faith enables us to believe in God—the Father, the Son, and the Holy Spirit. Faith helps us to believe all that God has said and done. Faith is a gift that helps us to believe that God is with us and is acting in our lives. However, faith is also a choice we make. Because God created us with free will, we choose to believe. Within the Church community we respond to his gift of faith. Through prayer, the sacraments, and living out the commandments, our faith grows.

As disciples of Christ we must not only have faith and live by it, but we must also show others our belief in God. We are all called to witness to our faith.

El don de la esperanza nos permite confiar en Jesús y en la promesa de Dios de amarnos siempre. No dependemos solo de nuestra fuerza, sino del Espíritu Santo. La esperanza nos ayuda a responder a la felicidad que Dios pone en nuestros corazones. La esperanza nos ayuda a predicar el reino de Dios en la tierra y a esperar el reino del cielo.

El don de la caridad nos permite amar a Dios y a nuestro prójimo. Podemos amar a Dios y a los demás porque Dios primero nos amó a nosotros. El amor de Dios nunca termina. El está siempre con nosotros.

La caridad es la mayor de todas las virtudes. Todas las demás virtudes vienen de ella. La caridad es la meta de nuestras vidas como cristianos.

Como discípulos de Jesús somos llamados a amar y darnos ánimo unos a otros.

Padres, tutores, familias y maestros muestran su amor por nosotros ofreciéndonos lo que necesitamos. Debemos también amar y animar a otros. Podemos ser amables con nuestros compañeros y con las personas que conocemos. Cuando mostramos amor por los demás, actuamos como verdaderos discípulos de Jesús.

El amor es el cumplimiento de todo lo que Dios nos llama a hacer y ser: "La fe, la esperanza y el amor; pero la más importante de las tres es el amor". (1 Corintios 13:13)

Nombra algunas formas de como la fe, la esperanza y la caridad hacen que tu vida sea diferente.

María es nuestro modelo de virtud y discipulado.

El plan de Dios ha sido siempre que la gente viva en su amor. Sin embargo, los primeros humanos se alejaron de Dios. Dios prometió estar con nosotros siempre. El nos ama tanto que envió a su único Hijo a salvarnos.

María fue parte del plan de Dios. Dios le pidió ser la madre de su Hijo. Esto significaba un gran cambio en la vida de María. Pero el corazón de María estaba totalmente dispuesto al llamado de Dios.

María cuidó de Jesús. Ella lo vio crecer y aprender. María, a su vez, escuchó a Jesús y aprendió de él. Al crecer, Jesús empezó a hacer la voluntad de su Padre. María "guardaba todo esto en su corazón" (Lucas 2:51). Su fe, esperanza y amor por Dios eran fuertes. Ella estuvo el lado de Jesús cuando murió en la cruz y estuvo con sus seguidores después de la resurrección.

Miguel Angel (1475–1564), *La Piedad*

The gift of hope enables us to trust in Jesus and in God's promise to love us always. We do not rely only on our own strength, but on the Holy Spirit. Hope helps us to respond to the happiness that God has placed in our hearts. Hope helps us to spread God's Kingdom on earth and to look forward to the Kingdom in Heaven.

The gift of love enables us to love God and to love our neighbor. We can love God and one another because God first loves us. God's love for us never ends. He is always there for us.

Love is the greatest of all virtues. All other virtues come from it. Love is the goal of our lives as Christians.

As disciples of Jesus we are called to love and encourage one another. Parents, guardians, families, and teachers show their love for us by providing what we need. We can love and encourage others, too. We can be kind to classmates and to people we meet. When we show love for one another, we are truly disciples of Jesus.

Love is the fulfillment of everything that God calls us to do and to be: "So faith, hope, love remain, these three; but the greatest of these is love" (1 Corinthians 13:13).

Name a few ways that faith, hope, and love have made a difference in your life.

Keith Mallett (1948–), *Mother's Hands*

Pedro Fresquis (1780–1840), *Our Lady of Sorrows*

Mary is our model for virtue and discipleship.

God's plan has been that all people live in his love forever. However, the first humans turned from God. But God promised to be with us always. He loved us so much that he sent his Son to save us.

Mary was part of God's plan. God asked her to become the Mother of his Son. This would mean a big change in Mary's life. Yet Mary's heart was totally open to God's call.

Mary cared for Jesus. She watched him grow and learn. Mary in turn listened to Jesus and learned from him. As Jesus grew older and began to do his Father's will, Mary "kept all these things in her heart" (Luke 2:51). Her faith, hope, and love of God were strong. She stood by Jesus as he died on the cross and was with his followers after the Resurrection.

María es el perfecto modelo de cómo debemos vivir como discípulos de su hijo Jesús. Ella fue el primer discípulo de Jesús.

Igual que María, podemos decir sí a Dios en nuestras vidas. La vida de María nos muestra que, con Dios, todas las cosas son posibles. Podemos pedir a María que rece por nosotros para que podamos crecer en fe, esperanza y amor como discípulos de su hijo, Jesús.

🏃 ¿Qué puedes hacer esta semana para crecer como discípulo de Jesús?

_____

Las virtudes cardinales nos guían.

Toda nuestra vida es un peregrinaje hacia Dios quien nos creó y nos ama. Las virtudes cardinales guían nuestras mentes y obras para vivir una buena vida. Hay cuatro **virtudes cardinales**: prudencia, justicia, fortaleza y templanza.

🏃 Lee el cuadro que se presenta abajo. En la tercera columna escribe un ejemplo de como puedes usar la virtud para guiar tus acciones.

Virtud	La virtud nos ayuda a	como puedo vivir esta virtud
prudencia	juzgar rectamente y dirigir nuestras acciones hacia el bien	
justicia	dar a Dios y al prójimo lo que les pertenece	
fortaleza	actuar valientemente frente al miedo y a los problemas	
templanza	mantener nuestros deseos bajo control y balancear el uso de los bienes materiales	

Mary is the perfect model for how we should live as disciples of her son Jesus. She was Jesus' first disciple.

Like Mary, we can say yes to God in our lives. Mary's life shows us that all things are possible with God. We can call upon Mary to pray for us that we may grow in faith, hope, and love as disciples of her son, Jesus.

What can you do this week to grow as a disciple of Jesus?

_____

The Cardinal Virtues guide us.

Our entire life is a journey back to God who created us and loves us. The Cardinal Virtues guide our minds and actions to lead a good life. There are four **Cardinal Virtues**: prudence, justice, fortitude, and temperance.

Read the chart below. In the third column give one example of how you can use the virtue to guide your actions.

Virtue	The virtue helps us to	How I can live out this virtue
prudence	make sound judgments and direct our actions toward what is good	
justice	give to God and our neighbors what is rightfully theirs	
fortitude	act bravely in the face of troubles and fears	
temperance	keep our desires under control and balance our use of material goods	

Los jóvenes tenían un lugar especial en el corazón del beato papa Juan Pablo II. En 1985, él convocó el primer Día Mundial de la Juventud, en Roma. Desde esa vez él viajó a muchos paises y se reunió con jóvenes en todo el mundo.

Cuando visitó San Luis, Missouri, en 1999, ofreció este mensaje a los jóvenes: "La juventud es un maravilloso regalo de Dios. Es un tiempo especial de energías, oportunidades y responsabilidades . . . Usen bien los dones que el Señor les ha dado". El les dijo: "Cada uno de ustedes tiene una misión especial en la vida y están llamados a ser discípulos de Cristo . . . Pero todos ustedes deben ser luz del mundo".

(Reunión de jóvenes en San Luis, Missouri, 26 de enero de 1999)

El beato papa Juan Pablo II pidió a todos los jóvenes ser discípulos de Cristo en el mundo. ¿Como muestras que eres un discípulo?

SOMOS LA LUZ

Somos llamados a vivir una vida de amor.

Jesús quiere que amemos a los demás como él nos amó. ¿Sabes donde obtenemos la fuerza para amar como Jesús? Viene de Dios a través de la comunidad de la Iglesia. Porque hemos sido bautizados, compartimos la vida y el amor de Dios. Cada vez que celebramos un sacramento, la vida de Dios en nosotros se fortalece. Sabemos que podemos contar con el Espíritu Santo para ayudarnos a obrar como amantes discípulos de Jesús. El Espíritu Santo viene a nosotros en el Bautismo y sigue con nosotros. El Espíritu Santo nos da dones para parecernos a Cristo.

Cada uno de nosotros es llamado a ser luz del mundo. Somos llamados a mostrar nuestro amor. "Su luz brille delante de la gente, para que, viendo el bien que ustedes hacen, todos alaben a su Padre que está en el cielo". (Mateo 5:16) Cuando aceptamos los dones de Dios y compartimos nuestros dones por el bien de otros, estamos siendo luz para el mundo. Como discípulos de Jesús mostramos a otros lo que el amor puede hacer.

Como miembros de la Iglesia debemos:

- compartir la buena nueva
- rezar y trabajar por la justicia y la paz
- visitar a los enfermos y a los ancianos
- ser voluntarios en refugios y cocinas populares para los desamparados.

Cuando seguimos el ejemplo de Jesús y vivimos una vida de amor, otros pueden ver la bondad de Dios en nosotros. Ellos pueden ver el poder del amor de Dios en el mundo.

RESPONDEMOS

Escenifica algunas formas en que tu luz puede brillar para el mundo.

Vocabulario
virtudes teologales (pp 318)
virtudes cardinales (pp 318)

We are called to live a life of love.

Jesus wants us to love others as he loves us. Do you know where we get the strength to love as Jesus loves? It comes to us from God through the community of the Church. Because we have been baptized, we share in the life and love of God. Each time that we celebrate a sacrament, the life of God grows stronger in us. We know that we can count on the Holy Spirit to help us act as loving disciples of Jesus. The Holy Spirit came to us in Baptism and continues to be with us. The Holy Spirit gives us gifts to be more like Christ.

We are each called to be a light to the world. We are called to show our love. "Your light must shine before others, that they may see your good deeds and glorify your heavenly Father." (Matthew 5:16) When we accept God's gifts and share our gifts for the good of others, we are a light in the world. As disciples of Jesus we show others what love can do.

As members of the Church we:

• share the Good News

• pray and work for justice and peace

• visit those who are sick or elderly

• volunteer in shelters for those who are homeless and in soup kitchens.

When we follow Jesus' example and live a life of love, others can see the goodness of God in us. They can see the power of God's love in the world.

WE RESPOND

 Role-play some ways your light can shine for all the world.

Key Words

theological virtues (p. 320)

Cardinal Virtues (p. 319)

HACIENDO DISCÍPULOS

Muestra *lo* que sabes

Organiza las letras para encontrar la palabra. Usalas para completar las oraciones.

ZAPETMLAN _____   DVRITU _____

CISUTIAJ _____   DAIRCAD _____

ASEZNRAEP _____   ZRTFALOEA _____

DECIPAURN _____   EF _____

1. un buen hábito que nos ayuda a actuar de acuerdo al amor de Dios

es una _____.

2. La _____ nos ayuda a confiar en Jesús y en la promesa de Dios de amarnos siempre.

3. Actuar con valor en tiempos difíciles es _____.

4. Mantener los deseos bajo control y balancear nuestro uso de las cosas

materiales es _____.

5. Creer en Dios y aceptar todo lo que Dios ha dicho y hecho es _____.

6. El hacer juicios sanos y dirigir nuestras acciones hacia lo bueno

es _____.

7. La mayor de todas las virtudes es la _____.

8. Dar a Dios y a nuestro prójimo lo justo es llamado _____.

Encierra en un círculo las virtudes teologales. Dibuja un cuadro alrededor de las virtudes cardinales.

PROJECT DISCIPLE

Show What *you* Know

Unscramble the letters to find each word. Use these words to complete the sentences.

PACTNEREME _____   IHFTA _____

TEJISUC _____   PHEO _____

DUCRENPE _____   TERIVU _____

VOLE _____   TERFIDUTO _____

1. A good habit that helps us to act according to God's love for us

   is _____.

2. _____ enables us to trust in Jesus and in God's promise to love us always.

3. To act bravely in the face of troubles and fears is _____.

4. To keep our desires under control and balance our use of material goods

   is _____.

5. To believe in God and to believe and accept all that God has said and done is

   _____.

6. To make sound judgments and direct our actions toward what is good

   is _____.

7. The greatest of all the virtues is _____.

8. To give to God and our neighbors what is rightfully theirs is _____.

Circle the theological virtues. Draw a box around the Cardinal Virtues.

Orar
Conocer
Celebrar
Compartir
Expresar
Vivir

HACIENDO DISCÍPULOS

Datos

La Piedad, una escultura en mármol, fue esculpida por el artista Miguel Angel en 1499. Cuando la estatua fue develada, Miguel Angel escuchó a alguien decir que otro artista había hecho la obra. El se enojó y escribió su nombre en la banda de la virgen María. Después se arrepintió y nunca más volvió a firmar un trabajo.

Haz lo

El papa Benedicto XVI participó del Día Mundial de la Juventud en el 2008 en Sydney, Australia. El tema fue el discipulado.

"Ustedes recibirán la fuerza del Espíritu Santo; él vendrá sobre ustedes para que sean mis testigos. . . ."
(Hechos de los apóstoles 1:8)

¿Cuál es una forma en que serás testigo de Jesús este verano?

_____

_____

Reza

Jesús, me invitas a ser tu discípulo.
Me mostraste como amar a Dios el Padre con todo mi corazón, con toda mi alma y con toda mi mente.
Me mostraste como amar a mi prójimo y la importancia de amarme.

No es siempre fácil ser un discípulo. Estoy agradecido por el ejemplo que me has dado.
Jesús, sigue guiándome y fortaleciéndome en mi peregrinaje para ser tu discípulo. Amén.

Tarea

Mira el horario de verano de tu familia. Subraya las oportunidades de vivir tu discipulado en familia. Escribe algunas aquí.

_____

_____

_____

_____

Pray
Learn
Celebrate
Share
Choose
Live

PROJECT DISCIPLE

Fast Facts

The Pietà is a marble sculpture done by the artist Michelangelo in 1499. When the statue was unveiled, Michelangelo overheard people saying that other artists had done the sculpture. Michelangelo got angry and carved his name down the sash of the Virgin Mary. He regretted this and never signed another one of his works again.

Make it Happen

Pope Benedict XVI held World Youth Day 2008 in Sydney, Australia. Its theme was on discipleship:

"You will receive power when the holy Spirit comes upon you, and you will be my witnesses. . . ."
(Acts of the Apostles 1:8)

What is one way you will be a witness for Jesus this summer?

_____

_____

Pray Today

Jesus, you invite me to be your disciple.
You showed me how to love God the Father
with all my heart, with all my soul, and with
*   all my mind.*
You showed me how to love my neighbors
and the importance of loving myself.

It is not always easy to be a disciple.
I am grateful for the example you have
*   given to me.*
Jesus, continue to guide me
and strengthen me on my journey
*   to be your disciple. Amen.*

Take Home

Look at your family's summer schedule. Highlight opportunities to live out your discipleship as a family. Write some here.

_____

_____

_____

_____

297

Tiempo de Pascua

Durante el Tiempo de Pascua, celebramos la resurrección de Jesús.

NOS CONGREGAMOS

✝ *Jesús resucitado, ayúdanos a reconocer tu presencia entre nosotros.*

¿Has ido a una estación de autobús o de tren, o a un aeropuerto a encontrarte con una amigo o un familiar a quien hace mucho no veías? ¿Cómo fue el encuentro?

CREEMOS

El Tiempo de Pascua es un tiempo de encuentros. Encontramos al Jesús resucitado en la Eucaristía y en cada uno de nosotros. He aquí la historia de un encuentro entre Jesús resucitado y algunos de los primeros discípulos.

📖 Juan 21:1–4

Narrador: Algunos de los apóstoles y discípulos estaban reunidos después de la resurrección de Jesús. Simón Pedro estaba con ellos y dijo:

Simón Pedro: "Voy a pescar".

Todos: "Vamos contigo".

Narrador: Subieron a una barca; pero aquella noche no pescaron nada. Cuando comenzaba a amanecer, Jesús se apareció en la orilla, pero los discípulos no sabían que era él. Jesús les pregunto:

Jesús: "Muchachos ¿no han pescado nada?"

Todos: "Nada".

Jesús: "Echen la red a la derecha de la barca y pescarán".

Narrador: Los discípulos hicieron lo que él les dijo y de repente la red se llenó de peces. Ellos no podían subirla al bote por el gran número de peces. El discípulo amado de Jesús, Juan, le dijo a Pedro:

Juan: "¡Es el Señor!"

Narrador: Cuando Simón escuchó eso, se amarró un manto y se tiró al agua. Los demás discípulos lo siguieron en el bote, arrastrando la red llena de peces. "Al bajar a tierra, encontraron un fuego encendido, con un pescado encima, y pan. Jesús les dijo":

¡El Señor ha resucitado! ¡Aleluya!

Easter

Advent · Christmas · Ordinary Time · Lent · Triduum · Easter · Ordinary Time

During the season of Easter, we celebrate the Resurrection of Jesus.

WE GATHER

✝ *Risen Jesus, help us to recognize your presence among us.*

Have you ever gone to the bus or train station, or the airport, to meet a friend or a member of your family whom you have not seen for a long time? What was this meeting like?

WE BELIEVE

The season of Easter is a season of meeting. We meet the risen Jesus in the Eucharist and in one another. Here is a story of the first disciples meeting the risen Jesus.

📖 John 21:1–14

Narrator: Some of the Apostles and disciples were together after Jesus' Resurrection. Simon Peter was among them, and he said,

Simon Peter: "I am going fishing."

All: "We also will come with you."

Narrator: "So they went out and got into the boat, but that night they caught nothing. When it was already dawn, Jesus was standing on the shore; but the disciples did not realize that it was Jesus. Jesus said to them,

Jesus: 'Children, have you caught anything to eat?'

All: 'No.'

Jesus: 'Cast the net over the right side of the boat and you will find something.'"

Narrator: The disciples did as he said, and all of a sudden the net began filling with fish! They were not able to pull it into the boat because of the number of fish! So the disciple whom Jesus loved, the Apostle John, said to Peter,

John: "It is the Lord."

Narrator: When Simon Peter heard this, he wrapped his garment around him and jumped into the water. The other disciples followed in the boat, dragging the net full of fish. "When they climbed out on shore, they saw a charcoal fire with fish on it and bread. Jesus said to them,

The Lord has risen! Alleluia!

Jesús: "Traigan algunos pescados de los que acaban de sacar".

Narrador: Simón Pedro fue y arrastró la red con ciento cincuenta y tres peces grandes. Jesús les dijo:

Jesús: "Vengan a desayunarse".

Narrador: Los discípulos se dieron cuenta de que era Jesús resucitado. Jesús "Tomó en sus manos el pan y se lo dio a ellos, y lo mismo hizo con el pescado. Esta era la tercera vez que Jesús se apareció a sus discípulos después de haber resucitado".
(Juan 21:3–5, 6, 7, 9–12, 13)

El Tiempo de Pascua es un tiempo de gozo y admiración por Jesús resucitado entre nosotros. Es tiempo de nueva vida. El tiempo de Pascua empieza la tarde del Domingo de Pascua y termina cincuenta días después, el Domingo de Pentecostés, cuando celebramos la venida del Espíritu Santo a los apóstoles.

En todas las misas durante el tiempo de Pascua, el cirio pascual se enciende para recordarnos la presencia viva de Jesús entre nosotros. Decoramos la iglesia con flores como señal de vida nueva y gozosa.

Porque Jesús resucitó un domingo, celebramos todos los domingos como una "Pequeña Pascua". Los domingos de Pascua son especialmente importantes. En los inicios, la Iglesia llamaba al tiempo de Pascua "Gran Domingo", un gran día de resurrección.

El tiempo de Pascua es tiempo de gozo y felicidad porque Jesús resucitó de la muerte. Encontramos a Jesús resucitado en las personas que nos rodean. Jesús nos dijo que cuando cuidamos de los necesitados cuidamos de él.

Durante el tiempo de Pascua se celebran dos eventos muy importantes en la vida de la Iglesia.

La Ascensión

En los Estados Unidos algunas diócesis observan, como día de precepto, la fiesta de la Ascensión en jueves, cuarenta días después de la resurrección. Otras diócesis la celebran el domingo siguiente. Cuando celebramos esta fiesta recordamos el último evento de la vida pública de Jesús, su ascensión.

Jesus: "'Bring some of the fish you just caught.'

Narrator: "So Simon Peter went over and dragged the net ashore full of one hundred fifty-three large fish. Even though there were so many, the net was not torn. Jesus said to them,

Jesus: "'Come, have breakfast.'"

Narrator: The disciples realized that it was the risen Jesus. Jesus "took the bread and gave it to them" and then he gave them some fish, too. This was the third time they had seen Jesus since he was raised from the dead. (John 21:3–5, 6, 7, 9–12, 13)

The Easter season is a time of joy and amazement at the risen Jesus among us. It is a time of new life. The Easter season begins the evening of Easter Sunday and ends fifty days later on Pentecost Sunday, when we celebrate the coming of the Holy Spirit upon the Apostles.

At every Mass during the Easter season, the Paschal candle is lit to remind us of Jesus' living presence with us. We decorate the church building with flowers as a sign of new and joyful life.

Because Jesus rose on a Sunday, we celebrate every Sunday as a "little Easter." The Sundays of the Easter season are especially important. The early Church called the whole Easter season "one great Sunday," one great day of Resurrection.

Easter is a season of joy and happiness because Jesus rose from the dead. We meet the risen Jesus in the people around us. Jesus even told us that when we care for those in need, we care for him.

During the Easter season the Church celebrates two very important events in the life of the Church.

Ascension

In the United States some dioceses observe the Ascension on Thursday, the fortieth day after Easter, as a holy day of obligation. Some dioceses observe it on the next Sunday. Whenever we celebrate it, we recall the last event of Jesus' public life, his Ascension.

📖 Hechos de los apóstoles 1:3–12

Cuarenta días después de la resurrección, Jesús reunió a sus apóstoles en las afueras de Jerusalén. El les dijo que iban a recibir poder cuando el Espíritu Santo viniera a ellos. Ellos serían fortalecidos para ser sus discípulos en todas partes del mundo.

"Dicho esto, mientras ellos lo estaban mirando, Jesús fue llevado, y una nube lo envolvió y no lo volvieron a ver". (Hechos de los apóstoles 1:9) Después de la ascensión los apóstoles regresaron a Jerusalén a esperar la venida del Espíritu Santo.

Pentecostés

Celebramos Pentecostés cincuenta días después de la Pascua. Es el último domingo del Tiempo de Pascua. En Pentecostés celebramos la venida del Espíritu Santo. Recordamos como el Espíritu Santo ayudó a los apóstoles para continuar el trabajo de Jesús. En Pentecostés celebramos el inicio de la Iglesia y nos regocijamos porque el Espíritu Santo llena nuestros corazones.

RESPONDEMOS

¿De qué forma puede el Espíritu Santo ayudarnos a seguir el trabajo de Jesús?

✝ Respondemos en oración

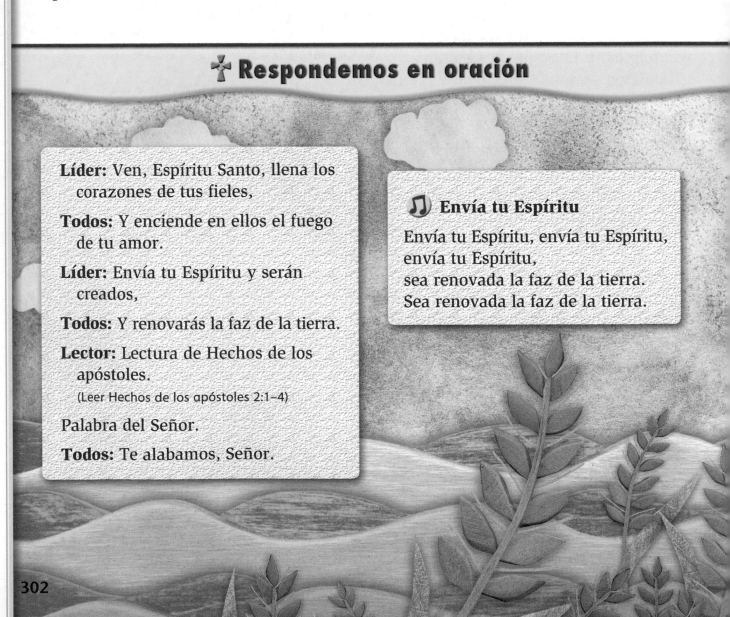

Líder: Ven, Espíritu Santo, llena los corazones de tus fieles,

Todos: Y enciende en ellos el fuego de tu amor.

Líder: Envía tu Espíritu y serán creados,

Todos: Y renovarás la faz de la tierra.

Lector: Lectura de Hechos de los apóstoles.

(Leer Hechos de los apóstoles 2:1–4)

Palabra del Señor.

Todos: Te alabamos, Señor.

🎵 **Envía tu Espíritu**

Envía tu Espíritu, envía tu Espíritu, envía tu Espíritu, sea renovada la faz de la tierra. Sea renovada la faz de la tierra.

📖 Acts of the Apostles 1:3–12

Forty days after his Resurrection, the risen Jesus had gathered with his Apostles outside of Jerusalem. He told them that they would receive power when the Holy Spirit came upon them. They would be strengthened to be his witnesses to all the ends of the earth. "When he said this, as they were looking on, he was lifted up, and a cloud took him from their sight." (Acts of the Apostles 1:9) After the Ascension the Apostles returned to Jerusalem and awaited the coming of the Holy Spirit.

Pentecost

We celebrate Pentecost fifty days after Easter. It is the last Sunday and final day of the Easter season. On Pentecost Sunday we celebrate the coming of the Holy Spirit to the first disciples. We remember the ways the Holy Spirit helped the Apostles as they continued Jesus' work. On Pentecost we celebrate the beginning of the Church, and we rejoice because the Holy Spirit fills our hearts, too!

WE RESPOND

In what ways can the Holy Spirit help you to continue Jesus' work?

✝ We Respond in Prayer

Leader: Come, Holy Spirit fill the hearts of your faithful.

All: And kindle in them the fire of your love.

Leader: Send forth your Spirit and they shall be created.

All: And you will renew the face of the earth.

Reader: A reading from the Acts of the Apostles. (Read Acts of the Apostles 2:1–4)

The word of the Lord.

All: Thanks be to God.

🎵 **Send Us Your Spirit**

Refrain:
Send us your Spirit, O Lord, and renew the face of the earth!

May your glory last forever. May you rejoice in all we do!
(Refrain)

Orar Conocer Celebrar Compartir Expresar Vivir

HACIENDO DISCÍPULOS

Muestra *lo* que sabes

Usa cada una de las letras de "Pascua" para escribir palabras o frases relativas al tiempo.

P
A
S
C
U
A

Escritura

El ángel dijo a las mujeres en la tumba:

"Ustedes no teman; sé que buscan a Jesús, el crucificado. No está aquí, ha resucitado como lo había dicho. Vengan a ver el sitio donde estaba puesto. Vayan en seguida a decir a sus discípulos: Ha resucitado de entre los muertos y va camino de Galilea; allí lo verán". (Mateo 28:5–7)

↳ **RETO PARA EL DISCÍPULO** Subraya las oraciones que dicen por que Jesús no estaba en la tumba.

Reza

Que el Señor resucitado sople en nuestras mentes y abra nuestros ojos para que podamos conocerlo al partir el pan y seguirlo en su vida resucitada. Amén.

Tarea

Con tu familia, planifiquen un desayuno especial. Inviten a varios familiares a leer la historia de la resurrección de Jesús y sus discípulos en las páginas 298 y 300. Compartan tiempo en familia para vivir la experiencia de la resurrección de Jesús en sus vidas.

PROJECT DISCIPLE

Pray Learn Celebrate Share Choose Live

Show What *you* Know

Use each of the letters in "Easter" to write words or phrases about the season.

_____ **E** _____

_____ **A** _____

_____ **S** _____

_____ **T** _____

_____ **E** _____

_____ **R** _____

What's *the* Word?

The angel said to the women at the tomb,

"Do not be afraid! I know that you are seeking Jesus the crucified. He is not here, for he has been raised just as he said. Come and see the place where he lay. Then go quickly and tell his disciples, 'He has been raised from the dead, and he is going before you to Galilee; there you will see him'" (Matthew 28:5–7).

↪ **DISCIPLE CHALLENGE** Underline the sentences that tell why Jesus was not in the tomb.

Pray Today

May the risen Lord breathe on our minds and open our eyes that we may know him in the breaking of bread, and follow him in his risen life. Amen.

Take Home

With your family, plan a special family breakfast. Invite several family members to read the story of the risen Jesus and his disciples on pages 299 and 301. Share times that family members have experienced the risen Jesus in their own lives.

www.creemosweb.com

Oraciones y Devociones

Padrenuestro

Padre nuestro, que estás en el cielo,
santificado sea tu nombre;
venga a nosotros tu reino;
hágase tu voluntad en la tierra
como en el cielo.
Danos hoy nuestro pan de cada día;
perdona nuestras ofensas,
como también nosotros perdonamos
a los que nos ofenden;
no nos dejes caer en la tentación,
y líbranos del mal. Amén.

Gloria

Gloria al Padre, y al Hijo,
y al Espíritu Santo.
Como era en el principio,
ahora y siempre, por los siglos
de los siglos. Amén.

Acto de Contrición

Dios mío,
con todo mi corazón me arrepiento
de todo el mal que he hecho y de todo
lo bueno que he dejado de hacer.
Al pecar, te he ofendido a ti, que eres
el supremo bien y digno de ser amado
sobre todas las cosas.
Propongo firmemente, con la ayuda
de tu gracia, hacer penitencia, no volver
a pecar y huir de las ocasiones de pecado.
Señor, por los méritos de la pasión
de nuestro Salvador Jesucristo,
apiádate de mí. Amén.

Ave María

Dios te salve María, llena eres de gracia;
el Señor es contigo;
bendita tú eres entre todas las mujeres,
y bendito es el fruto de tu vientre, Jesús.
Santa María, Madre de Dios,
ruega por nosotros pecadores, ahora y
en la hora de nuestra muerte. Amén.

Credo de los apóstoles

Creo en Dios, Padre todopoderoso,
creador del cielo y de la tierra.

Creo en Jesucristo, su único Hijo,
nuestro Señor,
que fue concebido por obra y
gracia del Espíritu Santo,
nació de santa María Virgen,
padeció bajo el poder de Poncio Pilato,
fue crucificado, muerto y sepultado,
descendió a los infiernos,
al tercer día resucitó de entre los muertos,
subió a los cielos
y está sentado a la derecha de Dios,
Padre todopoderoso.
Desde allí ha de venir a juzgar
a vivos y muertos.

Creo en el Espíritu Santo,
la santa Iglesia católica,
la comunión de los santos,
el perdón de los pecados,
la resurrección de la carne
y la vida eterna. Amén.

Prayers and Practices

Our Father

Our Father, who art in heaven,
hallowed be thy name;
thy kingdom come;
thy will be done on earth
   as it is in heaven.
Give us this day our daily bread;
and forgive us our trespasses
as we forgive those
   who trespass against us;
and lead us not into temptation,
but deliver us from evil. Amen.

Glory Be to the Father

Glory be to the Father
and to the Son
and to the Holy Spirit
as it was in the beginning,
is now, and ever shall be
world without end. Amen.

Act of Contrition

My God,
I am sorry for my sins with all my heart.
In choosing to do wrong
and failing to do good,
I have sinned against you
whom I should love above all things.
I firmly intend, with your help,
to do penance,
to sin no more,
and to avoid whatever leads me to sin.
Our Savior Jesus Christ
suffered and died for us.
In his name, my God, have mercy.

Hail Mary

Hail Mary, full of grace,
The Lord is with you!
Blessed are you among women,
and blessed is the fruit
   of your womb, Jesus.
Holy Mary, Mother of God,
pray for us sinners,
now and at the hour of our death.
Amen.

Apostles' Creed

I believe in God, the Father almighty,
   Creator of heaven and earth,
and in Jesus Christ, his only Son,
   our Lord,
who was conceived by the Holy Spirit,
born of the Virgin Mary,
suffered under Pontius Pilate,
was crucified, died, and was buried;
he descended into hell;
on the third day he rose again
from the dead;
he ascended into heaven,
and is seated at the right hand
   of God the Father almighty;
from there he will come to judge
   the living and the dead.

I believe in the Holy Spirit,
   the holy catholic Church,
   the communion of saints,
   the forgiveness of sins,
   the resurrection of the body,
   and life everlasting. Amen.

Los preceptos de la Iglesia

1. Oír Misa entera los domingos y demás fiestas de precepto y no realizar trabajos serviles.

2. Confesar los pecados al menos una vez al año.

3. Recibir el sacramento de la Eucaristía al menos por Pascua.

4. Abstenerse de comer carne y ayunar en los días establecidos por la Iglesia.

5. Ayudar a la Iglesia en sus necesidades.

The Precepts of the Church

1. You shall attend Mass on Sundays and holy days of obligation and rest from servile labor.

2. You shall confess sins at least once a year.

3. You shall receive the Sacrament of the Eucharist at least during the Easter season.

4. You shall observe the days of fasting and abstinence by the Church.

5. You shall help to provide for the needs of the Church.

VIVIR LAS LEYES DE DIOS

Cuando examinamos nuestra conciencia damos gracias a Dios por darnos la fortaleza para tomar buenas decisiones.

Piensa en como has cumplido cada mandamiento.

Primer mandamiento:

Yo soy el Señor tu Dios, no tengas otros dioses aparte de mí.

¿Trato de amar a Dios sobre todas las cosas?

¿Creo, confío y amo a Dios verdaderamente?

¿Rezo todos los días?

¿Cómo animo a otros a creer en Dios?

¿Cómo trato de aprender sobre la fe católica?

Segundo mandamiento:

No hagas mal uso del nombre del Señor tu Dios.

¿Respeto el nombre de Dios y el nombre de Jesús?

¿Cómo he usado el nombre de Dios?

¿Cómo he usado el nombre de María y el de los Santos?

¿He respetado los lugares donde se adora a Dios?

¿Cómo me comporto en la iglesia?

Tercer mandamiento:

Acuérdate del día de reposo, para consagrarlo al Señor.

¿Cómo he mantenido santo el día del Señor?

¿Qué hago para participar en la misa los domingos?

Los domingos yo:

¿paso tiempo con mi familia?

¿ayudo a otros?

¿recuerdo a Dios?

¿alabo y doy gracias a Dios?

Cuarto mandamiento:

Honra a tu padre y a tu madre.

¿Obedezco a mis padres en todo?

¿Agradezco a mis padres o tutores lo que hacen por mí?

¿Respeto a mis hermanos?

¿Obedezco y respeto a mis abuelos?

¿Cómo muestro respeto por los mayores?

¿Obedezco a mis maestros y superiores?

Quinto mandamiento:
No mates.

¿He respetado la dignidad de todo el mundo?

¿He mostrado, con mis acciones, que toda persona tiene derecho a vivir?

¿He vivido de forma sana?

¿He hecho algo que pudo dañarme o dañar a los demás?

¿He hablado en contra de la violencia y la injusticia?

¿He vivido en paz con mi familia y vecinos?

Sexto mandamiento:
No cometas adulterio.

¿Aprecio las diferencias entre mis compañeros y parientes?

¿Me honro como creación especial de Dios?

¿Muestro amor y respeto por mí y por los demás?

¿Uso mi cuerpo fiel y correctamente?

¿Cómo expreso mi afecto por mis amigos y parientes?

¿Valoro la amistad?

Séptimo mandamiento:
No robes.

¿He cuidado de la creación de Dios?

¿He tomado lo que no me pertenece?

¿He respetado la propiedad de los demás?

¿He sido honesto al hacer mis exámenes o al jugar con mis amigos?

¿He compartido lo que tengo con los que tienen menos?

¿He trabajado por los pobres?

¿He hecho obras de misericordia?

Octavo mandamiento:
No digas mentiras en perjuicio de tu prójimo.

¿He confiado en la palabra de Dios?

¿He sido fiel a las enseñanzas de la fe católica?

¿He respetado los secretos de los demás?

¿He cumplido con mi palabra?

¿He agradecido a los que me han sido fieles?

Noveno mandamiento:
No desees la mujer de tu prójimo.

¿Trato de no caer en tentación?

¿Rezo pidiendo fortaleza y guía para tomar buenas decisiones?

¿He sido responsable sobre lo que deseo?

¿Me alejo de los que no valoran la sexualidad humana?

¿Trato de mostrar mis sentimientos con respeto?

¿Trato de hacer las cosas que Dios quiere?

¿Cómo practico la modestia?

Décimo mandamiento:
No codicies los bienes de tu prójimo.

¿Deseo las cosas de los demás?

¿Estoy triste por no tener cosas que quiero?

¿Estoy dispuesto a compartir con otros?

¿Doy de mi dinero a los pobres?

¿Me conformo con lo que tengo o siempre quiero más?

LIVING GOD'S LAWS

When we examine our conscience we can
thank God for giving us the strength
to make good choices.

Take a few moments to think about ways you
follow each of the commandments.

First Commandment:

I am the Lord your God: You shall
not have strange gods before me.

Do I try to love God above all things?

Do I really believe in, trust, and love God?

Do I pray to God sometime each day?

How do I encourage others to trust in God?

How do I try to learn more about the
Catholic faith?

Second Commandment:

You shall not take the name of
the Lord your God in vain.

Do I respect God's name and the name
of Jesus?

How have I used God's name?

How do I use the names of Mary and all
the saints?

Do I have respect for all the places where
God is worshiped?

How do I act when I am in church?

Third Commandment:

Remember to keep holy
the Lord's Day.

How have I kept the Lord's Day holy?

What do I do to participate in Mass
every Sunday?

On Sundays in what ways have I:
shared time with my family?
helped others?
remembered God?
praised and thanked God?

Fourth Commandment:

Honor your father and your mother.

Do I obey my parents in all that they
ask of me?

Have I thanked my parents or guardians
for all that they do?

Do I respect my brothers and sisters?

Do I obey my grandparents and respect them?

How have I showed respect for older people?

Do I obey my teachers and others in authority?

Fifth Commandment:
You shall not kill.

Have I respected the dignity of all people?

Have I shown by my actions that all people have the right to life?

Have I lived each day in a healthy way?

Have I done anything that could harm myself or others?

Have I spoken out against violence and injustice?

Have I lived in peace with my family and neighbors?

Sixth Commandment:
You shall not commit adultery.

Do I appreciate the differences among my classmates and family members?

Do I honor myself as special and created by God?

Do my actions show love and respect for myself and others?

Do I use my body in responsible and faithful ways?

In what ways do I express my affection for my friends and family?

Do I value my friendships?

Seventh Commandment:
You shall not steal.

Have I cared for the gifts of creation?

Have I taken things that do not belong to me?

Have I respected the property of others?

Have I been honest in taking tests and playing games?

Have I shared what I have with those who are in need?

Have I worked for those who are poor?

Have I performed Works of Mercy?

Eighth Commandment:
You shall not bear false witness against your neighbor.

Have I trusted in God's Word?

Have I been true to the teachings of the Catholic faith at home and in school?

Have I respected the privacy of others?

Have I done the things I said I would do?

Have I thanked those who are trustworthy and faithful?

Ninth Commandment:
You shall not covet your neighbor's wife.

Do I try not to give in to temptation?

Do I pray for strength and guidance in making good choices?

Have I been responsible about the things I want?

Do I stay away from things and people who do not value human sexuality?

Do I try to show my feelings in a respectful way?

Do I try to do the things God wants me to do?

In what ways do I practice the virtue of modesty?

Tenth Commandment:
You shall not covet your neighbor's goods.

Do I wish that I had things that belong to others?

Am I sad when others have things that I would like?

Am I willing to share with others?

Do I give to the poor and needy?

Am I happy with what I have or am I always asking for more things?

Santa Teresa del Niño Jesús

Ser pobre de espíritu quiere decir depender de Dios en todo. Desde pequeña, Teresa sabía que todo lo que tenía Dios se lo había dado. Ella amaba a Dios y pensaba que era una pequeña flor en el jardín de Dios.

Cuando tenía quince años, entró al convento. Ahí rezaba por todo el mundo. Antes de morir, prometió hacer el bien desde el cielo. Su fiesta se celebra el 1 de octubre.

"Dichosos los que reconocen su necesidad espiritual, pues el reino de Dios les pertenece". (Mateo 5:3)

Santa Edith Stein

Edith Stein nació en Alemania en 1891. Le gustaba leer y aprender. Ella fue maestra de filosofía. Después de leer la vida de Santa Teresa de Avila, Edith Stein descubrió la sabiduría de Cristo. Ella, quien nació en una familia judía, se convirtió al catolicismo y entró a un convento carmelita.

En esa época los judíos eran perseguidos en Alemania. La comunidad de Edith para protegerla la envió a Holanda. Ahí fue capturada y enviada a un campo de concentración. Antes de ser asesinada sufrió con los demás presos y trató de confortarlos, especialmente a los niños. Murió en 1942 y fue canonizada en 1998. Su fiesta se celebra el 9 de agosto.

"Dichosos los que están tristes, pues Dios les dará consuelo". (Mateo 5:4)

Santa Rosa Philippine Duchesne

Rosa Philippine Duchesne fue una misionera de los Estados Unidos. Nació en Francia y fue enviada a Missouri. En San Charles fundó el primer convento de la Sociedad del Sagrado Corazón en los Estados Unidos. Tenía un aprecio especial por los nativos y trabajó con la tribu Potawatomi en Kansas.

Santa Rosa creyó que había fracasado como misionera porque nunca aprendió el idioma de los Potawatomi. Sin embargo, era paciente y respetuosa con ellos. Su corazón estaba siempre con Dios y pasaba mucho tiempo orando. La tribu la llamó: "la mujer que siempre reza". Su fiesta se celebra el 18 de noviembre.

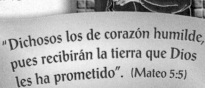

"Dichosos los de corazón humilde, pues recibirán la tierra que Dios les ha prometido". (Mateo 5:5)

San Vicente de Paúl y Santa Luisa de Marillac

Estar "hambriento y sediento" por algo quiere decir desear mucho algo. Vicente de Paúl sabía lo que era desear justicia porque él había sido esclavo de piratas. Cuando escapó empezó a cuidar de los pobres. El pidió a Luisa de Marillac que le ayudara y juntos fundaron las Hermanas de la Caridad, quienes aún hoy sirven a los pobres. Ellas trabajan en escuelas y hospitales, sirven a los niños y a los ancianos.

Vicente también fundó la Congregación de la Misión, comunidad de sacerdotes y hermanos que predican, dan retiros, trabajan en parroquias y enseñan en escuelas. La fiesta de San Vicente se celebra el 27 de septiembre y la de Santa Luisa el 15 de marzo.

"Dichosos los que tienen hambre y sed de hacer lo que Dios exige, pues él hará que se cumplan sus deseos". (Mateo 5:6)

Santa Brígida

Brígida nació en Irlanda y desde muy temprana edad dio su vida a Dios entrando a un convento. Fundó un convento y empezó una escuela de arte en Kildare. Muchos manuscritos iluminados de la época son de esa escuela.

Brígida siempre fue amable y dio a los necesitados. Era persona de gran misericordia y compasión. Su trabajo ayudó a la Iglesia de Irlanda a crecer.

Su fiesta se celebra el 1 de febrero.

"Dichosos los que tienen compasión de otros, pues Dios tendrá compasión de ellos". (Mateo 5:7)

San Pablo

El nombre original de San Pablo era Saulo. El perseguía a los seguidores de Cristo. Jesús mismo se le apareció y le preguntó: "¿Por qué me persigues?" (Hechos de los apóstoles 9:4). Después Saulo entendió que cuando perseguía a los cristianos estaba persiguiendo a Cristo.

Saulo, el enemigo de los cristianos, llegó a ser Pablo, el gran apóstol de Jesús. Viajó de ciudad en ciudad, de país en país llevando la buena nueva de Jesucristo. El escribió a los primeros seguidores de Jesús: "Todas las cosas son de ustedes . . . ustedes son de Cristo". (1 Corintios 3:21-23)

La fiesta de la conversión de San Pablo se celebra el 25 de enero.

"Dichosos los de corazón limpio, pues ellos verán a Dios". (Mateo 5:8)

Escribe tu nombre.

_____

_____

La Bienaventuranzas nos llaman a encontrar la felicidad en Dios. La vida de los santos son ejemplos para nosotros. De ellos podemos aprender a confiar en Dios y a seguir a Cristo. Cristo nos pide tener paz en nuestros corazones y trabajar por la paz en nuestro mundo. ¿Cómo puedes ser un pacificador? ¿Cómo puedes llevar el amor de Cristo al mundo?

Dibújate trabajando por la paz en este espacio.

"Dichosos los que procuran la paz, pues Dios los llamará hijos suyos". (Mateo 5:9)

Los mártires de Uganda

Los mártires de Uganda fueron un grupo de veinte y dos jóvenes dirigidos por Charles Lwanga. Ellos servían en la casa del jefe de una tribu, quien se enojó cuando los jóvenes decidieron adorar y vivir como cristianos. Por eso fueron asesinados. La fiesta de Charles de Lwanga y sus compañeros mártires de Uganda es el 3 de junio.

"Dichosos lo que sufren persecución por hacer lo que Dios exige, pues el reino de Dios les pertence". (Mateo 5:10)

Saint Thérèse of the Child Jesus

Being poor in spirit means depending on God for everything. Even as a little girl, Thérèse knew that everything she had came from God. She loved God as much as she could. She thought of herself as a little flower in God's garden.

When she was only fifteen, she entered a monastery of religious sisters. There she prayed for the whole world. Before she died, she promised to spend her Heaven in doing good upon earth. Her feast day is October 1.

"Blessed are the poor in spirit, for theirs is the kingdom of heaven."
(Matthew 5:3)

Saint Edith Stein

Edith Stein was born in Germany in 1891. She loved to read and to learn. She became a teacher of philosophy, which includes the study of wisdom. After reading the life of Saint Teresa of Avila, Edith Stein discovered the wisdom of Christ. She, who had been born Jewish, became a Catholic and entered a Carmelite monastery.

At that time in Germany, Jews were being persecuted. Edith's community tried to keep her safe by moving her to Holland. Yet, in Holland she was taken to a prison camp. Before she was killed there, she suffered with and tried to comfort the people with her, especially the children. She died in 1942 and was declared a saint in 1998. Her feast day is August 9.

"Blessed are they who mourn, for they will be comforted."
(Matthew 5:4)

Saint Rose Philippine Duchesne

Rose Philippine Duchesne was a missionary to the United States. She was born in France, and was sent to Missouri. In St. Charles, she founded the first convent of the Society of the Sacred Heart in the United States. She had a special love for native Americans, and worked among the Potawatomi tribe in Kansas.

Saint Rose always felt that she was a failure as a missionary because she could never learn the Potawatomi language. However, she was successful. She was patient and respectful to the Potawatomi people. Her heart was always with God, and she spent much time in prayer. The tribe could sense her prayers for them, and they called her "Woman Who Prays Always." Her feast day is November 18.

"Blessed are the meek, for they will inherit the land."
(Matthew 5:5)

Saint Vincent de Paul and Saint Louise de Marillac

To "hunger and thirst" for something means to want something very badly. Vincent de Paul knew what it was to want justice since he had once been forced into slavery by pirates. When he escaped, he began to care for those who were poor and in need. He asked Louise de Marillac to help him. Together they founded the Daughters of Charity. The sisters of this community still serve the poor today. They work in schools and hospitals, in services to children and the elderly, and in parishes.

Vincent also founded the Congregation of the Mission, a community of priests and brothers who preach, give retreats, work in parishes, and teach in schools. Saint Vincent's feast day is September 27. Saint Louise's feast day is March 15.

"Blessed are they who hunger and thirst for righteousness, for they will be satisfied."
(Matthew 5:6)

Saint Brigid

Brigid was born in Ireland, and at an early age she gave her life to God by entering a monastery. She founded a convent in Kildare and started an art school there. Many illuminated manuscripts of the time came from this school.

Brigid was always kind and giving to those in need. She was a person of great mercy and compassion. The work she did helped the Church to grow in Ireland.

Saint Brigid's feast day is February 1. She is the patron saint of nuns.

"Blessed are the merciful, for they will be shown mercy."
(Matthew 5:7)

Saint Paul

Saint Paul's original name was Saul, and he persecuted the followers of Christ. Jesus himself appeared to Saul and asked, "Why are you persecuting me?" (Acts of the Apostles 9:4). Then Saul realized that when he persecuted Christians he was persecuting Christ himself.

The enemy of Christians, Saul, became the great Apostle of Jesus, Paul. He traveled from city to city, country to country, to tell the Good News of Jesus Christ. He wrote to the early followers of Jesus, "Everything belongs to you . . . and you to Christ" (1 Corinthians 3:21-23). The feast of the Conversion of Saint Paul is January 25.

"Blessed are the clean of heart, for they will see God."
(Matthew 5:8)

Write your name.

_____

_____

The Beatitudes call each of us to find happiness in God. The lives of the saints are examples to us. From them we can learn to trust in God and follow Christ. Christ asks us to have peace in our hearts and to work for peace in our world. How can you be a peacemaker? How can you bring Christ's love to the world?

In the space, draw yourself as a peacemaker.

"Blessed are the peacemakers, for they will be called children of God."
(Matthew 5:9)

The Martyrs of Uganda

The martyrs of Uganda were a group of twenty-two young men, led by Charles Lwanga. They served in the household of a tribal chief who became angry when these young men insisted on living and worshiping as Christians. They were killed because of this. The feast day of Saint Charles Lwanga and his companions, the martyrs of Uganda, is June 3.

"Blessed are they who persecuted for the sake of righteousness, for theirs is the kingdom of heaven."
(Matthew 5:10)

Glosario

absolución (pp 60)
el perdón de Dios de los pecados
por medio de las palabras y
acciones del sacerdote

alianza (pp 88)
acuerdo especial entre Dios y su
pueblo

asamblea (pp 136)
la comunidad de personas que
se reúne para adorar en nombre
de Jesucristo

avaricia (pp 252)
Deseo excesivo de tener cosas

bendecir (pp 114)
dedicar alguien o algo a Dios o
hacer algo santo en nombre
de Dios

Bienaventuranzas (pp 24)
enseñanzas de Jesús que
describen la forma en que deben
vivir sus discípulos

castidad (pp 188)
virtud por la que usamos nuestra
sexualidad humana en forma
responsable y fiel

codicia (pp 240)
desear algo que le pertenece
a otro

conciencia (pp 48)
la habilidad de conocer la
diferencia entre el bien y el mal,
lo malo y lo bueno

consagración (pp 138)
la parte de la oración eucarística
cuando, por el poder del Espíritu
Santo y por medio de las palabras
y acciones del sacerdote, el pan y
el vino se convierten en el Cuerpo
y la Sangre de Cristo

culto (pp 100)
alabar y dar gracias a Dios

derechos humanos (pp 92)
los derechos básicos que tienen
todas las personas

día de precepto (pp 126)
día destinado a celebrar un evento
especial en la vida de Jesús, María
y los santos

Diez Mandamientos (pp 88)
las leyes de la alianza dadas por
Dios a Moisés en el Monte Sinaí

dignidad humana (pp 176)
valor que tiene cada persona por
haber sido creada a imagen y
semejanza de Dios

diócesis (pp 276)
área local de la Iglesia dirigida por
un obispo

discípulos (pp 12)
los que dijeron sí al llamado de
Jesús a seguirle

dones del Espíritu Santo (pp 268)
los siete dones que nos ayudan a
seguir la ley de Dios y a vivir como
Jesús vivió

encarnación (pp 10)
la verdad de que el Hijo de Dios se
hizo hombre

envidia (pp 252)
sentimiento de tristeza porque
alguien tiene cosas que queremos
para nosotros

examen de conciencia (pp 52)
el acto de determinar si las
decisiones que hemos tomado
muestran amor a Dios, a los demás
y a nosotros mismos

frutos del Espíritu Santo (pp 268)
las buenas cosas que las personas
pueden ver en nosotros cuando
respondemos a los dones del
Espíritu Santo

gracia (pp 14)
el don de la vida de Dios
en nosotros

homilía (pp 136)
palabras que el sacerdote o el
diácono dicen para ayudarnos a
entender las lecturas de la misa
y a crecer como fieles seguidores
de Jesús

idolatría (pp 102)
adorar criaturas o cosas en vez de
adorar a Dios

Iglesia (pp 14)
comunidad de personas
bautizadas en Jesucristo y que
siguen sus enseñanzas

iglesia doméstica (pp 164)
es a la que está llamada a ser
cada familia cristiana

justicia (pp 26)
respetar los derechos de los
demás y darles lo que justamente
les pertenece

libre albedrío (pp 34)
libertad de decidir cuando
y como actuar

liturgia (pp 264)
oración oficial pública de la Iglesia

Liturgia de la Eucaristía (pp 138)
parte de la misa en la que la
muerte y resurrección de Cristo
se hacen presentes; nuestras
ofrendas de pan y vino se
convierten en el Cuerpo y la
Sangre de Cristo que recibimos
en la comunión

Liturgia de la Palabra (pp 136)
parte de la misa en la que
escuchamos y respondemos a
la palabra de Dios

mártires (pp 214)
personas que prefieren morir
antes de negar su fe en Jesús

mayordomos de la creación (pp 202)
los que cuidan de todo lo que Dios les ha dado

misa (pp 134)
la celebración de la Eucaristía

misión (pp 28)
el trabajo de compartir la buena nueva de Jesucristo y predicar el reino de Dios

modestia (pp 244)
virtud por la que pensamos, hablamos, actuamos y nos vestimos en forma tal que mostramos respeto por nosotros mismos y por los demás

obispos (pp 276)
líderes de la Iglesia que continúan el trabajo de los apóstoles

obras espirituales de misericordia (pp 128)
cosas que hacemos por el bienestar de las mente y los corazones de los otros

obras corporales de misericordia (pp 128)
cosas que hacemos para cuidar de las necesidades físicas de los otros

orar (pp 100)
escuchar y hablar con Dios con nuestras mentes y corazones

oración eucarística (pp 138)
la mayor oración de alabanza y acción de gracias de la Iglesia a Dios

papa (pp 276)
el obispo de Roma, quien dirige a toda la Iglesia Católica

párroco (pp 276)
el sacerdote que dirige una parroquia en adoración, oración y enseñanza

parroquia (pp 274)
comunidad de creyentes que adoran y trabajan juntos

paz (pp 24)
la libertad que viene de amar y confiar en Dios y respetar a los demás

pecado (pp 36)
pensamiento, palabra, acción u omisión en contra de la ley de Dios

pecado mortal (pp 36)
pecado grave que rompe la amistad entre Dios y una persona

pecado original (pp 14)
el primer pecado cometido por los primeros humanos

pecado venial (pp 36)
pecado menos grave que daña la relación con Dios

penitente (pp 62)
persona que busca el perdón de Dios en el sacramento de la Reconciliación

pobres de espíritu (pp 254)
los que dependen completamente de Dios

preceptos de la Iglesia (pp 276)
leyes que nos ayudan a conocer y cumplir con nuestra responsabilidad como miembros de la Iglesia

reino de Dios (pp 26)
el poder del amor de Dios activo en el mundo

reverencia (pp 112)
honor, amor y respeto

sabat (pp 122)
día de descanso para honrar a Dios de manera especial

sacramento (pp 266)
signo especial dado por Jesús por medio del cual compartimos en la vida de Dios

sagrado (pp 116)
otra palabra para santo

salmo (pp 112)
canto de alabanza en honor a Dios

Salvador (pp 14)
título dado a Jesús porque murió y resucitó para salvarnos del pecado

Santísima Trinidad (pp 12)
tres Personas en un solo Dios: Dios Padre, Dios Hijo y Dios Espíritu Santo

sinagoga (pp 124)
lugar donde el pueblo judío se reúne para adorar y aprender sobre Dios

tentación (pp 36)
atracción hacia el pecado

testigos (pp 214)
personas que hablan y actúan basados en lo que saben y creen sobre Jesús

virtud (pp 188)
un buen hábito que nos ayuda a actuar de acuerdo al amor que Dios nos tiene

virtudes cardinales (pp 290)
prudencia, justicia, fortaleza y templanza

virtudes teologales (pp 286)
fe, esperanza y caridad

Glossary

absolution (p. 61)
God's forgiveness of sins through the words and actions of the priest

assembly (p. 137)
the community of people gathered to worship in the name of Jesus Christ

Beatitudes (p. 25)
teachings of Jesus that describe the way to live as his disciples

bishops (p. 277)
leaders of the Church who continue the work of the Apostles

bless (p. 115)
to dedicate someone or something to God or to make holy in God's name

Blessed Trinity (p. 13)
the Three Persons in One God: God the Father, God the Son, and God the Holy Spirit

Cardinal Virtues (p. 291)
prudence, justice, fortitude, and temperance

chastity (p. 189)
the virtue by which we use our human sexuality in a responsible and faithful way

Church (p. 15)
the community of people who are baptized and follow Jesus Christ

conscience (p. 49)
the ability to know the difference between good and evil, right and wrong

Consecration (p. 139)
the part of the Eucharistic Prayer when, by the power of the Holy Spirit and through the words and actions of the priest, the bread and wine become the Body and Blood of Christ

Corporal Works of Mercy (p. 129)
things that we do to care for the physical needs of others

covenant (p. 89)
a special agreement between God and his people

covet (p. 241)
to wrongly desire something that is someone else's

diocese (p. 277)
a local area of the Church led by a bishop

disciples (p. 13)
those who said yes to Jesus' call to follow him

domestic Church (p. 165)
the Church in the home which every Christian family is called to be

envy (p. 253)
a feeling of sadness when someone else has the things we want for ourselves

Eucharistic Prayer (p. 139)
the Church's greatest prayer of praise and thanksgiving to God

examination of conscience (p. 53)
the act of determining whether the choices we have made showed love for God, ourselves, and others

free will (p. 35)
the freedom to decide when and how to act

fruits of the Holy Spirit (p. 269)
the good things people can see in us when we respond to the gifts of the Holy Spirit

gifts of the Holy Spirit (p. 269)
the seven gifts which help us to follow God's law and live as Jesus did

grace (p. 15)
the gift of God's life in us

greed (p. 253)
an excessive desire to have or own things

holy day of obligation (p. 127)
a day that is set apart to celebrate a special event in the life of Jesus, Mary, or the saints

homily (p. 137)
a talk given by the priest or deacon that helps us to understand the readings and to grow as faithful followers of Jesus

human dignity (p. 177)
the value and worth each person has from being created in God's image

human rights (p. 93)
the basic rights that all people have

idolatry (p. 103)
giving worship to a creature or thing instead of God

Incarnation (p. 11)
the truth that the Son of God became man

justice (p. 127)
respecting the rights of others and giving them what is rightfully theirs

Kingdom of God (p. 27)
the power of God's love active in the world

liturgy (p. 265)
the official public prayer of the Church

319

Liturgy of the Eucharist (p. 139)
the part of the Mass in which the Death and Resurrection of Christ are made present again; our gifts of bread and wine become the Body and Blood of Christ, which we receive in Holy Communion

Liturgy of the Word (p. 137)
the part of the Mass when we listen and respond to God's Word

martyrs (p. 215)
people who die rather than give up their belief in the risen Jesus

Mass (p. 135)
the celebration of the Eucharist

mission (p. 29)
the work of sharing the Good News of Jesus Christ and spreading the Kingdom of God

modesty (p. 245)
the virtue by which we think, speak, act, and dress in ways that show respect for ourselves and others

mortal sin (p. 37)
very serious sin that breaks a person's friendship with God

Original Sin (p. 15)
the first sin committed by the first human beings

parish (p. 275)
a community of believers who worship and work together

pastor (p. 277)
the priest who leads the parish in worship, prayer, and teaching

peace (p. 25)
the freedom that comes from loving and trusting God and respecting all people

penitent (p. 63)
the person seeking God's forgiveness in the Sacrament of Penance

poor in spirit (p. 255)
those who depend on God completely

pope (p. 277)
the Bishop of the diocese Rome in Italy, who leads the whole Catholic Church

prayer (p. 101)
listening and talking to God with our minds and hearts

precepts of the Church (p. 277)
laws to help us know and fulfill our responsibilities as members of the Church

psalm (p. 113)
a song of praise to honor the Lord

reverence (p. 115)
honor, love and respect

Sabbath (p. 123)
the day of rest set apart to honor God in a special way

sacrament (p. 267)
a special sign given to us by Jesus through which we share in God's life

sacred (p. 117)
another word for holy

Savior (p. 15)
a title given to Jesus because he died and rose to save us from sin

sin (p. 37)
a thought, word or action against God's law

Spiritual Works of Mercy (p. 129)
things that we do to care for the minds, hearts, and souls of others

stewards of creation (p. 203)
those who take care of everything God has given them

synagogue (p. 125)
the gathering place where Jewish People pray and learn about God

temptation (p. 37)
an attraction to choose sin

Ten Commandments (p. 89)
the Laws of God's covenant given to Moses on Mount Sinai

theological virtues (p. 287)
faith, hope, love

venial sin (p. 37)
less serious sin that hurts a person's friendship with God

virtue (p. 189)
a good habit that helps us to act according to God's love for us

witnesses (p. 215)
people who speak and act based upon what they know and believe about Jesus

worship (p. 101)
giving God thanks and praise